A JORNADA *de* RUTH

Para Hattie McDaniel
"Até minha própria vida me surpreende."

Uma velha enorme com os pequenos olhos astutos de um elefante. Era uma negra retinta, africana pura, dedicada até a última gota de sangue aos O'Haras, esteio de Ellen, desespero de suas três filhas, terror dos outros criados da casa.

— Margaret Mitchell, *E o vento levou*

Aonde quer que fores, eu irei; e onde quer que pousares, ali pousarei; o teu povo é o meu povo, e o teu Deus é o meu Deus; onde quer que morras, eu ali morrerei e ali serei sepultada.

— O Livro de Ruth

PRIMEIRA PARTE

São Domingos

SUA HISTÓRIA COMEÇOU com um milagre. Não um milagre notável; o mar Vermelho não se abriu nem Lázaro ressuscitou. O milagre dela foi um desses que acontecem todos os dias e separam os vivos dos mortos.

O milagre aconteceu numa pequena ilha que havia sido muito rica. Os fazendeiros a chamavam de Pérola das Antilhas. Três semanas após sua estreia em Paris, *As bodas de Fígaro* foi encenada em Cap-Français, a capital da pequena ilha. Os fazendeiros, administradores e seus filhos mais novos dirigiam as plantações de açúcar e café da ilha que enriqueciam ainda mais os franceses endinheirados e alçavam pequenos transportadores marítimos à burguesia. A ilha produzia uma receita anual maior que a de todas as colônias norte-americanas da Grã-Bretanha juntas.

Mas isso ficara para trás. Os campos férteis de cana-de-açúcar de outrora jaziam incultos sob uma densa camada de cinzas, e as fundações destruídas do que foram grandes mansões espreitavam debaixo de espinheiros.

Se fossem prudentes e ficassem nas estradas, os soldados de Napoleão ainda conseguiam patrulhar a Plaine-du-Nord, pelo menos até Villeneauve. Seus fortes circulares eram bastante seguros.

Ao cair da noite, porém, eles acampavam dentro desses fortes ou retornavam a Cap-Français. De dia ou à noite, as montanhas pertenciam a porcos e cabras selvagens, insurgentes e quilombolas.

Na tarde do milagre, a mulher que se tornaria dona e quase mãe da criança sentava-se junto à janela olhando para o leste, por cima dos telhados quebrados da capital e dos mastros da frota francesa bloqueada, para a tranquila baía azul-celeste, pois qualquer outra vista rejeitava esperança. E Solange Escarlette Fornier voltava-se para a esperança como a flor-de-lis se inclina persistentemente para o sol.

Embora fosse jovem, Solange não era bela. Dois anos atrás, no dia de seu casamento, usando o vestido de renda flamenga de sua avó, Solange estava sem graça. Mas aqueles que lhe dirigiam um segundo olhar geralmente encontravam tempo para um terceiro, pairando em suas maçãs altas, nos frios olhos cinza esverdeados, no nariz gaulês arrogante e na boca, que muito prometia o que negava.

Esse segundo olhar revelava como o isolamento daquela jovem mulher a tornava invulnerável.

Solange Escarlette Fornier havia crescido em Saint-Malo, o próspero porto na costa da Bretanha. Ela entendia seu domicílio e, quando falava, suas mãos empregavam os gestos sutis dos cidadãos locais. Solange sabia como os novelos de Saint-Malo eram enrolados, por que mãos e com que lã.

Ali, naquela pequena ilha, Solange Escarlette Fornier não passava de um número — uma noiva provinciana sem parentes influentes em Paris, casada com um capitão medíocre de um exército moribundo. Solange não conseguia entender por que aquelas coisas terríveis estavam acontecendo e, apesar de culpar o marido, Augustin, reservava a maior culpa para si mesma: como podia ter sido tão burra?

Entre a burguesia de Saint-Malo, os Forniers eram "respeitáveis", e os Escarlettes, "temíveis". Henri-Paul Fornier e o pai de Solange, Charles, esperavam unir suas casas pelo casamento. As escunas de

Henri-Paul poderiam transportar as manufaturas Escarlettes, enquanto a influência de Escarlette poderia domar os gananciosos oficiais portuários. Todo navio necessita de duas âncoras.

De modo cortês e franco, os pais avaliaram os futuros noivos porque, como diz outro ditado bretão, "amor e pobreza geram um lar desordenado".

Amor? Na presença da filha mais velha de Charles Escarlette, o jovem Augustin Fornier ficava corado e sem fala, e, se Solange era indiferente ao seu pretendente, não importava. Sem dúvida, como inúmeras moças antes, ela mudaria de ideia.

Pobreza? Durante as discussões dos pais em torno do dote, as perspectivas do filho foram cuidadosamente equilibradas com o substancial dote nupcial da filha.

Augustin levaria para o matrimônio noventa por cento (Henri-Paul reservou uma participação) de uma fazenda distante: a Sucarie du Jardin, de 150 hectares, que incluía uma grande casa ("um Versailles!") e um moderno engenho de açúcar ("quanto mais branco o açúcar, melhor o preço, não é assim?") e 43 trabalhadores ("dóceis, leais") com não menos de 15 anos nem mais de 30, sem mencionar 12 escravas em idade reprodutiva e vários filhos, alguns dos quais sobreviveriam para fazer parte da força de trabalho.

Henri-Paul mostrou os registros de recibos trimestrais depositados no Banque de France.

— Cento e vinte *écus* — exclamou Charles. — Louvável — murmurou, folheando os papéis, e depois fez uma pausa para anotar algo. — Muito interessante. Você dispõe de faturamentos mais recentes? Dos últimos três anos, talvez?

Henri-Paul pegou o cachimbo do bolso, considerou-o, mas o deixou de lado.

— As circunstâncias.

— É verdade. As circunstâncias.

Charles Escarlette sabia que não poderia haver faturamentos recentes, mas permitiu-se continuar com aquilo.

Vinte anos antes, quando Henri-Paul hipotecou duas pequenas escunas costeiras para comprar uma plantação de cana-de-açúcar numa ilha caribenha, da qual poucos nativos de Saint-Malo tinham ouvido falar, Charles Escarlette não ficara entre os que mais debocharam, mas erguera uma sobrancelha.

A "imprudência" de Henri-Paul tornou-se "sagacidade" quando a demanda europeia por açúcar duplicou, triplicou e quadruplicou. Até mesmo as casas mais humildes deviam ter suas geleias e bolos. Não havia solo mais apropriado para a cana-de-açúcar que o da pequena ilha, e nenhum engenho refinava um açúcar mais branco que o da Sucarie du Jardin. No primeiro ano de posse da fazenda, o administrador de Henri-Paul enviou lucros que reembolsaram a aquisição. Subsequentemente, Henry-Paul utilizou os lucros desse seu empreendimento arriscado para expandir sua frota para oito embarcações costeiras (que se tornaram o patrimônio de seu filho mais velho, Leo) e os Forniers foram convidados a entrar para a Société des Expéditeurs et des Marchand, quando, no baile anual, Henri-Paul (que bebera uma dose a mais) deu um tapinha no ombro de Charles Escarlette e dirigiu-se a ele com o familiar "tu".

Aquele "tu" infeliz dera razão para Charles perguntar pelos faturamentos dos quais não se poderia dispor.

É que escravos ingratos daquela rica pequena ilha haviam se revoltado contra seus legítimos donos. Enquanto a revolta dos escravos se disseminava, os franceses da Metrópole iniciaram independentemente uma revolução própria e executaram seu rei. O governo revolucionário, com aqueles jacobinos avessos aos negócios (que moravam em Paris e provavelmente não possuíam um cúbito de um engenho de açúcar!), num excesso de *"Liberté! Égalité! Fraternité!"*, libertou todos os escravos franceses!

Alguns anos mais tarde, com Napoleão Bonaparte no controle do governo francês, as condições na pequena ilha continuavam caóticas, perigosas e, especialmente, não lucrativas. Um governador-geral negro, autonomeado, procurou manter laços com a França (enquanto distribuía as melhores fazendas francesas aos partidários dele), mas outros rebeldes contestaram seu governo e roubaram as fazendas para si.

Charles Escarlette entendeu que Henri-Paul não teria designado noventa por cento da Sucarie du Jardin ao seu filho Augustin se os lucros estivessem garantidos, mas sorriu de maneira muito agradável e abriu uma garrafa de Armagnac do ano em que o falecido e lastimado Rei Luís subira ao trono. Henri-Paul mostrou-se agradecido.

Na segunda dose, Henri-Paul observou que os quadris e seios de Solange poderiam produzir e nutrir netos fortes, mas acrescentou:

— Não será o meu Augustin quem vai mandar nessa família.

Charles girou seu Armagnac para sentir o buquê.

— Augustin sempre vai necessitar de orientação.

— Ele teria dado um bom padre — declarou o outro de modo soturno.

Um riso de deboche.

— Ele não olha para a minha filha como um padre!

— Como alguns padres olham, talvez.

Cordialidade instantânea. Os dois, que tinham sido anticlericais na juventude, deram risada. Charles Escarlette tampou a garrafa com a rolha e estendeu a mão.

— Amanhã novamente?

— Como lhe aprouver.

Augustin Fornier não era inteiramente inadequado como futuro genro, mas não fosse por aquele engenho distante e a intervenção pessoal de Napoleão, não teria sido escolhido.

Assim como Charles e Henri-Paul queriam recuperar a Sucarie du Jardin para a posse francesa, Napoleão queria a riqueza da pequena ilha entregue à França, e não enriquecendo os negros que a disputavam e que tinham sido propriedade francesa até que um estúpido jacobino cometesse um erro. Além disso, os americanos intrometidos andavam bisbilhotando ao redor de Nova Orleans, o centro do imenso território da Louisiana, e uma força francesa potente na pequena ilha refrearia as ambições americanas. Franceses e britânicos estavam em paz atualmente, os mares, abertos, e o esplêndido exército de Napoleão tinha muito pouco o que fazer. O primeiro-cônsul confiou o comando de uma grande força expedicionária ao cunhado, o General Charles-Victor-Emmanuel Leclerc.

Após uma conversa com Fornier, Charles Escarlette procurou Ricard d'Ageau, que havia perdido um braço em Austerlitz, tornando-se desde então a autoridade de Saint-Malo em questões militares. Agradecido, Ricard aceitou o segundo melhor conhaque de Escarlette e levantou um dedo sentencioso ao lado do nariz anunciando que, depois do desembarque e reagrupamento da expedição de Leclerc, haveria três, talvez quatro contendas, Leclerc iria edificar o populacho com alguns enforcamentos e as coisas voltariam ao normal em semanas, não meses. Diante de armas francesas manipuladas pelos veteranos de Napoleão...

— *Les Nègres* vão sair correndo feito loucos.

— E depois...

— Rá, rá... O vencedor leva tudo!

Esse último prognóstico encaixou-se com demasiada perfeição nas suspeitas de Charles Escarlette e ele passou uma noite inquieta, estando de mau humor à mesa do café. Quando Solange perguntou ao seu "querido papai" se havia algo errado, ele respondeu com tamanha agressividade que ela o fitou como se ele fosse um lunático que encontrara na rua.

Porém, não muito mais tarde, sua intenção e tarefa ficaram claras. Faltava apenas fazer Henri-Paul ("tu", de fato!) entender a realidade e as oportunidades da situação.

Augustin Fornier havia passado duas tardes com sua jovem futura noiva, sempre com uma dama de companhia a observá-los. Embora inocente em relação ao sexo frágil e à vida além do pátio murado do estabelecimento Fornier no número 24 da Rue des Pêcheurs, até Augustin — quando seu delírio amoroso se acalmou — sabia que sua amada Solange Escarlette era provinciana, esnobe, indiferente e egocêntrica. E daí? O amor não é nenhum contador.

Ele tinha paixão por ela. A pinta ao lado de sua sobrancelha esquerda ficava exatamente onde uma pinta perfeita deveria estar, *Le Bon Dieu* havia projetado seus seios para repousarem nas mãos de Augustin, suas nádegas redondas tinham tal formato que lhe permitiam ajustá-la a ele. Imaginar aquele momento triunfal em que ele possuiria Solange perturbava o sono de Augustin e deixava seus lençóis suados torcidos feito cordas. Seria possível construir um casamento baseado no desejo? Augustin não sabia e não se importava com isso.

Solange achava que o casamento significaria uma semana de exibição para suas irmãs solteiras e os deveres tediosos do leito matrimonial com um homem que ela considerava suficientemente agradável. Afinal, dever era dever, não é? Seu pai providenciara seu batismo, seus estudos até os 12 anos e agora seu casamento. Assim eram feitas as coisas em Saint-Malo.

Acordo fechado e os dois estavam casados. Com um empréstimo dois pontos acima da taxa preferencial de juros, garantido pelo engenho, Charles Escarlette adquiriu uma patente de subtenente na Quinta Légère para seu genro.

Quando menino, Augustin era pacífico. Quando os outros meninos brandiam espadas de madeira, ele temia que alguém pudesse lhe arrancar o olho. Quando aqueles meninos viraram homens e suas espadas de pau tornaram-se verdadeiras, o aço cintilante dava calafrios em Augustin. Contudo, seu sogro explicou:

— A Sucarie du Jardin é seu único meio de subsistência, não é? Depois que o General Leclerc acabar com essa revolta e nossos negros voltarem ao trabalho, a Sucarie du Jardin irá retornar aos seus donos por direito ou a um dos oficiais favoritos de Leclerc?

Charles deu um tapinha nas costas de Augustin.

— Não se preocupe, meu rapaz. Isso vai acabar num piscar de olhos... — ele tossiu — ... e ouvi falar que as mulheres negras são... primitivas.

Augustin, que considerou a posse da esposa menos emocionante que o esperado, achou que "primitiva" talvez não fosse a pior coisa do mundo.

Henri-Paul culpou o "ardor indiscreto" de seu filho pelo *"régime de in fiparatum de bient"* que ele fora obrigado a aceitar. O dote substancial de Solange Escarlette havia sido depositado no Banque de France — em nome dela.

— Meu caro amigo — Charles encorajou sua nova relação —, eles vão precisar desse dinheiro para recuperar o engenho. Antes do fim do ano, seus dez por cento estarão dando lucro novamente.

Solange achou que até poderia gostar de ser senhora de uma grande fazenda, e suas irmãs ficaram bastante aborrecidas com aquela presunção. Ela seria gentil, bondosa e, se não bela (Solange era realista), muito, muito bem-vestida.

Nos domingos depois da missa, ela receberia as mulheres dos outros fazendeiros e serviria chá com o conjunto azul-cobalto e dourado de Sèvres, de sua avó. Usaria o colar de sua avó, e uma criada ficaria atrás de cada cadeira, abanando suas amigas.

O casal recém-aquinhoado embarcou em Brest e navegou rumo a Oeste por mares agitados durante 42 dias invernais. A patente de subtenente de Augustin comandava um beliche numa cabine minúscula que os recém-casados dividiam com dois oficiais solteiros não mais importantes que eles. Fingir que não viam nem ouviam o que inevitavelmente deviam era o refúgio da delicadeza. Como não havia espaço suficiente para discutir, Solange o fazia com os olhos.

Por um momento esplêndido na manhã de 29 de janeiro, tudo pareceu possível. No convés abarrotado, conforme a pequena ilha ia aumentando, Solange deslizou sua pequena mão sobre a do marido. Talvez a doce dependência da mulher tivesse levado lágrimas aos olhos do Subtenente Fornier, ou quem sabe a brisa da ilha, temperada com suaves e lânguidos perfumes. Era verdade! O fazendeiro-oficial e sua esposa inalaram a promessa da Pérola das Antilhas.

Como os insurgentes haviam removido os marcadores de navegação do porto de Cap-Français, a expedição do General Leclerc, inclusive a Quinta Brigada e seu subtenente novato, navegou até a costa para possibilitar a atracação, deixando Solange com a minúscula cabine só para ela.

Enquanto a esquadra francesa esperava que Leclerc atacasse, os insurgentes botaram fogo na capital, e um cheiro amargo mascarou as brisas aromáticas. Danem-se os marcadores de navegação! O almirante seguiu em frente e atracou no cais. O grupo francês que desembarcou compreendia marinheiros, fuzileiros e civis — como Solange, que brandia uma adaga pouco feminina —, e foram recebidos por centenas de crianças negras que gritavam *"Papa Blan, Papa Blan"* (Pai Branco). Enquanto o grupo que desembarcou saqueava, Solange recrutou as crianças para carregarem a bagagem dos Forniers até um bairro que fora poupado das chamas.

Solange se empoleirou nos degraus de pedra da entrada de uma pequena casa de dois andares com sua adaga sobre os joelhos até aquela noite, quando as forças do General Leclerc chegaram para se juntar à pilhagem. Dois dias depois, um oficial com bigodes orgulhosos de granadeiro informou a Solange que poucas casas haviam sobrevivido ao incêndio e que a dela estava sendo requisitada para os oficiais superiores.

— *Non.*

— *Madame?*

— *Non.* Esta casa é pequena, está suja e tudo está quebrado, mas deve bastar.

— *Madame!*

— O senhor vai retirar a esposa de um fazendeiro francês à força?

Mais tarde, Augustin escafedeu-se enquanto outros oficiais faziam tentativas inúteis para desalojar sua mulher.

O plano de Napoleão foi bem-sucedido por algum tempo. Muitos ilhéus receberam de bom grado o auxílio francês para acabar com a revolta e muitos regimentos negros do governador-geral se juntaram aos franceses. As casas foram consertadas, seus telhados, refeitos, e Cap-Français se ergueu das cinzas. Leclerc enviou a maior parte da esquadra francesa de volta para casa. Muitos comandantes rebeldes renovaram sua lealdade à França e ao seu primeiro-cônsul. O autonomeado governador-geral foi atraído para uma conferência de paz, onde foi preso.

Os Forniers partiram para inspecionar seu engenho. Era uma manhã fria e enevoada na Plaine-du-Nord, e Solange usava uma manta de lã. A planície era dominada pelo imponente Morne Jean, origem de córregos grandes e pequenos que interrompiam a passagem.

Em aldeias minúsculas, crianças silenciosas e magras os espiavam, e cães de rua saíam do caminho. Alguns canaviais tinham sido abandonados para a macega, outros, subdivididos em pequenas hortas com as casas rudimentares dos novos homens livres; alguns poucos se mantinham com a cana por colher. Eles cruzaram a vau córregos borbulhantes e foram transportados por balsa na travessia do turvo Grande-Rivière-du-Nord, em cujas margens depositavam--se galhos quebrados e troncos deixados pelas cheias de inverno.

Ao sul do cruzamento de Segur, eles viraram para a fonte de sua futura felicidade: a Sucarie du Jardin.

Eles haviam lido os relatórios do administrador, a escritura e o mapa de uma remota e misteriosa fazenda caribenha; hoje, deixavam marcas reais de rodas numa estradinha em desuso na sombra fria entre paredes de cana-de-açúcar que ondulavam acima de suas cabeças.

— Baunilha — sussurrou Solange. — Tem cheiro de baunilha.

A cana farfalhava. Qualquer coisa podia se esconder no meio daquele canavial, e eles ficaram aliviados ao passar para a luz do sol no caminho calçado de pedras diante de uma casa de fazenda de dois andares que não havia sido tão grandiosa quanto eles imaginavam, mesmo antes de ser incendiada. Um céu azul acinzentado, entrecortado por vigas enegrecidas do teto, preenchia as janelas do andar superior. Escombros vertiam pelo que havia sido a porta de entrada.

— Oh! — exclamou Solange.

O farfalhar devia ser dos negros do engenho fugindo em meio à plantação de cana alta.

— Vamos reconstruir — disse Augustin.

— Acha que vamos conseguir? — perguntou Solange, pousando a mão no joelho de Augustin.

Deles. A casa destroçada, o engenho de açúcar incendiado com seus eixos, engrenagens e equipamentos tortos e quebrados — *deles.* Os planos deixaram suas mentes empolgadas. Exploraram a aldeola intacta dos negros — *deles.* A moradia de cada trabalhador era protegida por uma parede verde reluzente de cactos entremeados e, quando Augustin estendeu a mão curiosa, puxou-a em seguida e chupou o dedo enquanto Solange ria. O pátio de cada moradia era de chão batido como cimento e estava varrido. Abaixando a cabeça, Augustin avançou para um interior sombrio. Solange tossiu. A cabeça de seu marido quase encostava no buraco de saída da fumaça, o que ela achou engraçado. Esteiras surradas estavam enroladas ao lado de um grande cesto para coleta de mandioca. A panela da lareira tinha uma comida esbranquiçada grudada no fundo. Augustin se imaginou instruindo as crianças negras nas glórias da civilização francesa e previu a gratidão e alegria dos pequenos. Solange pegou uma bela tigela de porcelana, mas a borda estava lascada, então ela a largou.

Relatos de fazendeiros avisaram sobre as hortas como a bem-cuidada atrás daquela cabana. Os trabalhadores gastavam as energias em suas hortas em vez de usá-las no trabalho de seus senhores. Augustin anunciou uma decisão de proprietário.

— Os *nossos* negros *farão* seu trabalho no canavial *antes* desta... frivolidade!

Solange cogitou se eles também teriam uma casa na cidade.

O sol deixou de sorrir para a vida deles daquele dia em diante. Eles — apenas eles dois — poderiam fazer alguma coisa ali. *Deles.* Augustin se inflou de orgulho. Ele iria capturar os trabalhadores errantes e fazê-los voltar para a Sucarie du Jardin. Afinal, não era a casa deles também? Não era tanto a vida deles como a dele, Augustin?

Quando uma brisa agitava a plantação de cana-de-açúcar, o canavial chacoalhava. Que som encantador!

— A casa... — começou ele. — Fico contente que a casa tenha incendiado. Era muito pequena. Insatisfatória.

— Vamos construir uma melhor — disse ela.

No jardim negligenciado da mansão, Augustin estendeu sua pelerine ao lado de uma roseira cujos galhos secos sussurravam possibilidades. Eles seriam ricos. Seriam bons. Seriam amados. Fariam o que bem quisessem. Solange se abriu para Augustin no puro delírio de amor.

Ah, que pena! Após a deportação do governador-geral negro para a França, o combate se intensificou, a zona rural ficou insegura e os Forniers nunca mais visitaram o canavial que havia encarnado tantas esperanças. O marido de Solange já não falava sobre o que fazia quando servia o Exército. Ele foi promovido. Foi novamente promovido, mas não se orgulhava disso. Augustin já não gostava de bailes nem do teatro, e a mais agradável e espirituosa das conversas o entediava. O Capitão Fornier parou de frequentar a sociedade.

Com o verão veio a febre amarela.

Uma estranha teoria ficou popular entre os oficiais franceses crédulos: eles estavam perdendo para forças *sobrenaturais*. Há muitos anos, antes mesmo que os jacobinos libertassem os escravos e muito antes de Napoleão enviar Leclerc para escravizá-los novamente, um sacerdote vodu foi queimado na praça de Cap-Français. Negros supersticiosos acreditavam que aquele sacerdote era capaz de se transformar num animal ou inseto e, portanto, não poderia ser morto. Mas rá, rá, *monsieur*: a gordura dele borbulha como a de qualquer outro! Embora as cinzas do sacerdote vodu tivessem sido removidas e esfregadas das pedras do calçamento, aquele verão viveu uma infestação incomum de mosquitos e a primeira epidemia de febre amarela.

A febre ardia. Sem fôlego, a vítima pedia água. Então seu cérebro era espremido assim como um homem forte espreme uma fruta. O condenado ficava lúcido, portanto suas caras ilusões ficavam expostas como as mentiras que sempre haviam sido.

Então cessava. Silêncio. Sossego. A febre ia embora e a cabeça parava de latejar. A pessoa tomava água fresca e repousava. Uma alma de bom coração lavava o suor imundo do corpo da pessoa. Muitas vítimas se atreviam a ter esperança.

Alguns dos mais devotos perdiam a fé quando a febre voltava e sangue negro corria do nariz e da boca, mais o vômito negro e a coriza imunda.

Pelas indubitáveis boas razões de *Le Bon Dieu*, Augustin e Solange foram poupados, mas a maior parte da expedição de Napoleão morreu mais rapidamente do que era possível sepultá-la. Embora enterrado com mais pompa e dignidade que os milhares de seus soldados, o General Charles-Victor-Emmanuel Leclerc também morreu.

A mulher do general partiu em um dos últimos navios franceses que deixou a pequena ilha, pois o tratado de paz entre França e Grã-Bretanha foi desfeito um ano depois de sua assinatura e uma esquadra britânica bloqueou a ilha.

Com os britânicos veio a notícia de que Napoleão tinha vendido o território da Louisiana para os americanos. Os sobreviventes franceses na pequena ilha sabiam que Napoleão os vendera também.

Depois que o General Rochambeau assumiu o comando das forças francesas sitiadas, uma grande alegria tomou conta da capital. Abandonados por sua nação e seu imperador, os oficiais, fazendeiros e senhoras crioulas se divertiam nos bailes noturnos. Embora a apresentação de *As bodas de Fígaro* fosse apenas uma lembrança, espetáculos populares lotavam o teatro, cujo telhado destruído se abria para o céu da noite. Morcegos que voavam pelas vigas do telhado assustavam as mulheres na plateia.

Solange não era naturalmente sociável, mas entendeu que nessas circunstâncias se desconectar seria mortal. Apesar de preferir fazer uma caminhada solitária pela praia, ela abria mão disso e frequentava os bailes noturnos ou o teatro. Quando Augustin deixou de ir com ela, seu fiel acompanhante passou a ser o Major Alexandre Brissot, um oficial extraordinariamente bonito, um ou dois anos mais velho que Solange. Como ele era sobrinho do

General Rochambeau, o Major Brissot oferecia uma proteção superior à sua patente e, apesar de Solange poder permitir certas liberdades, ele nunca as solicitou.

Solange era realista. Independentemente do que Brissot fosse, ela ficava agradecida por sua proteção. Ainda na França, as expectativas dela eram as cabidas a cada Escarlette: um marido modestamente bem-sucedido e muito fiel com uma renda adequada e posição respeitável. Nada em Saint-Malo a preparara para as vítimas da febre amarela não sepultadas e em estado de decomposição nas ruas nem para o cheiro forte que subia até sua garganta. Seu imaginário não incluíra a fumaça sufocante que percorria as ruas de uma cidade sitiada nem a fazenda que eles possuíam, mas jamais se atreviam a visitar. Os olhos de seu marido estavam bastante estranhos! Seu marido, o homem com quem ela se deitava!

Após 28 meses, seis dias e 12 horas no inferno, o Capitão Augustin Fornier havia visto e feito coisas piores que em seus pesadelos. Augustin rejeitou muitas misericórdias e tapou os ouvidos a muitos apelos piedosos. Seu dedo indicador francês puxou o gatilho e suas mãos desengonçadas, ajustaram nós corrediços.

— Quando derrotarmos esses rebeldes, eles terão que deixar tudo como era antes. Exatamente como era! — declarou sua mulher.

Ele concordou, sabendo que nada poderia ser posto de volta, nada era como havia sido.

Como seu pai sugeria, Augustin teria dado um bom padre. Atualmente, ele não sabia qual de seus pecados mortais o condenaria.

A patrulha de hoje era missão de tolo: perseguir um escravo fugitivo, um tal de Joli, camareiro do sobrinho do General Rochambeau, Alexandre Brissot. Essa perseguição não fazia sentido. A fuga de escravos era diária, dúzias, centenas, milhares deles.

Talvez fosse por causa do cavalo que Joli roubou. Talvez o cavalo fosse valioso. Augustin obedecia às ordens. O que era adequado para um soldado e o que era adequado para um carrasco já não tinham uma distinção significativa.

Por algum motivo, o general queria a cabeça de Joli. Embora os pescoços humanos fossem delgados, remover a cabeça não era fácil. A menos que o sabre atingisse exatamente o ponto de encontro entre duas vértebras, a lâmina ficaria presa no osso enquanto as artérias rompidas esguichavam sangue nas calças brancas do soldado.

As pegadas dos cascos do cavalo roubado por Joli seguiam em zigue-zague por plantações de café abandonadas ao longo da montanha acima da Plaine-du-Nord.

Augustin e seu sargento montavam em mulas. Os soldados comuns tomavam fôlego quando podiam. Na distante Saint-Malo seria outono. Um outono fresco e agradável.

Terraços se abriam entre as fileiras de pés de café muito acima daquela promessa suave, o agradável mar azul. A esquadra britânica não tentava se ocultar: três fragatas (uma bastaria) navegavam preguiçosamente de um lado para outro. Brinquedos de criança. O que sabiam aqueles oficiais entediados com suas lunetas apontadas para a Cap-Français destruída e o Morne Jean que se agigantava sobre a cidade? Como Augustin invejava aqueles oficiais.

A inclinação ficou íngreme demais para o cultivo do café, e a estradinha se estreitou, virando um caminho para seguir a pé e finalmente uma trilha para os enormes roedores e javalis da ilha. Augustin desmontou e foi puxando sua mula. O suor escorria para dentro dos olhos. Puxando, subindo, cortando galhos, investindo sobre o matagal que grudava neles como amantes rejeitadas, alguns soldados praguejavam, outros murmuravam orações que haviam aprendido na infância. Nem o mais otimista dos soldados franceses acreditava que voltaria a ver a França. Todos os homens sabiam que eles estavam *mort, décédé, défunt.* Às vezes, eles cantavam uma canção alegre sobre Monsieur Mort, que bom camarada ele era.

Mort oui, mas não agora! Não nesta manhã, não enquanto o orvalho pousava nessas folhas não francesas, insetos estranhos celebravam suas vidas insignificantes e um sol ingrato empolava suas testas. Amanhã, Monsieur Mort, nós nos encontraremos. Como quiser. Mas não hoje!

A vida de Augustin Fornier poderia ter sido diferente. Se ao menos a sorte tivesse lhe sorrido, um sorriso recatado apenas, a piscadela sagaz da sorte... Ah, *bien*.

E ele que se achava infeliz em Saint-Malo! Que infantil! Que criança tola e mimada! Sim, o pai de Augustin era exigente, mas pedira mais de seus filhos que outros homens que venceram por esforço próprio? É verdade, as perspectivas de Augustin haviam sido inferiores — seu irmão mais velho, Leo, herdaria a Agence Maritime du Fornier —, mas Augustin, pelo menos, *tivera* perspectivas!

Como ele havia sido feliz!

Os arbustos se prendiam no casaco e no cinto da espada de Augustin e arrancavam seu chapéu de três pontas com tanta frequência que ele o carregava na mão.

Um gorro vermelho tinha ficado preso aos espinhos de uma árvore; um *bonnetrouge*, um daqueles "gorros da liberdade" que os jacobinos estimavam e Napoleão detestava. O tecido de seda parecia fino demais para ser de um camareiro fugitivo. Talvez Solange lhe desse algum destino.

Augustin subiu até um terraço estreito. Uma cabra marrom e preta, presa por uma corda, baliu assim que a patrulha apareceu.

A aba da entrada da pequena cabana havia sido um tapete que podia ter vindo de uma casa-grande. A palha do telhado da cabana estava atada com tiras do mesmo tapete.

O sargento engatilhou seu mosquete, e os outros fizeram o mesmo. Àquela altitude acima da planície, fazia frio. Uma cachoeira escorria pela face coberta de musgo de um penhasco, caindo numa poça do tamanho de uma banheira.

A cabra se queixava, um papagaio verde tagarelava feito um martelo de madeira batendo numa tora. Uma brisa fez cócegas na nuca de Augustin. Devia ter sido agradável bem acima do conflito sangrento. Devia ter parecido seguro.

Não fazia muito tempo que a garota ao lado da porta havia morrido, pois seu sangue ainda não estava escuro. Augustin não olhou para o rosto dela. Já tinha rostos demais para esquecer.

Augustin sacou a pistola. Ao empurrar o tapete da porta para o lado, foi inundado pelo ar sujo da morte. Antes que a coragem falhasse, o Capitão Fornier entrou.

A mulher idosa havia sido parcialmente decapitada e os miolos do bebê se espalhavam como fuligem vermelha acinzentada pela lareira. As mãozinhas fechadas da criança poderiam ter sido de um pequeno marsupial.

— Nós humanos não somos humanos — ponderou Augustin. Desnorteado, ele se perguntou quem havia feito aquilo. Os quilombolas? Os insurgentes? Outra patrulha?

Os assassinos haviam revirado, esvaziado e espalhado tudo, buscando as modestas posses da família.

Augustin torceu para que o sangue em que pisava não tivesse chegado à parte superior de suas botas. Uma vez manchada a costura, não saía mais.

O cesto de mandioca virado para baixo não fora mexido. Os saqueadores haviam procurado, espalhado e jogado coisas longe, mas não viraram o cesto de mandioca, embora aquele objeto pudesse estar ocultando tudo o que procuravam. O cesto estava intocado: um presumido deus doméstico.

Quando Augustin o chutou, ele rolou para um canto.

E revelou uma menina negra ereta, sorridente e nua, de 4 ou 5 anos. Os pés da criança estavam banhados de sangue, assim como seus joelhos no lugar onde ela ficara ajoelhada ao lado da família massacrada. Diante do olhar dele, ela escondeu atrás de si as mãos ensanguentadas e fez uma reverência.

— *Ki kote pitit-la?* — perguntou ela em crioulo e em seguida acrescentou em francês. — Bem-vindos à nossa casa, senhores. Nossa cabra Héloïse tem um bom leite. Estão ouvindo Héloiïe balindo? Eu ficaria feliz de ordenhá-la para os senhores.

O Capitão Augustin Fornier, que já vira de tudo, ficou boquiaberto.

A criança repetiu.

— Os senhores devem estar com fome. Eu posso ordenhá-la se quiserem.

Augustin fez o sinal da cruz.

O sorriso dela se iluminou com um transbordante encanto infantil.

— O senhor vai me levar junto?

Ele levou.

SEGUNDA PARTE

O *Low Country*[*]

---

* O *Low Country* é uma região geográfica e cultural da costa da Carolina do Sul, que também inclui a cidade portuária de Savannah, no estado vizinho à Geórgia, Estados Unidos. (*N. da T.*)

Refugiados

QUANDO AUGUSTIN APRESENTOU a linda e solene criança à sua mulher, os anjos prenderam a respiração até Solange sorrir.

Que sorriso! Augustin teria dado a vida por aquele sorriso.

— Você é perfeita — disse Solange. — Não é?

A criança anuiu com seriedade.

Após a devida consideração, Solange declarou:

— Vamos chamá-la de Ruth.

Solange nunca quis um bebê. Ela aceitava seu dever de gerar filhos (assim como tomar a iniciativa era o dever não cumprido de Augustin). Com amas de leite e criadas suficientes para lidar com a irritabilidade infantil, Solange criaria os herdeiros que os Forniers e os Escarlettes esperavam.

Quando criança, porém, enquanto as irmãs vestiam suas bonecas de porcelana de olhos inexpressivos, dando conselhos e repreendendo-as, Solange vestia e dava conselhos apenas a si mesma. Ela achava que suas irmãs aceitavam com excessivo bom grado a porção Eva daquela maldição primordial.

Ruth era perfeita: tinha idade suficiente para cuidar de si mesma e estimar seus superiores sem pedir demais. Dócil e com boa vontade, a menina animou os dias de Solange. Não era o fardo precioso e terrível que um bebê Escarlette seria. Caso Ruth decepcionasse, havia compradores para ela.

Solange vestia Ruth como suas irmãs costumavam vestir as bonecas. Embora o dinheiro fosse escasso, as bainhas de Ruth eram debruadas com as rendas mais finas da Antuérpia. A bela touca de seda de Ruth era de um castanho tão lustroso quanto os olhos da criança.

Como Ruth falava francês, Solange supunha que sua família tivesse incluído criados domésticos. Nunca perguntou: a *sua* Ruth nasceu como se tivesse sido em sua própria cama, no dia em que Solange lhe deu o nome.

Em uma noite tranquila, antes de Solange fechar as persianas para se proteger do sereno, uma Ruth pensativa sentava-se junto à janela, olhando para a cidade. Sob aquela luz fraca e complacente, ela era uma pequena negra africana, tão misteriosa quanto aquele continente selvagem e segura de si como uma de suas rainhas.

— *Ruth, chérie!*

— *Oui, madame!*

Imediatamente ficou satisfeita, muito agradecida por ser a acompanhante de Solange. Ruth admirava aquelas características que sua senhora mais valorizava em si própria. Ruth a acompanhava aos bailes e ao teatro, enroscando-se em algum lugar até Solange estar pronta para ir para casa.

Aliviando a profunda solidão de Solange, Ruth sentava-se em silêncio no chão, encostada nas pernas de sua senhora. Às vezes, Solange achava que, por meio de seu coração, a criança conseguia ver o litoral de Saint-Malo que ela adorava: as praias rochosas e a sólida murada costeira que protegia seus cidadãos das tempestades de inverno.

Com Ruth, Solange podia baixar a guarda. Podia ter medo. Podia chorar. Podia até se permitir recorrer, como uma mulher fraca, às orações para que, não importando o que acontecesse, de algum modo tudo desse certo.

Ela lia os romances da moda. Como os jovens e sensíveis romancistas, Solange entendia que era mais precioso o que se perdera nesse moderno século XIX do que aquilo que permanecia. A civilização havia passado do seu auge, hoje não era diferente de ontem, sua alma era arranhada e diminuída por pessoas e conversas banais e pela miríade de agressões da vida. As privações cotidianas de uma cidade sitiada não eram menos banais por serem fatais. O Capitão Fornier estava baseado no Forte Vilier, o maior dos fortes que guarneciam a cidade. Os rebeldes estavam sempre tentando cruzar o fogo entrelaçado dos canhões do forte francês e, com frequência, com perdas terríveis, fracassavam. Fornier ficava às vezes no forte, às vezes em casa, onde o sabor de sua amargura pairava depois de sua saída. Se pudesse fazê-lo sem renunciar a nada importante, Solange teria consolado Augustin.

Nada era sólido em São Domingos. Tudo estava à beira da ruína ou já engolido pelas trepadeiras ressecadas da ilha.

Não haveria nenhuma frota francesa lutando para abrir caminho entre a esquadra britânica. Nenhum reforço, nem mais canhões, mosquetes, ração, pólvora ou balas. Sem um murmúrio sequer, a Pérola das Antilhas virou mito. Fracotes patrióticos conclamavam uma campanha militar inflexível enquanto os soldados de Napoleão desertavam para os rebeldes ou tentavam sobreviver mais um dia.

Como seu domínio encolhia, os franceses declararam carnaval: um dilúvio de bailes, espetáculos teatrais, concertos e encontros amorosos desafiavam os rebeldes no portão. Bandas militares faziam serenatas para as amantes crioulas do General Rochambeau e uma balada popular celebrava a capacidade do militar de beber e continuar sóbrio quando os mais inaptos já não se aguentavam de pé.

Navios americanos que furavam o bloqueio vendiam cargas de charutos e champanhe, para depois partirem com despachos militares desesperados e a pilhagem de Rochambeau. A fumaça vinha do campo para engasgar a cidade até o anoitecer, quando se dispersava com a brisa marinha e o zunido de nuvens de mosquitos. Chovia. Chuvas torrenciais faziam as calhas transbordarem e levavam pessoas e cachorros a buscar abrigo.

Solange proibiu Ruth de falar crioulo.

— Precisamos nos agarrar a tudo que for civilizado, certo?

Quando a cozinheira deles fugiu e Augustin não conseguiu outra, Ruth fazia sopas de peixe e banana-da-terra frita enquanto Solange ficava encarapitada num banco alto, lendo para ela.

Oficiais superiores enviavam oficiais subalternos em missões desesperadas para consolar as viúvas.

O General Rochambeau queimou três negros vivos na praça Saint-Louis. Em atitude irônica, crucificou outros na praia da Baía de Monte Cristo.

Solange e Ruth passeavam na praia todas as manhãs. Certo dia, o cais estava lotado de negros acorrentados.

— *Madame*, nós somos leais às tropas coloniais francesas — gritou um negro. Por que dizer isso a ela?

Ruth quis falar, então Solange se apressou em seguir adiante com ela.

Duas fragatas navegaram para a baía num dia lindo e, na maré baixa, três manhãs depois, a extensa praia branca estava cheia de negros afogados. O cheiro óbvio e metálico de morte deixou Solange sem fôlego. Quando ela reclamou com o Capitão Fornier, seu sorriso cansado e tolerante era o de um estranho.

— O que mais poderíamos fazer com eles, *madame*?

Pela primeira vez, Solange ficou com medo do marido.

Na manhã em que tudo mudou, Solange acordou com Ruth cantarolando de boca fechada e com o aroma estimulante de café.

Solange abriu as persianas sobre um grupo de soldados prostrados. Que dia era? Será que Augustin viria para casa hoje? Será que os rebeldes organizariam o ataque derradeiro?

— O que *madame* deseja? — perguntou Ruth.

O quê, de fato? Como ela podia estar tão descontente, sem nada pretender?

Solange tocou a borda dourada de sua xícara azul-cobalto. Aquelas paredes, as paredes de sua casa, eram de pedra bruta sem reboco. As persianas, de alguma madeira nativa, não eram pintadas. Os olhos de Ruth, como a xícara delicada, eram complexos e lindos.

— Eu não fiz nada — disse Solange.

Ruth podia ter perguntado "O que a senhora devia ter feito?", mas não perguntou.

— Como um marinheiro amador e tolo, eu naveguei à deriva para águas muito profundas.

Ruth podia ter corrigido aquela autoavaliação, mas não o fez.

— Estamos em grave perigo.

Ruth sorriu. O sol da manhã criou uma auréola em sua cabeça.

— *Madame* vai ao baile do General Rochambeau?

Solange Fornier era filha de Charles Escarlette, poderosa e astuta. Por que ficava lendo romances sentimentais?

— O baile do general vai sê num navio — disse Ruth.

— Será que ele pretende afogar seus convidados?

A rosto de Ruth ficou inexpressivo. Será que ela conhecia algum daqueles prisioneiros condenados? Solange tomou um gole do café. Diante de seu gesto impaciente, Ruth acrescentou açúcar.

Uma xícara de chá azul-cobalto sobre uma tosca mesa de tábua. Açúcar. Café. La Sucarie du Jardin. A Pérola das Antilhas. O ar estava puro e frio. Será que os rebeldes haviam incendiado tudo que era inflamável? Solange conseguia farejar o leve indício de uma ilusória florescência na ilha. Como tudo poderia ter sido lindo!

— Sim — confirmou Solange. — O que vou vestir?

— Talvez o *voile* verde?

Solange pôs o dedo no queixo.

— Ruth, você me acompanha?

Ela fez uma mesura.

— Como quiser.

Solange franziu o cenho.

— Mas o que *você* quer fazer?

— Eu quero qualquer coisa que *madame* quiser.

— Então, hoje à noite, você será meu escudo.

— *Madame?*

— Sim, *chérie.* O *voile* verde é o melhor.

Quando Augustin chegou em casa naquela tarde, ela o surpreendeu com um beijo. Ele desafivelou o cinto da espada e se sentou com todo o peso na cama, esticando as pernas para que Ruth tirasse suas botas.

— Pobre querido Augustin...

Ele franziu o cenho, intrigado.

— Você não foi feito para ser soldado. Eu devia saber...

— Eu sou soldado, um oficial...

— Sim, Augustin, eu sei. Sua sobrecasaca. Está em nosso baú?

Ele deu de ombros.

— Acho que sim. Faz meses que não a vejo.

— Deixe-a apresentável.

— Nós vamos a algum lugar? Ao teatro? A algum baile ou coisa parecida? Você sabe que eu detesto essas diversões.

Ela tocou os lábios dele.

— Nós vamos embora de São Domingos, querido marido.

— Eu sou um capitão — repetiu ele.

— Sim, meu capitão. Sua honra está a salvo comigo.

Talvez Augustin devesse ter perguntado o que, quando e por que, mas estava exausto e aquilo era complicado demais. Ele tirou o casaco da farda. De meias e calças, caiu para trás, gemeu e começou a roncar.

Ele envelheceu, pensou Solange — surpresa com a fisionomia marcada, esgotada, do marido. E escapou desse estado de espírito tão delicado repreendendo-se: por que abdiquei da minha responsabilidade? Por que um Fornier deveria definir o futuro de um Escarlette?

— Descanse, meu bravo capitão. Nossos problemas acabarão em breve.

Não, Solange não sabia o que iria fazer. Ela não tinha palavras para a lucidez que a inundava, para aquele *algo* que lhe dava comichão nos olhos, nos pés e na ponta dos dedos. Ela só tinha certeza de uma coisa: eles precisavam fugir da pequena ilha. Não tinham nada ali, não tinham fazenda, nem posição, nem a falsa segurança de que hoje seria o mesmo que ontem. Se ficassem acabariam mortos.

Solange saberia o *que* fazer *depois* de ter feito.

Foi pura genialidade gaulesa transformar o pobre e velho *Herminie* bloqueado, incrustado de cracas, de canhoneiro ineficiente e nau capitânia francesa num harém árabe com panos de gaze vermelha, azul, verde e dourada tremulando das vergas e adriças, palmeiras em vasos no convés balístico, lampiões e velas posicionados para iluminar imperfeitamente as reentrâncias, refúgio dos amantes. Uma banda militar tocava bravamente e oficiais com capacetes prateados emplumados brindavam às senhoras crioulas enquanto negros com turbantes vermelhos e azuis passavam por eles, enchendo os copos. Em um arvoredo de palmeiras no tombadilho superior, o Major-General Donatien-Marie-Joseph de Vimeur, Visconde de Rochambeau, recebia seus convidados. O General Rochambeau explicava a Revolução Americana (na qual fora ajudante de campo de seu pai) a um capitão da marinha mercante americano.

— Capitão Caldwell, o senhor realmente acredita que o General Cornwallis se rendeu ao General Washington em Yorktown, dando fim à guerra e garantindo a independência americana? Acredita? Ah, Sra. Fornier. A senhora tem nos desprezado ultimamente. Quando foi a última vez que tivemos o prazer... no teatro, não foi? Aquele Molière de péssimo elenco?

A área empoada na face do general podia estar cobrindo um cancro venéreo, e, quando ele pressionou os lábios na mão dela, Solange reprimiu a vontade de enxugá-la.

— Meu caro general. Em sua companhia, eu estava começando a temer por minha virtude.

Rochambeau deu uma risadinha.

— Cara Sra. Fornier, que elogio! Permita-me apresentá-la ao Capitão Caldwell. O Capitão Caldwell é de Boston. Ele deve ser o único homem incorruptível em Cap-Français. Sem dúvida, o único navio neutro é o dele.

Assim como ele próprio, o sorriso do general era carnudo.

— Eu nem pergunto quantos dos meus mais bravos oficiais ofereceram suborno ao Capitão Caldwell... "apenas uma pequena cabine, *monsieur*"... "um lugarzinho no paiol das velas"... "uma passagem no convés"... capitão, nada de nomes, por favor. Preciso manter minhas ilusões intactas.

O americano deu de ombros.

— De que serve o dinheiro se não estivermos vivos para gastá-lo?

Rochambeau havia levado o Capitão Caldwell à Baía de Monte Cristo, onde os esqueletos os testemunhavam de forma incomparável. Rochambeau deu um sorriso animado.

— Que verdade. Que grande verdade. — Ele deu um tapinha na cabeça de Ruth. — Que criança encantadora... encantadora...

Quando Solange se afastou, o general retornou à sua lição de história.

— Lorde Cornwallis ficou tão aborrecido com sua derrota que nem compareceu à cerimônia de rendição, então, no momento adequado, o ajudante de Cornwallis ofereceu sua espada para meu pai, o Conde de Rochambeau. Os britânicos se renderam a nós, franceses...

O americano deu uma gargalhada.

— Isso torna seu pai nosso primeiro presidente. Alguém já contou isso para George Washington?

— Descubra tudo o que puder — sussurrou Solange, e Ruth sumiu feito fumaça.

As ardentes e primitivas moças da ilha haviam decepcionado os oficiais de Napoleão. A triste experiência comprovara que cada crioula sedutora tinha um irmão na cadeia, uma irmã com um bebê doente ou um dos pais incapacitado de pagar o aluguel. Essas amantes demoníacas de pele escura levavam tanto complicações quanto satisfações às suas camas.

O acompanhante costumeiro de Solange, o Major Brissot, estava embriagado, apoiado de qualquer jeito no mastro principal e mal conseguia levantar seu brilhante capacete. Zelosamente, ela flertava com os admiradores, mas o que esses galanteadores tomavam por vivacidade (alguns achavam que era desejo) era impaciência. Ela sabia o *que* queria, mas não *como*.

Chantagem? Quem *não* era corrupto em São Domingos? Quem se importava com quantos negros o coronel X havia torturado e matado? Com o General Y traindo os planos franceses para os rebeldes? Nossa! A venda de canhões franceses ao inimigo, feita pelo Major D, desceu mais um patamar, mas, dada a oportunidade, qual homem prático não teria feito o mesmo?

No final, os pretendentes de Solange procuraram conquistas mais fáceis, e, ao lado de sua taça de champanhe intocada, ela se encarapitou no cabrestante, esperando por Ruth e o resultado de sua espionagem. A lua seguia seu curso pelo céu, e a banda militar foi ficando desacertada até todos acabarem largando os instrumentos. Risadas, tilintar de copos, um xingamento, um gritinho agudo, mais risadas. O capitão americano havia ido embora com uma moça crioula. O General Rochambeau sumira dentro da cabine do almirante.

Mastigando um pedaço de pão, Ruth se encarapitou no cabrestante ao lado de sua senhora. Arrotou, cobriu a boca e se desculpou.

— Então?

Assim que o vento mudasse de direção e levasse os bloqueadores britânicos a se deslocar, o Capitão Caldwell zarparia com muitos baús pesados (supostamente carregando tesouros) a ele confiados pelo General Rochambeau, além de um malote oficial com relatórios militares e os pedidos de transferência de oficiais privilegiados levados pelo mensageiro pessoal do general, o Major Alexandre Brissot, filho da irmã de Rochambeau.

Alexandre fora enviado para a colônia devido à conduta, a qual, embora não fosse totalmente desconhecida, era mais praticada num círculo muito pequeno de semelhantes. Alexandre fora indiscreto. Ali, na pequena ilha, onde assassinato, tortura e estupro eram comuns, ele fora novamente indiscreto.

— Ele é marica. — Ruth terminou seu pão e lambeu os dedos.

— É claro que é. O Major Brissot é o único oficial francês que sempre trata as damas de forma gentil.

— Alexandre desgraça o General Rochambeau.

Solange piscou.

— Como alguma coisa poderia desgraçar...

— Alexandre e aquele garoto, o Joli. Ele ama o Joli. Dá pra ele tantos presente que os outro oficial ficam rindo. Quando o tio do Alexandre descobriu, quis matar o Joli, então o Joli fugiu. Joli tamém não vorta. Melhor não vortá mermo.

— Joli...

— Alexandre avisou a Joli que fugisse. O general quer enforcar o Alexandre, mas não pode pruque ele é filho da irmã dele.

Muitos convidados do general já haviam chegado àquele patamar em que se mantinham eretos encostando-se em alguma coisa e conversando com simples repetições que não precisariam lembrar na manhã seguinte. Os criados haviam se apropriado do vinho e a festa já passara do ponto de sugerir a partida de uma dama prudente. Soldados sóbrios guardavam a cabine do almirante.

— Duas — informou Ruth. — O general tá deitado com duas hoje. — Ruth fez uma careta. — Mulheres — especificou.

Uma onda de esperança inundou Solange — não uma *ideia,* nem um *plano* ainda...

— Ruth, vá até em casa. No meu baú, junto aos outros tecidos, você vai encontrar um gorro de seda vermelha dos libertários. Traga-o para mim. Depressa.

Um trio desafinado de oficiais subalternos berrava uma canção obscena. *"Il eut au moins dix véroles..."* Apoiando-se um no outro, um coronel desgrenhado e sua garota crioula saíram de sua privacidade iluminada à vela. Quando um dos guardas de Rochambeau piscou, Solange fingiu não ver.

A esperança minguou e Solange havia quase abandonado seu plano desvairado quando Ruth reapareceu e colocou o tecido de seda macio em sua mão.

— *Madame?*

A presença de Ruth deu mais confiança a Solange.

— Lá. Aquele oficial com o capacete no colo. Acorde-o. Dê o gorro ao Major Brissot e diga "Joli". — Cuidadosamente, ah, muito cuidadosamente, Solange explicou à criança tudo o que ela devia dizer e fazer. — Ah, Ruth — acrescentou Solange. — Confio nossas vidas a você.

Gesticulando, com a mão para baixo, a criança desdenhou seus temores.

— Pouco a pouco, o passarinho faz seu ninho.

Solange montou sua armadilha numa cabine do lado que dava para o porto, onde um pequeno lampião de lata iluminava taças vazias de champanhe e uma colcha amarrotada na cama estreita. Ela estendeu a colcha e alisou-a. Por nenhum motivo especial, guardou as taças numa gaveta.

Quando apagou as velas, a cera de abelha adoçou o cheiro de sexo recente. Solange tirou toda a roupa, fechou o lampião e aguardou. Depois que seus olhos se acostumaram, a luz do luar que entrava pela vigia era suficiente para iluminar seus braços trêmulos e completamente nus.

Ela ouviu um barulho lá fora. Uma batida. Um sussurro masculino ofegante.

— Joli...

O trinco virou e, nua, ela envolveu sua presa.

Segundos ou muitas vidas depois, o general irrompeu atrás de seu sobrinho, berrando:

— *Mon Dieu*, Alexandre! Você e Joli vão apertar a mão do carrasco na forca!

À luz de lampiões, outros oficiais se imprensaram para dentro da cabine atrás de seu general. Solange reteve o fôlego e cobriu sua nudez como Eva no jardim do Éden.

— Alexandre! — exclamou o general. — Você? Essa mulher?

O rosto redondo do general olhou maliciosamente sobre o ombro do sobrinho.

— Meu rapaz! Meu rapaz! Eu não... Não me deixe estragar o seu, o seu tête-à-tête.

O séquito do general se harmonizou com seu olhar malicioso.

Solange pegou o vestido, segurando-o para tapar a nudez.

— Alexandre é meu... meu acompanhante. Por favor, senhor. Meu marido não pode saber.

Ele pôs um dedo sobre os lábios sorridentes.

— Silencioso feito um túmulo. Ele não ouvirá uma palavra de nós, não é, cavalheiros?

Murmúrios e deboches abafados.

O general fechou a porta com firmeza depois de sair.

Solange respirou fundo e abriu o lampião de lata. Cantarolando de boca fechada e sem nenhuma pressa, vestiu-se.

Alexandre se sentou com as pernas abertas e pôs a cabeça nas mãos. Vomitou e ficou olhando para a sujeira. Solange abriu a vigia, desejando que o general tivesse deixado a porta entreaberta. Abotoou a gola e afofou os cabelos.

— Perdoe-me por avisar, major, mas o senhor está ridículo.

Os olhos dele estavam tão confusos e tristes que Solange não conseguiu encará-los.

— Joli? Achei que você fosse... O gorro dele, fui eu que lhe dei esse gorro. Joli...

— Sem dúvida, seu Joli está a salvo com os rebeldes. Talvez esteja lutando contra nós, franceses. *Monsieur*, não tente entender tudo isso. Vai compreender pela manhã. Posso sugerir que agora essa cama é tão boa quanto qualquer outra?

— Eu o amo. — Ele chorou um choro atormentado, engasgado.

— Ah, *monsieur.* O senhor sempre foi gentil comigo.

Ruth apareceu na porta, com a pergunta em sua expressão. Solange respondeu "*Oui*", e a criança sorriu.

No convés, as estrelas haviam sumido e a lua pairava sobre o Morne Jean. Por todo lado, havia oficiais deitados com suas fardas esmeradas e imundas como baixas de batalha. Uma prostituta batendo a carteira de um capitão gordo fuzilou a dupla com o olhar.

Quando ela e Ruth iam para casa, o alvorecer iluminou o oceano e as ondas tranquilas gorgolejavam contra a murada costeira. Solange segurou a mãozinha de Ruth e a apertou.

Mais tarde, naquele mesmo dia, enquanto Augustin e Ruth faziam as malas, Solange se apresentou ao quartel do General Rochambeau. Não, ela não iria discutir um assunto só dela. O assunto da madame era de natureza familiar e urgente.

Depois que Solange passou pelo ajudante de ordens e fechou a porta, o General Rochambeau a cumprimentou com o sorriso que os crocodilos reservam para cadáveres em estágio avançado de decomposição.

— Ah, *madame*. Que bom vê-la. Ninguém menos que a senhora, talvez, ainda assim... Diga-me, Sra. Fornier, meu sobrinho é seu *acompanhante*?

— Frequentemente. — Solange enrubesceu belamente. — Me leva ao teatro. E é um dançarino maravilhoso.

— É mesmo. Ele...

Com certo esforço, Solange ficou mais vermelha e disse timidamente:

— É sobre o querido Alexandre que vim falar...

— Ah, sim. De fato. Quer vinho, *madame*? — Ele foi ao aparador. — Algo mais forte?

— Oh, não, meu general. Ontem à noite... (Ela tocou na têmpora e fez cara de dor.) — Ah, uma mulher casada não deve misturar amor e vinho.

— Madame Fornier, nós não criamos nem controlamos nossos desejos. Até ontem à noite, se a senhora me permite, eu achava que Alexandre... Fogosos... Os rapazes... *Experimentam*... para descobrir quem verdadeiramente são, não é mesmo?

Ela sorriu com doçura.

— General, preciso do seu conselho. Sou uma mulher casada. Mas é outro que não consigo tirar da cabeça... Seus cabelos, seus lábios ternos, seus olhos sensíveis...

Caso seus rubores não tivessem sido abolidos há alguns anos, talvez o general tivesse encontrado um agora. Em vez disso, ele tossiu.

— Como queira, *madame*. Como queira.

— Somos destinados a sermos um. — Tateando pela emoção apropriada, Solange plagiou seus romances sentimentais. — Nosso amor foi feito para se realizar. Alexandre e Solange. Nosso destino está escrito nas estrelas!

Rochambeau serviu um copo de algo mais forte.

— Sem dúvida.

— General, meu casamento... um Fornier não é um Escarlette, muito menos um Rochambeau!

Ele anuiu, reconhecendo essa verdade evidente.

— Eu aceito a oferta de Alexandre, mas ele é tão... pouco prático.

— Alexandre é...

— Vamos precisar de passaportes. Quando chegarmos à França, Alexandre e eu iremos atrás do nosso destino!

— *Madame*, só dou passaportes aos velhos e feios.

— General, o senhor é *tão, tão* galante.

— E o Capitão Fornier?

— Meu marido aceita o que não pode mudar.

— Muito bem. Como a senhora deve ter sabido, meu sobrinho está acompanhando despachos para Paris. O Major Brissot vai precisar de um assistente. Isso a satisfaz, *madame*?

Solange bateu palmas de tal modo que o general fez cara de dor.

— *Madame*, por favor. — Ele virou o copo, estremeceu e engoliu.

— Sinto muito, general. Alexandre o respeita acima de todos os homens e fica muito magoado com aquelas calúnias maldosas. Se meu constrangimento público refutou essas mentiras, fico satisfeita.

Rochambeau esfregou as têmporas e virou os olhos ardentes para ela.

— A senhora atingiu seu objetivo, *madame*. Seria capaz de colocá-lo em risco?

— General, não entendo aonde quer chegar.

— Madame, é claro que entende. — Ele alisou a testa. — Eu a considerava... comum. Agora, me arrependo de não tê-la conhecido melhor. Entretanto, vou me divertir imaginando a senhora e Alexandre, como a senhora disse, "escritos nas estrelas".

— General, o senhor está zombando de mim?

Ele fez uma grande mesura.

— Minha cara Sra. Fornier, eu temo que sim.

Três noites depois, ventos fortes forçavam a esquadra britânica a mudanças desesperadoras de direção para manter a posição. Embora o Capitão Caldwell tivesse garantido a Solange que a avisaria quando estivesse pronto para zarpar, ela e sua família embarcaram imediatamente. Solange temia um daqueles erros de última hora, *tão lamentáveis*. Quando o Major Brissot e sua recuperada reputação partissem de São Domingos, os Forniers também partiriam. Uma única mala grande guardava todos os pertences deles, com os tecidos macios acolchoando o conjunto de chá azul e dourado de Sèvres. Joias, uns poucos luíses de ouro e um revólver pimenteiro carregado estavam guardados na bolsa de mão de Solange. Ela havia costurado seu precioso acordo de dote e a carta de crédito na anágua de Ruth.

Ao amanhecer, os navios bloqueadores foram impelidos para alto-mar e suas velas sumiram do horizonte, mas o Major Brissot não apareceu até as dez horas. Soldados embarcaram os preciosos baús do general e depois foram reunidos e contados; e dois passageiros clandestinos-desertores foram arrancados de seus esconderijos antes que os cabos fossem soltos. O Capitão Caldwell estava ansioso; os despojos franceses carregados pelos navios americanos eram recompensas legítimas, embora fossem oficialmente neutros.

Era um dia fresco, ensolarado e o ar cintilava de tão puro. Ao lado do Capitão Caldwell, o Major Brissot se contraiu com o estouro de dois tiros no cais.

— Se não fosse por Deus — murmurou ele.

O capitão mandou o contramestre aumentar a velocidade antes de se virar para seu importante passageiro.

— Um belo dia, *monsieur*. Excelente. Se o vento continuar assim, faremos uma passagem rápida.

Alexandre deu um sorriso triste.

— Adeus, São Domingos, ilha maldita. Seus feiticeiros do vodu nos amaldiçoaram. A todos nós.

O capitão torceu o nariz.

— Eu sou cristão, senhor.

— Sim. Como eles.

Quando a ilha afundou no horizonte, uma fina coluna de fumaça pairou acima do que poderia ser uma fazenda, uma cidade ou talvez uma encruzilhada onde homens discutiam, lutavam e morriam.

Alexandre estremeceu.

— Os negros... Eles nos amam, mas nos odeiam também. Eu nunca vou entender...

— O senhor está melhor fora disso.

— Deixei muito para trás.

O Capitão Caldwell sorriu.

— Deixou menos do que pensa. Já inspecionou suas acomodações?

— Senhor?

Quando Alexandre entrou em sua cabine, ficou surpreso ao encontrar uma garotinha servindo o café da manhã a um sujeito que ele podia ter conhecido em algum lugar, alguma vez, e uma mulher de quem se lembrava com extrema nitidez.

— *Madame!*

— Ah. Veja, Augustin, é o meu amante, Alexandre. Ele não é bonito?

O marido assim abordado largou o garfo para examinar seu rival em condições iguais.

— Bom dia, Major Brissot.

— Alexandre, seu tio tem opiniões violentas sobre a quem se pode ou não amar. Meu subterfúgio o poupou e recuperou sua reputação, assim como a de sua família — declarou Solange.

Alexandre gaguejou seu ultraje. Por que, por que Madame Fornier se envolvera em seus assuntos?

— Senhor — Solange sorriu, triunfante —, recuperei sua reputação em detrimento da minha. Será que não mereço seu agradecimento?

Aparentemente não. Apesar dos ventos estáveis e de um clima excepcionalmente favorável, a viagem deles foi desconcertante e desagradável. Alexandre estava de mau humor. Augustin, deprimido. Mesmo tendo passado a infância em pequenos barcos, Solange ficou bastante enjoada. Ruth era a favorita dos marujos. Eles a mimavam com doces e lhe ensinaram inglês "americano". Um navegador robusto a carregou até o topo do mastro principal.

— Fiquei balançano acima d'água — contou ela a Solange. — Dava para vê o mundo intero.

Quando eles atracaram em Freeport, uma escuna mais rápida esperava por Alexandre e os despojos de seu tio. Alexandre fez um esforço.

— *Madame,* a senhora é uma mulher terrível.

— Não, senhor. Eu sou "extraordinária". Seu Joli está perdido. Mas não haverá outros por aí?

Alexandre encarou Solange até o olhar dela se desviar.

— A ignorância sempre é cruel.

Embora se dirigisse a Boston, o Capitão Caldwell faria uma parada em Savannah, Geórgia. Uma cidade, ele garantiu aos Forniers, próspera, cosmopolita e onde (acenando para Ruth), diferentemente de Boston, a escravidão era legal. Solange já tomara todas as decisões possíveis em que Augustin não podia ajudar. Savannah teria de servir.

E, por apenas dois luíses, os Forniers poderiam ficar com a cabine. Uma barganha, Caldwell lhes garantiu. Os imigrantes irlandeses que haviam embarcado teriam pago mais.

Solange e Ruth tomavam ar no tombadilho superior, ignorando os olhares e comentários que mal podiam ouvir dos passageiros menos afortunados. Solange cogitava se Augustin havia deixado algo muito importante na ilha, mas não perguntou nada. Seu marido raramente saía da cabine.

Nas águas rasas ao largo da costa da Flórida, o tempo virou e o prumador cantava dia e noite. Uma chuva torrencial fustigava o convés e os passageiros irlandeses aglomerados. Dois bebês infelizes morreram e foram confiados às profundezas do mar.

À medida que eles prosseguiam para o nordeste, a chuva abrandou, mas o vento era cortante.

Ao se aproximarem do delta no qual o rio Savannah desembocava no Atlântico, o capitão diminuiu a velocidade.

— Senhora, senhora, venha vê. — Ruth puxou Solange para a amurada, onde trepou para ver melhor.

— O novo mundo.

Um irlandês robusto traiu a falta de entusiasmo.

Solange, que acabara de discutir com Augustin, não precisava de um novo amigo.

— *Oui!*

Os cabelos grossos e sujos do homem estavam penteados para trás e ele exalava um cheiro forte do rum que usara para se lavar em vez de sabonete e água.

— A senhora deve ser uma dessas francesas que os negros afugentaram, não é?

— Meu marido era fazendeiro.

— Um baita de um trabalho duro, com toda aquela capina e aragem.

— O Capitão Fornier era um fazendeiro, não um lavrador.

— Tem hora que as rebeliões derrubam os senhores e tem hora que derrubam os lavradores. Acaba sendo jogo limpo e tudo mais.

— O senhor também é destroço de rebeliões, *monsieur*?

— A gente é. Eu e meu irmão, nós dois. — Ele sorriu. Tinha alguns dentes quebrados, todos manchados. — A senhora acha que faz diferença se a mão que ajusta o seu nó é branca ou negra?

— Senhor, não assuste a criança — respondeu Solange. — Ela não sabe nada dessas coisas.

O irlandês analisou Ruth.

— Que nada, *madame*. Acho que essa criança sabe muita coisa.

Um barco com um prático bateu em um banco de areia; um marujo de roupa impermeável subiu a escada de corda e, com as mãos para trás, conversou com o Capitão Caldwell antes de assumir seu lugar ao lado do timoneiro.

O navio seguiu devagar por um canal, entrando em um estuário salpicado com ilhas verdejantes e bancos de areia claros. Nada ali se parecia com Saint-Malo. Ruth segurou a mão fria de Solange, mais quente.

Relutante, a maré permitiu que deslizassem terra adentro, entre uma parede de árvores cinza esverdeadas com fantasmagóricos musgos pendurados e um pântano salgado de amarelo-esverdeado vívido. Em seguida, esse cenário deu lugar a um porto com pequenas e grandes embarcações atracadas e ancoradas, abaixo de uma cidade americana que ficava na ribanceira acima de seus mastros grandes.

Augustin chegou ao convés, piscando contra a luz do sol.

Na frente da ribanceira de Savannah havia depósitos de cinco andares e escadas que ziguezagueavam como que envergonhadas pelo espaço que exigiam. As docas estavam movimentadas com carrinhos e carroções enquanto guindastes altos e finos transportavam as cargas do navio para o cais e vice-versa.

O prático facilitou a passagem deles por aquela confusão e baixou sua escada de corda, indiferente às promessas gritadas pelos mascates do Novo Mundo.

— Eu quero suas sedas e juro por Josafá que vou pagar!

— Troco cédulas britânicas e francesas! Tenho em mãos cédulas dos Estados Unidos e da Geórgia.

Depois de baixarem a prancha de desembarque e de rapidamente pegarem suas parcas posses, os imigrantes se apressaram rumo ao futuro. Um homem baixinho de colete branco e cartola confrontou o irlandês de Solange.

— Tenho trabalho para quem tem disposição. Estivadores, carregadores, tropeiros, barqueiros, trabalhadores braçais. Irlandeses e negros libertos serão tratados como brancos.

Quando Solange se aproximou, o irlandês robusto largou seu fardo e inclinou o ouvido. Balançou a cabeça dizendo não, mas o homem baixinho o segurou pela manga e, em consequência, seguido por sua cartola, foi jogado no rio.

— Com os cumprimentos de um Killarney, meu caro. Vender trabalho é um negócio desprezível.

— Seda, joias, ouro ou prata, bibelôs? *Madame?* A senhora não vai encontrar preços melhores em toda a Geórgia.

Solange passou dizendo:

— Geralmente, senhor, os mais ávidos a ajudar estranhos são os que menos têm a oferecer.

Com muita dificuldade, a pequena família carregou sua mala por três patamares até a Bay Street, uma avenida larga onde homens de cor descarregavam fardos de algodão e madeira serrada para os depósitos.

Solange se sentou em um banco de madeira, enxugando a testa. Em meio à movimentação mercantil, pessoas de classes mais altas trocavam cumprimentos alegres, passeando entre negros e irlandeses como se estes não existissem. Solange se sentiu pobre.

Algumas lojas da avenida estavam movimentadas, outras, quietas como a rejeição. Um carroção carregado de tábuas, puxado por seis cavalos, passou fazendo muito barulho por causa das rodas que guinchavam. Alguns homens de cor estavam convenientemente vestidos, outros usavam farrapos que mal se encaixavam às convenções da decência. A brisa que vinha do rio refrescava a esplanada. Solange enxugava o suor da testa dando tapinhas com um lenço. Augustin estava pálido, quieto e diminuído. Ele não poderia estar doente. Isso seria demais! Solange deu uma cotovelada no marido e ficou aliviada ao ouvi-lo resmungar.

Ela mandou Ruth perguntar sobre um agiota. Os negros saberiam dizer quem oferecia um valor justo. Depois, mandou Augustin tirar a casaca. Ele queria escaldar feito um ovo?

O sorriso de seu marido implorava por ternura, uma emoção de que Solange carecia. Naquele novo país inculto e grosseiro, a ternura impediria seu progresso.

Uma carreta freou quando seu cocheiro repreendeu outro. Para concluir o confronto estridente, eles se inclinaram nas boleias e deram tapas vigorosos nas costas um do outro.

Solange estava numa tremenda solidão.

— Augustin?

— Sim, minha cara. — Sua voz tão familiar, sua voz tão inexpressiva. Seu deplorável desespero!

— Nada. Esquece.

Augustin tentou.

— Cara Solange. Graças à sua esperteza, escapamos do inferno! — Seus lábios pálidos e as sobrancelhas levantadas pareciam acreditar nisso também. — *Le Bon Dieu*... Ah, Ele foi tão misericordioso.

Era aquele o homem com quem ela se casara? O que a ilha havia feito com ele?

Ruth voltou com um negro idoso a reboque.

— O Sinhô Minnis, ele é cavalero judeu honesto, sinhá — informou-lhe o negro. — Ele compra ou empresta em troca das sua joia e oro.

— Joias e ouro?

— Ah, sim, *madame*. Sua neguinha falô quanto a sinhá tá trazeno. Resgate dum rei. Minha nossa!

Antes que Solange pudesse corrigir o mal-entendido, Ruth puxou Augustin para que ele ficasse de pé.

— Vamos, Senhor Augustin — disse ela. — Logo, logo, o senhor vai está alegre de novo.

Diante da residência do Sr. Solomon Minnis, na Reynold Square, o criado os deixou na praça, garantindo que o "Sinhô Minnis vai recebê vosmicê gorinha mermu, sim, sinhô? Gorinha mermu".

Às dez horas de uma manhã de inverno, o Sr. Minnis estava com a barba por fazer, de pijama, chinelos e roupão, mas comprou as sedas deles, inclusive o vestido verde de *voile* de Solange, e fez o empréstimo em troca das joias e do conjunto de chá azul-cobalto. O pagamento poderia ser em moeda ou letra de câmbio.

— Com que desconto?

— Ah, não, não. Nada de desconto, *madame*. As notas promissórias são resgatadas em prata nesta cidade. Temos uma filial do Banco dos Estados Unidos em Savannah e na próxima primavera teremos um sólido prédio bancário construído. O comércio do algodão exige isso.

Cada uma das notas promissórias de Solange garantia que o "presidente e os diretores do Banco dos Estados Unidos pagariam 20 dólares em seus escritórios de Desconto e Depósito de Savannah a F. A. Pickens, seu presidente, ou AO PORTADOR".

— Satisfatório — declarou a portadora, guardando suas notas com os três reais espanhóis de prata que completavam a aquisição e penhor do Sr. Minnis.

Enquanto o criado negro discretamente removia os itens valiosos de Solange, o Sr. Minnis indagou a respeito de São Domingos. Os negros rebeldes eram tão brutos quanto se dizia? As mulheres brancas eram sujeitas a...

Solange respondeu que as atrocidades dos rebeldes eram muito duras e numerosas para contar, mas aquilo ficara para trás, e agora o que sua família precisava era de acomodações para sua estada em Savannah.

Embora o modesto estoque de moradias de Savannah estivesse comprimido por causa dos refugiados e imigrantes, e não eram poucas as famílias que estavam acampadas nas praças, o Sr. Minnis conhecia uma viúva que poderia alugar o apartamento do cocheiro acima da cavalariça.

Eles se mudaram para dois cômodos vazios naquela tarde, e Solange contratou os serviços de uma cozinheira.

Imigrantes empobrecidos competiam por trabalho com os criados de cor, como a cozinheira de Solange, que era alugada "pela cidade" por seu senhor.

Como Augustin Fornier não sabia "fazer" nada, ele devia "ser" alguém. Solange disse ao marido que ele era "um proeminente fazendeiro colonial: um dos mais bravos oficiais de campo de Napoleão".

Depois de elevar o ânimo do marido, Solange fez amor com ele. Após o arrebol, Augustin caiu num sono profundo e satisfatório enquanto a suada e descontente Solange deitava rigidamente ao seu lado. Embora a respiração regular de Ruth se elevasse do colchão de palha aos pés da cama deles, Solange achava que a criança estava acordada.

Caso necessário, uma criada doméstica bonita conseguiria um bom preço. Sim, Ruth a adorava e, sim, ela gostava muito da criança, mas a gente faz o que é necessário. O que será que Alexandre quis dizer ao chamá-la de "ignorante"? Sobre o que Solange Escarlette Fornier era ignorante?

Augustin roncava em seu ritmo monótono e não acordou até a manhã seguinte, quando Solange mandou Ruth e a cozinheira ao mercado e sentou-se para escrever ao Querido papai! Tão distante! Que tanta falta fazia!

Como a filha predileta do papai havia sofrido. A Sucarie du Jardin havia sido uma fraude dos Forniers! Seu marido era um inútil. Não fosse pela astúcia de Escarlette, eles teriam ficado presos em São Domingos à mercê de selvagens rebeldes! Graças ao *Le Bon Dieu*, eles estavam a salvo em Savannah. Se a filha predileta do papai soubesse então o que sabia agora, nunca teria saído de Saint-Malo!

Solange não prometia ao querido papai um novo neto, pelo menos não explicitamente. Apenas sugeria que o querido papai poderia ter uma boa surpresa em breve! Ela lamentava as joias e as xícaras de chá azul-cobalto penhoradas, mas riscou essa frase. O querido papai teria passado fome antes de penhorar um tesouro Escarlette!

Não havia nada para o civilizado povo francês neste hemisfério. Ela podia voltar para casa?

Ela enxugou a pena e tampou o tinteiro. O sol da manhã entrou pela janela. Os pássaros de Savannah regateavam e as camélias ostentavam flores gordas e obscenas. Ao dobrar a carta, Solange sentiu-se um pouco menos certa do que havia escrito. Talvez...

Os problemas tinham vindo com tanta rapidez e numa profusão tão desconcertante!

Uma lassidão agradável tomou conta de seus ossos; ela estava a salvo esta manhã, e os pássaros canoros americanos se apresentavam para obter sua aprovação.

Solange triturou grãos de café em um saco de musselina, colocou-os na xícara e derramou água fervente em cima. O aroma forte excitou suas narinas.

Ela reavaliou a situação. Eles estavam na América; ela, o marido e a criança, que era quase mais que uma criada. Se voltassem à França, quais eram suas perspectivas realistas? O coitado do Augustin sempre seria o segundo filho, mas em Saint-Malo ele seria o segundo filho cúmplice na perda da Sucarie du Jardin, que, Solange percebia, ficaria mais valiosa na cabeça de todos à medida que aumentasse o tempo de sua perda.

Os negros viviam na África. O que aconteceria a Ruth em Saint-Malo? Quando a acompanhante ebânea de Solange crescesse e ficasse *adulta* (Solange estremeceu ao pensar nisso), o que Solange faria? Na França, não poderia vendê-la.

A irmã mais velha de Solange se casara com um legislador e gerara um saudável neto Escarlette. Sua segunda irmã estava noiva de um cavalariano e, a seu devido tempo, geraria uma prole satisfatória.

Ao passo que Solange era a mulher sem filhos do segundo filho fracassado com uma criada incomum de pele muito escura.

Ela tomou o café, acordou Augustin, deu-lhe um pão e uma laranja e escovou seu casaco. Inflou o ego dele, insistindo que seu herói era seu Herói. "Homens corajosos fazem o que deve ser feito." Deu-lhe um beijo na bochecha e mandou-o para o mundo.

Quando Ruth e a cozinheira voltaram, estavam tagarelando numa língua bárbara qualquer, mas quando Solange evidenciou o desgosto, Ruth educadamente pediu perdão.

Naquela tarde, Solange foi até a casa do Sr. Haversham, cuja sala de estar servia (até que a estrutura permanente pudesse ser construída) como a filial de Savannah do Banco dos Estados Unidos. Os lambris cor de cereja, o papel de parede florido e o elegante medalhão do teto contrastavam com o grande cofre de ferro embutido no estreito vão da porta do que havia sido a despensa do mordomo de Haversham.

O Sr. Haversham analisou a carta de crédito selada e autenticada.

— Muito bem, *madame*. Por favor, peça ao seu marido que venha abrir uma conta.

Então, Solange depositou seu acordo de dote ao lado da carta de crédito.

O Sr. Haversham o ignorou enquanto explicava, como se a uma criança, que, pela lei da Geórgia, Solange era uma *feme covert*, uma mulher casada, e como tal não poderia ter propriedade em seu nome. Ele sorriu de forma bondosa.

— Alguns maridos liberais entram em acordo com suas esposas. Ora, a minha querida mulher tem toda autoridade sobre nossas contas domésticas...

Impaciente, Solange desdobrou o acordo e deu um tapinha nele.

— O senhor lê francês?

— *Madame*...

— Isso aqui atesta meu direito de ter propriedade em meu próprio nome sob o *régime de In fiparatum de bient*. Como esse acordo precedeu meu casamento e foi livremente aceito pelo meu marido, eu sou, pela lei francesa ou pelas leis de qualquer país *civilizado*, uma *Feme Sole*... exatamente como se fosse uma herdeira solteira ou viúva. Caso o senhor necessite de tradução, posso conseguir.

O banqueiro levantou uma sobrancelha levemente surpresa, mas não reprovadora.

— *Madame*, nem todos os americanos são provincianos. Sou versado em instrumentos legais franceses. — Ele empurrou os óculos para cima do nariz e, sob uma lente de aumento bem grande, esquadrinhou o documento, seus selos, assinaturas e autenticação. Ao se recostar, sua cadeira rangeu. — Seus documentos estão em ordem. Naturalmente, preciso fazer a verificação de seu extrato francês antes de lhe adiantar os fundos. — Ele pegou um exemplar do *Georgia Gazette* de um cesto de vime e o abriu no registro da frota mercante. — *L'Herminie* zarpa esta tarde para Amsterdã e é um navio rápido. Poderemos ter a verificação em... digamos... nove semanas? — Ele se levantou e fez uma mesura. — Seu criado ao seu dispor, *madame*. Bem-vinda a Savannah. Tenho certeza de que há de prosperar aqui.

Embora Solange tivesse apreciado um conselho sobre como esse resultado desejável poderia ser concretizado, ela não pressionou o banqueiro. Ao andar pela rua de areia larga e arborizada sob o fraco sol de novembro, o alívio de Solange por sua preciosa carta de crédito estar protegida no resistente cofre de ferro do Sr. Haversham se misturava com a apreensão que uma mãe sente quando o filho pequeno está fora de vista.

A comunidade francesa de Savannah se dividia em duas. Os franceses *"émigrés"*, que foram para a Geórgia depois da Revolução Francesa de 1789 e levaram riquezas consigo, e os franceses "refugiados", cuja maioria era formada de pessoas pobres fugidas de São Domingos com pouco mais que as roupas do corpo.

Em dezembro, exilados e refugiados receberam uma notícia que não era menos penosa por ser esperada. A notícia voou das docas até o colono solitário abrigado nas profundezas dos pinheirais da Geórgia com a rapidez do mais veloz dos cavalos. São Domingos estava perdida! Dali em diante, a Pérola das Antilhas era uma Pérola Negra! Apesar da determinada resistência francesa e das perdas terríveis, os rebeldes romperam a barreira dos fortes que protegiam Cap-Français e forçaram o General Rochambeau a se render. Os oficiais e soldados franceses que conseguiram se comprimir a bordo de embarcações caindo aos pedaços e zarpar deixaram Saint-Malo para se tornarem prisioneiros britânicos de guerra; os feridos e enfermos deixados para trás no cais sofreram por dias antes de serem afogados. Os insurgentes triunfantes renomearam sua nação de Haiti.

Aquele golpe no orgulho francês comprovou-se uma bênção para uma família de refugiados quando o segundo francês mais rico de Savannah, Pierre Robillard, demonstrou patriotismo e contratou um dos valentes oficiais do exército derrotado, o Capitão Fornier, como seu funcionário. Embora o salário de Augustin não fosse alto, uma rigorosa economia doméstica e o que restava do empréstimo do Sr. Minnis manteriam os Forniers até que a carta de crédito de Solange virasse dinheiro vivo.

Pierre Robillard se estabelecera na Geórgia como importador de vinhos franceses e daquelas sedas, *voiles* e perfumes cuja posse distinguia as novas-ricas do Low Country das pioneiras rústicas de mãos ásperas que suas mães tinham sido.

O primo mais jovem e mais rico de Pierre, Philippe Robillard, falava os idiomas indígenas edisto e muscogee e havia participado da legislatura da Geórgia durante as negociações pela terra — uma honra que Philippe mencionava com excessiva frequência. Os primos Robillard dominavam a vida social de Savannah e os convites para o baile anual deles eram disputadíssimos.

Os naturais da Geórgia admiravam a urbanidade francesa, mas achavam que os novos cidadãos eram excessivamente urbanos, um pouco franceses *demais*. As formas da dama francesa, tão claramente distinguíveis sob os tecidos diáfanos de seus vestidos, podiam ser adequadas em Paris ou Cap-Français, mas na Geórgia, onde os viajantes que andavam pelo interior podiam se deparar com índios hostis e o Grande Despertar incentivava muitos a reexaminar as suas (e dos outros) naturezas pecadoras, aqueles trajes sedutores pareciam temerários e imorais.

Apesar dessas leves desavenças, os georgianos eram solidários com o drama dos refugiados e a Igreja Católica de São João Batista passara listas de contribuições.

Os fazendeiros do Low Country tinham opiniões fortes, mesmo que diversas, sobre a rebelião de São Domingos. Alguns achavam que os escravos haviam sido tratados com excessiva dureza, outros, que não haviam sido suficientemente disciplinados. Embora todos os savanianos saudassem o "Liberdade ou Morte" do revolucionário americano Patrick Henry, quanto a São Domingos, eles acreditavam que a paixão jacobina pela liberdade fora longe demais. Os savanianos encaravam os negros franceses com desconfiança. Não teriam sido contaminados pela rebelião? Suas roupas excêntricas eram provocantes e alguns negros franceses imitavam os homens brancos, chegando a ostentar relógios de bolso e correntes! Naquela primavera, quando chegaram as notícias dos cruéis massacres de brancos que não haviam escapado de São Domingos, ofereceram-se muitas missas para suas almas e, por algum tempo, os negros franceses só apareceram em sóbrios trajes dominicais.

Solange Fornier sentia falta do mar. Tinha saudades da esplanada de Saint-Malo, onde a maresia lhe umedecia as faces e suas narinas se alargavam para sentir o cheiro adstringente das algas marinhas. As ruas calçadas de Saint-Malo haviam conhecido as pisadas dos romanos, de monges medievais e de corsários ousados. Savannah era tão jovem, não muito mais velha que a revolução da qual os americanos se orgulhavam tão exageradamente. Alguns davam certa importância ao General Lafayette, mas aparentemente os savanianos pouco sabiam sobre a frota francesa que negara reforços aos britânicos sitiados em Yorktown nem sobre as tropas francesas que atacaram as fortificações britânicas.

— Vocês foram nossos aliados quando libertamos nossa nação do jugo britânico, não foram?

O "sssim" de Solange pareceu nitidamente um silvo.

A França tinha falido por apoiar esses caipiras ingratos e por isso o perdulário rei Luís fora decapitado. Mas isso era passado. Ao contrário de alguns refugiados, Solange não gastava energia lamentando que aquela ajuda francesa aos americanos ingratos não tivesse sido direcionada às próprias colônias da França rebeladas: São Domingos em particular.

Solange trocou seus últimos dois luíses de ouro com o Sr. Haversham. Embora convencido de que a confirmação do Banque de France chegaria a qualquer momento — "Devemos ser pacientes, *madame*" —, ele não podia, em sua posição de confiança, adiantar nenhum dinheiro. Certamente, a encantadora senhora entenderia sua posição. Ele deplorava o Atlântico turbulento. Várias embarcações, inclusive uma com o correio britânico, não haviam chegado quando esperado e temia-se que a carga estivesse perdida. A confirmação de Solange não estaria a bordo de uma embarcação britânica? De modo algum! *Non!*

Quando acompanhou a cozinheira e Ruth ao mercado iluminado por tochas, Solange ficou impressionada com o número e a força de negros conversando em suas línguas bárbaras. "Falem inglês!", ela teve vontade de gritar, ou, se necessário, "falem francês!". Os criados não tinham o direito de ter conversas que seus amos não pudessem entender.

E as mulheres do mercado reverenciavam Ruth, uma deferência que aborreceu Solange. A admiração branca por Ruth bajulava a dona da criança assim como aquele que admira um puro-sangue elogia o dono do cavalo. Mas a estranha deferência das mulheres do mercado não conferia nenhum benefício a Solange; a dona se sentiu invisível!

Solange falava inglês, mas Augustin não conseguia aprender o idioma e desprezava o estilo de vida americano. Após o trabalho, ele ficava num bar, onde podia falar francês com outros refugiados amargurados, que ali dissecavam as campanhas de Napoleão e deploravam infinitamente o fracasso do primeiro-cônsul para salvar São Domingos. Solange apelidou os novos amigos do marido de *"Les Amis du France"*.

Apesar de Augustin nunca ter efetuado uma colheita de cana--de-açúcar — na verdade, nem sequer plantado cana —, ele debatia a agricultura colonial com ares de especialista, como se sua breve visita à Sucarie du Jardin tivesse gerado safras abundantes.

Augustin insistia em que o novo governo haitiano o recompensaria pelo engenho ("Eles o roubaram de nós, não foi? Precisam pagar") e, para esse fim, deu início a uma correspondência com o cônsul francês em Nova Orleans.

Embora o inglês de Ruth fosse o inglês do mercado e da senzala, a criança logo estava tagarelando. Enquanto Augustin atendia aos fregueses de Pierre Robillard e se regozijava com as vitórias de Napoleão, Solange e Ruth exploravam o novo mundo. Em muitas manhãs, assim que o fogão liberava sua fumaça cáustica, as duas iam passear pelas lindas praças francesas de Savannah, descobrindo onde as famílias mais importantes moravam. (Ruth, que podia ir a qualquer lugar e perguntar qualquer coisa, era uma ótima espiã.) A mulher francesa e sua criada negra visitavam bairros onde trabalhavam artesãos, vendiam-se animais e madeira, e tijolos eram armazenados. O irlandês grosseiro e seu irmão haviam adquirido uma carroça e um boi macilento, pele e osso, e se estabeleceram como carroceiros. Embora o irlandês invariavelmente a cumprimentasse tocando a aba do chapéu, tão invariavelmente Solange o esnobava.

Frequentemente, Solange e Ruth concluíam sua lenta caminhada pela beira do rio, abaixo da esplanada deserta, nas docas lotadas e movimentadas, onde os dialetos gaulês, ibo e crioulo carregavam navios e pequenas embarcações com fardos de algodão e barris de anil e descarregavam produtos finos e vestuário.

Sem Ruth, Solange poderia ter sido confundida com uma das prostitutas maquiadas em busca de estivadores e marujos. Embora algumas dessas criaturas tentassem fazer amizade, Solange as rejeitara.

Mais tarde, quando havia mais brancos em volta, a dupla matava o tempo numa pequena cafeteria, tomando café com biscoitos e generosas porções de mel de abelha silvestre. Ruth conversava com todo mundo.

Quando voltavam para casa, os pratos do desjejum e o cheiro de tabaco remanesciam como sinais de Augustin. Solange trocava seu traje de caminhada e vestia a criança para a missa. Uma vez ela fora à missa das seis e meia, que atendia aos carroceiros, estivadores e lavadeiras de Savannah. Aquele irlandês aproximou-se sem muito mais que um "com licença", querendo saber como ela "estava indo" no "Novo Mundo" e teve a audácia de apresentar "meu irmão, Andrew O'Hara, e Martha, minha patroa". Apesar do silêncio gelado de Solange, o homem não se intimidou por causa do breve conhecimento feito a bordo do navio. Dali em diante, a Sra. Fornier e sua criada passaram a assistir à missa das dez e meia. Se a missa das seis e meia era dos irlandeses, a das dez e meia era da sociedade. Solange não repetiu o erro de O'Hara e só fazia um aceno educado de cabeça se a outra pessoa fizesse o mesmo e, na entrada da igreja, após a missa, voltava a atenção ao seu missal ou rosário, enquanto os familiares se cumprimentavam com os gorjeios entusiasmados que as damas de Savannah tanto apreciavam. Quando as finas damas faziam comentários favoráveis, Ruth respondia com uma mesura e um "*Merci, madame*", enquanto Solange dava um sorriso distante.

Depois da missa das dez e meia, a elite embarcava nas carruagens para o percurso de 400 metros até a Bay Street. Solange e Ruth iam a pé e, ao chegarem, passeavam discretamente entre seus superiores sociais. Não fosse pela restrição racial, Solange passaria por governanta de Ruth, instruindo-a e indicando esse ou aquele objeto de interesse.

As damas que Solange ignorava por sua vez a ignoravam, pois preferiam se dedicar aos escândalos da noite anterior e à deliciosa expectativa dos escândalos que estavam por vir. Elas se interessavam particularmente por assuntos que ampliavam suas virtudes.

Depois do passeio, os savanianos iam para casa, onde um almoço e um cochilo os revigoravam para as *soirées* noturnas.

Solange e Ruth iam para casa e lá ficavam. Solange não se entregaria à ansiedade. (O que eles fariam se o Banque de France a desapontasse? E se o seu precioso documento afundasse no turbulento

Atlântico?) Embora nunca tivesse avaliado o *preço* de Ruth, Solange sabia que a menina traria mais do que Augustin conseguiria em meses. Uma ansiedade abafada batia num pano de fundo ansioso. Solange aguardava para que sua vida acontecesse.

Ela perdeu a paciência com os romancistas delicados que haviam sido ótima companhia em Cap-Français e, para melhorar o inglês, lia o Sr. Wordsworth em voz alta, quando chegou à frase "Passe para o papel as aspirações do seu coração", o que levou Solange e Ruth a sorrir, suspirando.

Em uma tarde nublada de abril em que não havia nenhum navio no porto e o dia prometia mais horas que Solange poderia suportar, ela foi visitar o local de trabalho do marido.

A maior parte dos estabelecimentos da Bay Street era de tijolos, mas algumas casas decrépitas de madeira, de um e dois andares, haviam sobrevivido aos incêndios e furacões que assolaram a cidade. Em uma varanda castigada pelo clima, um ancião de cabelos grisalhos, vestindo casaca e um chapéu de três pontas revolucionário, acenava com a cabeça para todos os transeuntes.

L'Ancient Régime, o empório de Monsieur Robillard, ficava entre uma fábrica de velas e um boticário. Quando passava por ali, Solange sempre se abanava alegremente, caso alguém lá dentro estivesse olhando, mas nunca havia cruzado a porta de entrada.

Nessa ocasião, Solange usava a roupa desinteressante e apropriada à mulher de um funcionário, incrementada pelo esnobismo Escarlette.

Ruth podia aguardar lá fora. Solange não estava com ânimo para explicações complicadas, as quais, como mulher de um funcionário, seria obrigada a dar.

Ela parou para admirar a vitrine do L'Ancient Régime: tecidos em *jacquard* pendurados numa cadeira dourada; o cabo dourado, alguns centímetros afastado de uma bengala encostada na cadeira, revelava uma espada letal. Belos potes de louça de emolientes, unguentos e poções cercavam garrafas de Veuve Cliquot na frente de um grande leque de tecidos vermelho, branco e azul.

Quando Solange pisou no interior sombrio, um sino tocou e uma voz perguntou se a *madame* tinha vindo à procura dos novos perfumes, que haviam sido desencaixotados no dia anterior e possuíam, garantiram-lhe, as mesmas fragrâncias prediletas da Imperatriz Josephine quando esta e suas damas de companhia passeavam pelas Tulherias.

Diante de um altar de minúsculos frascos de vidro, Solange mostrou o pulso para o funcionário, que ali depositou uma gota preciosa.

— A fragrância é imperceptível, mas como a tuberosa que lhe dá o nome, floresce mais tarde.

Quando Solange levou o punho ao nariz, era a florescência de uma manhã de maio.

O funcionário era alto, quase careca e usava uma camisa de linho com jabô e um laço azul-marinho. Além disso, era negro; mais precisamente negro acinzentado, como se seu negrume tivesse sido alvejado pelo excesso de sol. Seu francês era o francês que os primos parisienses de Solange falavam quando faziam a concessão de visitar a encantadoramente singular Saint-Malo. Solange se apresentou.

Ele fez uma profunda reverência.

— O Senhor Augustin tem guardado a esposa dos admiradores. Eu sou Nehemiah, *madame*, seu humilde e mais fiel criado. — Na segunda mesura, mais presunçosa que a primeira, ele curvou ainda mais o corpo.

— Meu marido...

— O Capitão Fornier serve o Senhor Robillard, *madame*. Eles leem os jornais. Todos os jornais. — Seu meneio de cabeça mostrou admiração por essa façanha improvável.

O homem a guiou por passagens estreitas entre árvores de tecidos, móveis dourados, brancos e caixas de vinho engenhosamente arrumadas até uma porta que ele abriu sem bater.

— Hoje, 14 de abril, madame Fornier nos honrou com sua agradável presença.

Solange foi conduzida a um cômodo estreito, cujo teto alto ficava bem acima da fumaça de charuto que circulava.

Como aquele negro se *atrevia* a encarregar-se dela? Num tom gélido, em inglês, Solange o dispensou.

Como se ela não tivesse falado, Nehemiah ficou por ali, para dizer na mesma língua:

— A Sinhá Fornier gostô daquela tuberosa. Gostô mermu.

— Está bem. Isso é tudo, Nehemiah. — Augustin encontrou a fala.

Pierre Robillard se pôs de pé, as faces coradas.

— Que gentil da sua parte nos agraciar com sua presença... que gentil.

À moda antiga, ele beijou a mão de Solange.

O escritório quase tinha espaço para duas poltronas infames, a mesa lotada do proprietário, caixotes fechados e um aparador para jornais como se poderia encontrar em um café ou cafeteria. Interceptando seu olhar, Robillard deu uma risadinha.

— Alguns homens agem, outros acham que poderiam ter feito melhor do que aqueles que agem. Embora eu seja fascinado pelas iniquidades da humanidade, sou muito meticuloso para intervir. Porém... — ele fez uma pausa dramática — esqueço as boas maneiras. — Ele fez um estalo com a língua. — Gostaria de se sentar? Agora entendo por que o Capitão Fornier a esconde de nós, mas não o perdoarei por isso.

O excelente francês de Robillard explicava por que seu criado era tão articulado, mas não fez Solange se recompor. Ela se sentou em sua poltrona funda, muito felpuda e muito surrada.

Quando ela recusou um revigorante, Monsieur Robillard disse que Nehemiah poderia fazer um chá, que ela aceitou, e Augustin saiu para providenciar.

Robillard agitou as mãos, num falso lamento.

— Oh, minha nossa, a senhora não vai me repreender por isso?

— Por *isso, monsieur*?

— É verdade, é verdade. Minha mulher superestima minha concupiscência. Ela se convenceu de que comigo nenhuma mulher bonita está com a virtude a salvo. E, *madame*, a senhora tentaria um santo.

Aquelas palavras alarmantes, pronunciadas com tal complacência radiante, fizeram Solange sorrir.

— Entendo a preocupação da sua mulher, senhor.

— Entende?

— Se eu não fosse uma mulher casada...

Ele suspirou.

— Ai de mim, tantas mulheres são. Ou são donzelas com pais devotos ao Código do Duelo, ou seus irmãos conseguem furar o naipe de uma carta com um tiro, ou essas damas têm amantes ou estão contemplando a touca e o hábito de freiras; na sociedade de Savannah, *madame*, os que têm pretensão a libertinos ficam absolutamente impedidos. Os pérfidos britânicos entendem muito melhor dessas questões que nós, franceses. *Fais ce que tu voudras...* Faça o que quiser... e esse tipo de coisa.

— Meu marido não devia estar aqui? — perguntou Solange, sem estar minimamente preocupada.

Robillard segurou a mão dela. Sua palma estava úmida e quente.

— Oh, minha cara, eu sou inofensivo. Embora — acrescentou ele, lamentando — minha Louisa não ache. — Ele bateu palmas. — Já basta sobre mim. Na ausência dele... que rejeita qualquer elogio... deixe-me revelar-lhe a sorte que tive de contar com os serviços do Capitão Fornier.

Então ele fez a avaliação de seu marido, aquela que Solange sempre procurara criar. Augustin era "um bravo capitão de Napoleão", um "herói da rebelião de São Domingos" e "um verdadeiro cavalheiro" — o sorriso de Solange vacilou — "conhecedor das coisas do mundo". Monsieur Robillard observou que havia tido a grande honra de servir ao imperador quando ele era simplesmente o *tenente* Bonaparte, muitos, muitos anos atrás.

— Que pena, não vimos nenhum combate. — As sobrancelhas dele se elevaram na testa. — Não *havia* nenhum combate em nenhum lugar. Dá para imaginar?

Falando como um imigrante cuja longa residência na cidade o autorizava a ter *algumas* opiniões, Robillard asseverou que a reputação militar do capitão Fornier lhe traria lucros na sociedade de Savannah.

— Até minha vinda para a América, eu nunca sonhara que havia tantos coronéis e majores... sequer generais. — Robillard sorriu. — Quanto a mim? Nunca fui mais que um simples soldado. Seu bravo capitão Fornier, *madame*, obrigado por me emprestá-lo.

Solange sabia que ele teria beijado sua mão novamente, caso fosse um pouco mais fácil se curvar tanto.

No L'Ancien Régime, Augustin servia aos inúmeros coronéis, capitães e majores de Savannah. Quem melhor para escolher vinhos franceses que um oficial francês? E, como Solange podia imaginar, muitas damas americanas eram delicadas demais para serem atendidas por um negro. Mesmo assim, Nehemiah tinha sua utilidade.

— Ele verifica nossas faturas, desencaixota e arruma os produtos. Não são bons os arranjos que ele faz? Ora — acrescentou o proprietário —, Nehemiah conhece melhor nossa mercadoria que eu, mas eu não lhe revelo o nosso segredo! — Ele pressionou um dedo no nariz, em sinal de advertência, e piscou. — O Capitão Fornier e Nehemiah tornaram Pierre Robillard supérfluo em seu próprio estabelecimento!

O sorriso de Solange foi de surpresa a admiração e de volta à surpresa. É claro que ela não o interrompeu. É claro que não perguntou: se Augustin é tão valioso, não merece um salário melhor? Em vez disso, retribuiu os elogios de Robillard sempre que pôde e ficou sabendo muito mais sobre a mulher dele.

— *Madame*, quando Louisa se submeteu às minhas súplicas, ela desceu na escala social pelo casamento!

E ainda mais sobre sua filha, Clara, por quem Pierre Robillard era louco.

Quando Solange foi embora, o proprietário pressionou um frasco de fragrância tuberosa em sua mão, garantindo que estava meramente "ornamentando o lírio".

Lá fora, quando sua senhora voltou, Ruth farejou sonoramente e franziu o nariz.

É impossível evitar infortúnios, mas não é preciso se curvar a eles. Certamente, Solange não o fazia. Mas chorou sobre a carta de seu pai. Chorou de modo tão inconsolável que Augustin fugia do apartamento para beber em excesso com seus solidários companheiros refugiados, o tipo de erro que os jovens maridos cometem. Ruth nunca abandonava sua senhora em lágrimas. Seus olhos escuros ficavam marejados também, mas ela nunca se intrometia na dor de Solange.

Charles Escarlette escreveu que a querida mãe de Solange havia ralado os joelhos rezando e mandara rezar uma missa de dois *écus* para sua filha amada. Ao ler sobre a vitória dos rebeldes, mamãe desmaiou. Charles Escarlette estava tão agradecido pela fuga de sua filha que reduziria os juros de cinco para quatro por cento devidos pelo dinheiro adiantado pela comissão de Augustin.

Ele escreveu à filha dizendo que Saint-Malo passava por tempos difíceis. Navios corsários britânicos haviam devastado o transporte marítimo e Henri-Paul Fornier perdera três inofensivas embarcações mercantis para aqueles saques. "Será que esses piratas britânicos não conseguem distinguir um navio mercante de uma belonave?"

Em consequência, a Agence Maritime du Fornier tinha ido à falência e o irmão de Augustin, Leo, fora recrutado e devia estar com o Exército na Espanha.

Embora não tão ruins quanto as condições de Fornier (a satisfação de seu pai exalava da carta com a força de hortelã esmagado), os Escarlettes já não eram os mesmos. O negócio de importação-exportação havia diminuído e, como a economia de Saint-Malo estava em baixa, certos empréstimos não foram pagos e diversos investimentos tinham malogrado.

Sem dúvida sua filha zelosa compreenderia que aquele dinheiro previamente adiantado a ela agora era necessário em casa. Apesar de terem destruído o comércio pacífico, os britânicos haviam criado oportunidades de lucro com as manobras de guerra. Charles Escarlette estava negociando a locação de um prédio, um antigo depósito, para convertê-lo em uma confecção de fardas. Para realizar esse plano, ele fora ao Banque de France, que informou ao pai estupefato que, sob o Código de Napoleão, a carta de crédito de sua filha somente poderia ser reassinada por ela e que, de qualquer maneira, Solange Escarlette Fornier já havia remetido aqueles fundos para a América!

Ela e Augustin deviam voltar para casa imediatamente. Qualquer embarcação americana neutra, com destino à Holanda ou à Bélgica, passaria pelos britânicos. Depois de desembarcarem, carruagens postais poderiam chegar a Saint-Malo em quatro dias. Outros, homens inescrupulosos cujos nomes ele não precisava citar, andavam "farejando como cães de caça" o depósito e, embora Charles Escarlette exaltasse a si mesmo pela sua intuição, outros comerciantes poderiam chegar a conclusões semelhantes sobre a demanda por fardas. Seu pai lamentava que a querida Solange e o caro Augustin não pudessem adquirir passagens de primeira classe, mas a segunda classe não atracaria muito depois que a primeira, e cada centavo era necessário em casa.

Charles Escarlette concluiu sua carta com expressões de satisfação e afeto paterno. Seu pós-escrito transparecia a confiança de que, como filha zelosa, Solange entenderia.

Solange entendeu tudo muito bem e imediatamente procurou o Sr. Haversham para indagar sobre a verificação do Banque de France.

O Sr. Haversham estava arrasado com sua impotência, mas não sabia de nada. Não ouvira nada. Aquela noite, durante o jantar, ele confessou à Sra. Haversham seu alívio por não ser a pessoa que desencadeara a ira da Sra. Fornier.

Solange escreveu uma carta atrás da outra, mas não colocou nenhuma no correio. O que seu pai poderia fazer? O que os espertos advogados de Saint-Malo estavam sugerindo que ele fizesse?

Ela examinava as notícias da marinha mercante assim que *The Georgia Gazette* era pendurado do lado de fora da redação do jornal. Outros madrugadores que poderiam ter usurpado seu lugar se convenceram de que o interesse da bela francesa pelos navios que chegavam superava qualquer que fosse o deles. Solange passava tanto tempo nas docas que já sabia qual era o prático que pilotava uma embarcação pelo curso escolhido. Quando o Sr. Haversham descia para começar o dia, lá estava Solange, aguardando diante da casa, juntamente com seu funcionário e as malas postais.

— Se dependesse de mim, *madame*... — dizia ele enquanto procurava a correspondência. — Não fosse pelas restrições impostas pela Filadélfia a todas as filiais do banco, juro que eu renunciaria solenemente a essa tediosa formalidade.

Solange deu um sorriso travado, mínimo.

Não era dela. Não era dela. Não era dela. O banqueiro rejeitou o último envelope com o cenho levemente franzido, mas sorriu para Ruth.

— Sua criada é uma criança tão cheia de vida. Os negros atingem seu ápice quando crianças, não acha?

Ruth encontrava pechinchas no mercado e, depois que Solange dispensou a cozinheira, a menina passou a cozinhar.

Uma noite, quando Augustin havia bebido mais que o normal, convidou seu amigo, o Conde Montelone, para compartilhar o feijão-mulatinho com arroz e quiabo deles. Se o velho enfadonho ficou afrontado com a oferta de Fornier, foi educado o bastante para comer tudo e repetir a porção que seria guardada para o dia seguinte. De modo um tanto prolixo, o conde descreveu sua família proeminente. Quando Solange admitiu sua ignorância a respeito das veneráveis pessoas, ele perguntou:

— Ah, a senhora é de Saint-Malo, não é?

Apesar de nunca dizer uma palavra a Ruth, ele a olhava com tal avidez que a criança saiu da sala.

Quando Solange insistiu com o marido para que fizesse economia porque eles já haviam gastado quase todo o dinheiro, Augustin declarou que deveria poder pagar bebidas para seus amigos assim como eles pagavam a dele.

— Sou um soldado — informou ele. — Não um padre.

Em uma manhã, quando uma goleta de bandeira holandesa baixava sua prancha de desembarque, Ruth estava empoleirada de pernas cruzadas em cima de um poste de amarração, cantarolando de boca fechada. Quando o cantarolar parou de repente, Solange se virou. O que a Sra. Robillard estava fazendo nas docas?

— Ah, Sra. Fornier. Então é aqui que tem andado. Sentimos sua falta na esplanada. Nossa! Toda essa negrada. E esses irlandeses. Essa, hã... gente *marítima*.

— Cara Sra. Robillard, eu só espero que não tenha vindo procurar *especificamente* por nós.

— Não, não. Eu estava apenas passando...

— Está esperando uma encomenda, alguma carga?

— Oh, nossa, não. — Louisa Robillard riu. — Nehemiah é quem fica *esperando*.

Solange sorriu educadamente enquanto a mulher vagueou até o destino de sua conversa.

— Eu geralmente a vejo na missa das dez e meia. Minha querida amiga Antonia Sevier sempre diz que já devíamos ter sido apresentadas há muito tempo, mas eu digo a Antonia que infelizmente não fomos.

Ruth correu até o embarcadouro, onde um prático conhecido tinha um doce para ela.

— Não acha que depois de tanto tempo de uma "quase" relação podemos ignorar apresentações formais?

Solange teria preferido a formalidade, mas aquela goleta holandesa não passaria por sua verificação e na noite anterior ela dissera a Augustin que o dinheiro estava muito escasso e que, soldado ou não, ele não poderia ser generoso com seus amigos franceses.

— Ora, é claro, *madame*. Fico feliz de fazer parte de suas relações.

— Que gentileza a sua.

(Querendo dizer: "É claro que fica. Seu marido é nosso funcionário.")

Solange rebateu.

— O Capitão Fornier fala muito bem do Sr. Robillard. "Um cavalheiro da velha escola."

Quanto Ruth retornou, sua atenção se voltava para um grande naco de puxa-puxa.

— Pierre ficou muito entusiasmado com a senhora. — O sorriso de Louisa *não* estava entusiasmado. — É fácil ver por quê.

— Como a senhora sabe muito melhor que eu, o Sr. Robillard é um cavalheiro amável e honrado.

— Sem dúvida.

Dados os olhos aquosos e o queixo de cavalo dessa mulher, Solange achou que ela tinha razão para ter ciúmes.

— Meu marido contou que o Capitão Fornier serviu com Napoleão. É mesmo?

— Não creio, *madame*, que ninguém, além dos marechais, serve *com* Napoleão. O Capitão Fornier serviu *sob* as ordens do imperador.

— Nas guerras europeias?

— Augustin Fornier foi comissionado para as circunstâncias desesperadoras em São Domingos e conquistou sua posição pela excepcional coragem. Sua promoção a major estava garantida quando, oh, meu Deus, São Domingos foi traída pelo governo francês.

— Minha nossa. O caro Pierre teria ficado tão orgulhoso de ter um *major* como funcionário.

Solange calculou quantos dias eles sobreviveriam sem o salário de Augustin.

— Nossa fazenda, a Sucarie du Jardin, tinha o solo mais fértil da ilha. O capitão Fornier serviu sob as ordens do General Leclerc.

— Aquele pobre cavalheiro. Morrer tão longe de casa.

— É. Um grande oficial...

A Sra. Robillard relaxou.

— Que criança linda.

Ruth fez uma mesura.

— Quantos anos você tem?

Outra mesura.

— Acho que 6, sinhá. Pode sê 7.

— Ora, ora. Ora, ora.

A Sra. Robillard virou o pescoço, procurando um rosto familiar na esplanada tão acima daquelas docas sórdidas. Embora não localizasse nenhum de seus amigos, ela acenou como se tivesse avistado algum conhecido.

Quanto se voltou novamente para Solange, seu queixo se projetou como a proa de um navio.

— A senhora é quase tão bonita quanto o tolo do meu marido disse que era.

Em respeito à ninharia que Augustin ganhava, Solange se conteve.

— A senhora é muito gentil.

— Que criatura encantadora. Simplesmente encantadora. Você não vai roubar dos seus senhores, vai, Ruth?

— *Mais non, madame.*

— Fale inglês, criança. É uma língua tosca, mas deve ser a sua.

Em um glorioso dia de maio, botões brancos de magnólia caíam nas pedras do calçamento quando o navio de Solange atracou. Um brigue sem graça, não muito apto a navegar, havia coletado correspondência em Bruges, desmastreado ao largo de Haulabout Point, quase encalhado e estava muito próximo do abandono.

A garganta de Solange estava tão apertada que engolir era doloroso. E se tivesse afundado? O que aconteceria com eles?

Mas com a adequada verificação para satisfazer o meticuloso Banco dos Estados Unidos, a conta da Sra. Fornier foi aberta, e sua resposta concisa a Charles Escarlette, enviada pelo malote postal.

Os Forniers se mudaram para uma casa sem estilo num bairro sem estilo, que Solange comprou imediatamente com dinheiro vivo.

A carta seguinte de seu pai foi mais hábil. O Banque de France havia informado a Charles Fornier que o dote de sua filha agora estava no Banco dos Estados Unidos. Que surpresa! Ele não sabia que os Estados Unidos tinham um banco!

A situação na casa de Solange continuava a mesma. Ele arrendara a fábrica, mas precisava de dinheiro para contratar os trabalhadores. Havia alfaiates e costureiras disponíveis, e o Exército faria um grande pedido. Ele começaria com a confecção de calças. Havia lucro com calças.

Uma transferência autenticada de crédito do Banco dos Estados Unidos devia seguir na próxima maré. Para adiantar, ele providenciara os documentos que o banqueiro de sua filha iria exigir. Havia um espaço para Augustin assinar também. Embora a assinatura de seu marido fosse, sob o Código de Napoleão, desnecessária, quem sabia que leis primitivas governavam os americanos?

Se ela preferisse, poderia entregar o documento pessoalmente. Suas irmãs e a querida mamãe sentiam muitas saudades dela!

Enquanto Solange, em prantos, rasgava a carta e o documento em pedacinhos, Ruth cantava um lamento misterioso num tom agudo, e os Forniers viraram americanos.

A notícia sobre a melhora nas condições da família deu um jeito de escapar dos lábios discretos, firmemente cerrados, do Sr. Haversham, e os Forniers passaram a receber convites para importantes batizados, festas, *garden parties* e afins.

Como americanos novinhos em folha, o capitão e a Sra. Fornier precisavam ir à obrigatória *Grand Fete*, o baile de aniversário de Washington. (*Ingressos a um dólar. Aprendizes não entram.*)

Durante a refeição rápida, a Sra. Robillard perguntou se a Sra. Fornier já conhecia Antonia Sevier.

— Ela não é uma grande amiga sua? — Solange falou de maneira familiar com uma mulher com quem anteriormente cada palavra tinha de ser medida. Colocou um pão de minuto no prato entre picles suave e a coxa de frango.

— Vocês não têm praticamente nada em comum. — A risada de Louisa foi quase um zurro. — Mas *todo mundo* conhece Antonia, e a senhora também precisa conhecê-la.

— Eu ficaria honrada em conhecê-la. — Solange escolheu três confeitos, ignorando um *macaron* amassado. Lambeu o indicador. — Diga-me, Sra. Robillard, todos os bailes americanos são assim enfadonhos?

— Somente os patrióticos. Pode me chamar de Louisa. Ai de mim, o patriotismo americano é invariavelmente grosseiro e embrulhado em panos de bandeira consumidos pelas traças. — Louisa inclinou a cabeça para o lado. — Ouvi falar que seus bailes em São Domingos eram... bastante... audaciosos.

— Perto do fim, muito.

— Ah. — Louisa ignorou o javali preferindo uma fatiazinha de pato. — Antonia está muito aborrecida por causa da cozinheira dela. O camarão e a canjica da cozinheira são assunto corrente. Ora, Antonia recusou 800 dólares pela cozinheira. Oitocentos por uma cozinheira. — Louisa fez uma careta. — Nestes tempos, nestes tempos.

— Como nunca jantei na casa dos Seviers, não tenho comentários a fazer sobre a canjica. Com certeza, deve merecer os maiores elogios.

— Antonia pretendia convidar a senhora e o caro Capitão Fornier para sua *garden party* este ano. Eu gostaria de saber por que os garfos e as facas ficam invariavelmente na cabeceira e não no fim da mesa do bufê, onde o prato cheio da pessoa necessita deles. — Louisa fez uma pausa para dar ênfase. — Que pena, minha cara Sra. Fornier, nem eu nem a senhora teremos a oportunidade de saborear aquela canjica, pois Antonia cancelou sua *garden party*! A cozinheira *não* vai ao mercado! Simplesmente se recusa! Antonia tomou medidas radicais... — Louisa estalou as articulações como alguém estala o chicote... —, mas não adiantou. Atualmente, é o cocheiro quem está fazendo as compras! Frutas maduras demais, legumes de menos e tudo muito caro. Podemos dividir a namoradeira?

— Com certeza. — Solange deu espaço.

— A senhora sabe o quanto eles são supersticiosos.

— Humm.

— A cozinheira tem essa ideia maluca de que aquela sua criada (Ruth, não é?) está pondo, sei lá, um "mau-olhado" nela. A cozinheira diz que Ruth "vê coisas"... seja lá o que *isso* signifique. Ela afirma que aquela criança é uma sacerdotisa vodu. — A risada de Louisa ressoou como o som de um sino rachado. — Não passa de uma bobagem, é claro. No entanto...

— Ora, é claro que é bobagem. — Solange falou com mais ardor que deveria. Se Solange fosse uma inocente, o sorriso triunfante da

Sra. Robillard teria dado uma pista de como essa perigosa besteira estava preparada para ser usada no momento certo.

Uma sacerdotisa vodu.

Na manhã seguinte, após a missa das dez e meia, a charmosa Sra. Fornier foi entregar pessoalmente no L'Ancien Régime os últimos jornais trazidos por um navio espanhol recém-atracado e, no momento adequado, fez um pequeno pedido a um cavalheiro muito importante.

Resistir à bajulação é muito mais fácil quando a pessoa está acostumada a ela, e Pierre Robillard não recebia muitas lisonjas em casa.

— Qualquer coisa que eu possa fazer, minha cara — prometeu ele, beijando a mão de Solange.

"Qualquer coisa", ao que se revelou, era incomum, mas não proibido. Embora não fosse nenhum papista (como ele garantiu à sua furiosa esposa mais tarde), Pierre era um sujeito tolerante e certamente havia muitos caminhos para a salvação.

Assim sendo, numa linda manhã de abril, 18 meses após ter chegado à América, uma criança solene e muito negra, usando um vestido branco adornado de renda flamenga, ficou diante do altar da Igreja de São João Batista para ser batizada com o nome de Ruth.

O radiante Pierre Robillard seria o padrinho da criança.

A *Orangerie*

RUTH CANTAVA BAIXINHO:

"Laranjera
Que cresce sem pará.
Laranjera, laranjera, que cresce sem pará.
Laranjera,
Madrasta mãe não é,
Laranjera..."

A *orangerie* dos Robillards era perfumada como se fosse de canela ou noz-moscada e as frutas pendiam como pingentes tímidos por trás de folhas bem-definidas. Cantarolando distraidamente, a criança traçou com o dedo uma esfera verde-dourada. Ouvia-se o som fraco de música dançante na estufa estreita de tijolos e vidro que ficava na fachada sul da novíssima mansão. Como o jovem arquiteto britânico de Louisa Robillard não entendia os costumes de Savannah, aquele tranquilo espaço meditativo dava para as dependências dos criados, onde se realizava a limpeza, o abate dos animais e a lavagem das roupas, da manhã ao entardecer. Em paz naquela noite, as vidraças da *orangerie* estavam escuras, exceto pelo lampião de uma cocheira, que iluminava os veículos envernizados dos convidados, e pelas fagulhas minúsculas dos charutos de seus cocheiros.

Sentada em um banco de pedra, Solange se abanava com um leque.

Embora a melhoria nas finanças dos Forniers tivesse lhes proporcionado uma casa e o retorno da cozinheira, Solange entendia (e frequentemente relembrava o marido) que dinheiro não dava em árvores, nem mesmo em árvores americanas. Manter uma carruagem e um cocheiro eram despesas desnecessárias, e os Forniers tinham ido ao baile em um veículo de aluguel.

Até agora, Solange estava pontuando naquela noite: tinha dito o que devia e, o mais importante, não dito o que não devia? Solange Escarlette Fornier *iria* ascender naquele Novo Mundo desconcertante e excessivamente democrático.

A orquestra se empenhou num *allegro* vigoroso e Solange sorriu para Ruth.

— Menina, nós estamos o mais perto possível do paraíso.

A criança coçou o pescoço.

— É, sinhá, acho que sim. — Depois, sem encarar Solange, perguntou: — Aquele Conde Montelone tá qui?

— Não o vi.

— Ele e o Sinhô Augustin é amigo?

— Eles são mais franceses que Napoleão. — A risadinha de Solange tentou aliciar a criança, mas Ruth analisava uma laranja como se nunca tivesse visto tal coisa.

— Ele qué me comprá?

— Minha criança, o que lhe deu essa ideia?

Ela deu de ombros e depois soltou:

— Eu num vô pra lugá nenhum. Eu quero ficá com vosmecê.

— Se você for ficar de cara amarrada, pode ir ajudar os outros criados. Vá ajudar Nehemiah.

— Nehemiah num precisa de mim.

— Deve haver quem precise! — Solange foi em direção à música.

Como Philippe Robillard era solteiro e levava um estilo de vida de solteiro, o baile de Natal dos primos Robillards foi na casa de

Pierre e Louisa e, devido às terríveis ameaças de Louisa, Philippe não convidou seus amigos indígenas. Em recompensa pela perene falta de hospitalidade, ele se posicionou diante da poncheira até ser carregado para a carruagem. Antes de chegar àquele estado, Philippe e seu novo amigo, o Capitão Fornier, revisaram as injustiças cometidas com os índios muscogee, edisto e com os virtuosos fazendeiros franceses de São Domingos. As injustiças foram consideradas em detalhes, lamentadas e brindadas ao esquecimento.

Os últimos trabalhadores da construção da nova mansão haviam partido quatro dias antes, expulsos por criados ansiosos a brandir vassouras, esfregões e espanadores. Pierre, Louisa e a filha deles, Clara, tinham passado somente duas noites na casa nova.

Louisa estava intensamente orgulhosa da nova residência, ao passo que Pierre cogitava (em silêncio) se os audaciosos jovens arquitetos ingleses seriam tão audaciosos onde não eram raros.

Nas casas tradicionais de Savannah, o salão e a sala de estar adjacente podiam ser abertos, formando um espaço contínuo para a dança. Na casa dos Robillards, esses cômodos eram separados por um saguão central e uma escadaria, na qual os músicos podiam ser ouvidos, mas não vistos. Em consequência, os convidados se autossegregavam. Dançarinos, abstêmios e os mais velhos reivindicavam o salão formal, enquanto os jovens, os possuidores de credenciais sociais mais fracas e os beberrões se reuniam na sala de estar, cujos bandôs cor-de-rosa e cupidos pintados destinavam-se a agradar as damas no chá da tarde. Apesar da forte objeção do arquiteto, em homenagem ao Natal, Louisa contornou a janela curva com azevinho e pendurou visco nos bandôs. Essa violação insultou o jovem inglês a tal ponto que o levou a discutir com sua cliente e sair a passos largos, gritando:

— Não é mais meu trabalho. Não sou responsável por isso!

Para Louisa, a presença do inglês incrementaria a criação arquitetônica e, como sua cliente, ela incorporaria o toque de classe dele. Mas o resultado inesperado fez Louisa recuar rapidamente; os criados retiraram as folhagens ofensivas e Nehemiah foi enviado atrás do inglês.

Infelizmente, Nehemiah retornou sem a presa.

— Ele num qué vim, sinhá. O home tá bebo e dizeno um monte de coisa.

— Coisas?

— Ele tá dizeno que a Sinhá e o Sinhô Robillard, que vosmecês são filisteu. — Nehemiah ficou intrigado. — Filisteu como os da Bíbria?

Na ausência de seu brilhante, anticonvencional, criativo arquiteto, Louisa mandou reinstalar as folhagens natalinas e disse às amigas que deixara seu cachorrinho ir embora.

O baile de gala foi um baile de gala sem ele. Velas cintilando em arandelas e candelabros se multiplicavam pelos espelhos de paredes e colunas, e suas chamas dançavam na borda de cristal da poncheira. A noite se iniciara com o ponche fraco o bastante para um batista, mas depois de muitos cavalheiros alegres esvaziarem seus cantis ali dentro, ficou herético.

O negócio de transporte de cargas dos irmãos O'Hara havia prosperado e eles iniciaram um comércio especializado em arreios baratos, comboios de baixo custo, feno do ano anterior e aveia de segunda.

— Este lugarzinho é lucrativo — dizia James O'Hara a qualquer um que estivesse por perto.

Mais cedo, O'Hara relembrara ao Capitão Fornier que eles haviam chegado no mesmo barco, deixando implícito que tiveram as mesmas oportunidades no Novo Mundo, e olhe para eles agora. O'Hara dava sinais de prosperidade.

Augustin lhe respondeu em francês.

Sorrindo, em galês, O'Hara chamou o capitão de tolo.

Quando começou o *cotillion*, a dança da última moda, O'Hara e os outros abandonaram a poncheira em busca de seus pares.

— Uma típica dança francesa. — Augustin encheu seu copo novamente.

— Ao contrário dos americanos, nós, franceses, sempre tratamos os índios com justiça — comentou Philippe.

— Nós, fazendeiros, sempre fomos bons com nossos negros! Como os franceses pagaram caro por um idealismo equivocado.

Qualquer que fosse o significado desse sentimento, Philippe e Augustin brindaram em sua homenagem.

Os músicos usavam as melhores roupas herdadas de seus senhores. Sorriam de forma extraordinária, e o pequeno gorro de lã ao lado deles aceitaria quaisquer moedas de baixo valor que os brancos pudessem conceder.

Nehemiah saiu da sala de estar com uma bandeja na qual copos sujos se empilhavam precariamente.

— Tem mais, menina. Pegue o máximo que pudé, sem quebrá nenhum.

Ruth cruzou os braços.

— Não sô nenhuma criada.

— Menina, ocê tem poco demais pra sabê quanto poco tem.

No salão, as quadras de *cotillion* se formaram e os savanianos mais corajosos — com risos e desculpas — executavam os passos pouco conhecidos.

Pierre Robillard apresentou um homem mais jovem.

— Ah, Sra. Fornier. Este é o meu amigo Wesley Evans, que, como a senhora pode adivinhar pelo traje tão sóbrio, é um ianque, que veio para nós de Connecticut. Wesley era o braço direito do Sr. Eli Whitney. Wesley e eu seremos sócios, intermediários do comércio algodoeiro, um empreendimento que ele domina mais que eu. Contudo, tentarei dominar também. Farei o máximo possível para isso. Temo que essa minha nova especulação imponha mais peso sobre os ombros do Capitão Fornier. Onde está nosso camarada? Não está dançando?

— Ele está com seu brilhante primo Philippe, solucionando o problema dos índios.

O sorriso de Pierre se alargou.

— Como um eixo que range, esse trabalho precisa de lubrificação.

Louisa se materializou ao lado do marido.

— Ah, a encantadora Sra. Fornier e sua graciosa criada. O Conde Montelone comentou a respeito dela.

O cavalheiro estava do outro lado da sala, meio escondido atrás dos dançarinos que deixavam a pista.

— Que bom tê-la conosco esta noite, Sra. Fornier. O Natal é uma época tão especial, não acha? Meu querido Pierre — ela enfiou o braço firmemente no dele — temia que nossa casa nova não ficasse pronta, mas labutamos dia e noite.

— Nehemiah... — começou Pierre.

Sua mulher lhe deu um tapinha na boca.

— Mais nenhuma palavra sobre seu negro, querido. Você o mima. Pedi que a próxima música fosse um minueto. Ao contrário de alguns arquitetos de quem não citarei nomes, Pierre e eu apreciamos o "consagrado".

O anfitrião deles agitou os dedos acima do ombro e foi rebocado pela mulher.

O ianque sorriu para Solange.

— Madame Robillard é *sérieuse.*

— O que ela é mesmo é *dangereuse.* — Solange se surpreendeu com a própria franqueza.

— Devemos tremer de medo? Construir fortificações?

Solange ofereceu o braço.

— Na verdade, Sr. Ianque, eu prefiro dançar.

Evans era alto, prematuramente careca e, como Solange logo veio a saber, tinha 28 anos. Ele viera para o Low Country com Whitney, cujo novo descaroçador de algodão, que deixava a plantação mais produtiva, ainda precisava ser patenteado.

— Infelizmente, a invenção de Cyrus — confidenciou o ianque — é engenhosa, mas simples demais. Qualquer mecânico que veja um descaroçador operar vai saber como copiá-lo. A fabricação de um deles não requer ferramentas especiais nem mecanismos caros. Temo que o descaroçador de algodão do meu amigo vá deixar outros homens muito mais ricos que seu inventor.

— O senhor gostaria de ser um desses homens ricos?

— Eu já sou, *madame*. A senhora conhece esses passos de dança?

— Sou francesa, senhor. Ou *era*. Ainda não decidi o que sou agora.

— É fácil ser americana. A coisa mais fácil do mundo.

— Sim, mas... — ela fez uma careta. Depois comentou: — A Sra. Sevier está muito disposta esta noite.

Nos braços de James O'Hara, o "dançar" da dama poderia ser descrito como "ser arremessada".

— Desconfio que o Sr. O'Hara esteja mais familiarizado com as quadrilhas.

Solange e Wesley executaram os passos de modo bastante satisfatório. Quando a música parou, Wesley se curvou e perguntou:

— Posso buscar um ponche para a senhora?

— O senhor já é inebriante o bastante. Temo por minha virtude.

Quando ele sorriu, seu rosto se iluminou.

— Não posso prometer que eu não vá tentar.

— Senhor! Sou uma mulher casada.

Ele a conduziu para fora da pista de dança.

— Fico profundamente decepcionado. Ora, quem é esta linda criança?

— Ruth, mostre seus modos ao Sr. Evans.

A mesura dela foi mecânica.

— Sinhá, aquele conde nojento num tira o oio deu.

— Qual é o problema?

— Ele é um desses especuladô de escravo!

Wesley franziu o cenho.

— Sra. Fornier, há rumores... desagradáveis sobre o Conde Montelone. Ele não é bem-vindo na sociedade de Charleston.

— Ruth, você está em perfeita segurança. Vá buscar seu senhor. Ele e o Sr. Evans deviam se conhecer.

— Traga-nos um ponche na volta. Sra. Fornier... posso chamá-la de Solange?

Solange estava acostumada a homens mais vagarosos. Embora sentisse que seu cavalo havia disparado, ela estava mais animada que alarmada.

— Toda essa gente... — disse ela. — Não está um pouco quente aqui?

— Tenho certeza de que poderíamos encontrar um lugar... hã... mais *fresco.*

Solange segurou as rédeas.

— Esta é uma casa "incomum". Ouvi dizer que eles aboliram os urinóis.

Wesley pigarreou.

— O princípio é conhecido há séculos. A água desce de um tanque do sótão por canos e dali vai para o porão. Os romanos já sabiam fazer isso.

— Os romanos eram tão... tão avançados, o senhor não acha?

— Os romanos, sim...

Mordendo o lábio inferior em concentração, Ruth equilibrava dois copos de ponche.

— O sinhô disse que num vem, sinhá. Disse que tá aprendeno sobre os nobre servage.

— Obrigada, Ruth. Pode ir.

A menina franziu o cenho.

— Pra onde, sinhá?

— Para qualquer outro lugar. Sr. Evans, já esteve na *orangerie*?

Preocupada, Ruth os viu sair.

— Pra onde eu vô? — sussurrou ela.

Na tranquila *orangerie,* os músicos diligentes pareciam muito distantes.

— Fico corada de confessar que aguardava ansiosamente por esta noite. Sr. Evans, se a sociedade de Connecticut é tão tediosa quanto a de Savannah...

— Pior, eu creio. Muito pior. Nós, ianques, não temos muita certeza de que deveríamos aproveitar nossos divertimentos. A laranja que ele arrancou do pé podia ser a fruta que Ruth ficara examinando.

— Meu marido diz que o Conde Montelone é "um verdadeiro francês", mas não falou sobre seu ramo de trabalho. Deve ser lucrativo. Não é possível comprar um trabalhador braçal de 800 dólares por 50 na África?

— A senhora é mulher de negócios, *madame*? — Wesley jogou as cascas na tina que continha a laranjeira.

— Sou uma dama, senhor. — Ela recusou o gomo oferecido. — Os Robillards mandaram buscar estas árvores na Flórida.

— Não faço objeção a nenhum comércio legal e, sob nossa Constituição, a escravatura será legal até 1808. O comércio de escravos enriquece alguns homens, mas leva muitos mais à falência. Primeiramente, você compra o navio e depois precisa empregar um capitão experiente, um homem com contatos de maior peso na Nova Inglaterra, onde ele irá adquirir seus produtos mercantis e com contatos de maior peso ainda na África ocidental, onde troca aqueles produtos por criaturas ameaçadoras, insubordinadas, perniciosas e rebeldes que, se pudessem, cortariam a garganta dele para não vir para a América. Para obter lucro, o capitão precisa amontoar sua carga o máximo possível entre os conveses, o que inevitavelmente estimula doenças. Uma perda de vinte a trinta por cento é esperada. O capitão precisa se esquivar dos piratas ao largo da costa e da marinha britânica em alto-mar. Como a senhora sabe, o Atlântico não é um laguinho, e os navios negreiros não são mais imunes às tempestades que aqueles que transportam missionários na direção oposta.

— A escravatura, senhor, é necessária para a produção da cana-de-açúcar. E de arroz e algodão também.

Ele deu de ombros.

— Pode ser. Eu não gostaria de ser escravo e imagino que a senhora também não.

— Ruth está feliz de ser minha criada.

— Ah!

— Ela é uma criança curiosa e às vezes parece... misteriosa?

Ele sorriu.

— Com certeza, ela não quer chegar nem perto do conde.

O gomo de laranja que Solange aceitou estava quente e muito, muito doce.

— Perdoe minha audácia. — Com o lenço, ele enxugou um sumo no queixo dela.

Louisa e Pierre discutiram. O desatento Pierre havia desencadeado a discórdia informando-a (como se Louisa não tivesse notado os risos abafados diante das "inovações" de sua casa) que o Sr. Haversham havia perguntado se eles tinham se desfeito dos urinóis, o que levou Louisa, que estava a ponto de cair no choro, a atacar o Sr. Haversham por suas conhecidas faltas. Bem como pela ajuda à Sra. Fornier, cujo marido fora fazendeiro assim como ela, Louisa, e que tinha uma relação "incomum" (ela balançou a cabeça com veemência para enfatizar) com aquela criança muito negra, a quem Pierre (sim, o amado marido de Louisa) havia, em um momento de fraqueza e sem levar em consideração o que a esposa pensava, aceitado como afilhada diante do altar da Igreja Católica de São João Batista, apesar de Pierre (e Louisa) serem metodistas convictos. Aliás, se Pierre tivesse procurado na igreja por seus amigos naquela ocasião específica, não teria encontrado ali o mesmo Sr. Haversham, que se mostrava agora muito, mas muito *curioso* a respeito dos urinóis dos Robillards!

Enquanto sua mulher recuperava o fôlego, Pierre Robillard convidou a filha, Clara, para dançar, o que trouxe de volta o costumeiro bom humor dele.

Infelizmente, sua fisionomia radiante deixou a mulher ainda mais exasperada.

— Urinóis! Afilhada! Realmente!

Ruth entrou na *orangerie*.

— A gente vai pra casa logo, num é?

— Tudo a seu tempo, querida. Por favor, pegue outro ponche para nós.

Com muita relutância, Ruth recolheu os copos deles.

— Ande, menina! Pode ir!

Novamente a sós, Wesley voltou ao assunto.

— Negócio é tratar de colocar o capital para trabalhar onde ele possa ganhar o máximo com o mínimo de risco. Ah, mas esqueci. Sendo uma dama, pela sua natureza mais fina, a senhora fica incapacitada para o comércio sórdido.

— Sou uma dama, senhor. Não uma tola.

— Então. — Ele se aproximou mais dela. — Como a senhora deve saber, é difícil encontrar capital para expandir os negócios. Pierre é um ótimo sujeito, mas, como sócio, falta-lhe... como posso ser delicado... paixão. Talvez a senhora ache esse termo estranho para um homem de negócios.

— Meus fundos estão com o Sr. Haversham em títulos de seis por cento.

— Louvável, com certeza. — Pouco depois, Wesley acrescentou: — A senhora poderia ganhar mais.

A amiga de Louisa, Antonia Sevier, sempre fora incapaz de negar *qualquer coisa* a ela, e a encantadora esposa simplória de James O'Hara passara a noite lançando-lhe adagas e, quem sabe, sendo uma esposa irlandesa, aquelas adagas poderiam se tornar reais! Então, Antonia deixou sua amiga exibir as inovações de sua casa nova. E Antonia certamente teve de admitir que o banheiro de Louisa era extremamente *interessante*! Para onde iria este novo século?

— Você se senta nele?

— Primeiro, minha cara, você levanta a tampa. — A amiga levantou a cobertura articulada até em cima.

Antonia olhou para o assento com seu orifício bem circular.

— Você se senta *nisso*?

— É um assento de comodidade. Como o urinol. Exatamente a mesma coisa.

— Depois...?

— Depois, minha cara, a natureza segue seu curso. Como você pode ver, dispomos de tufos de lã cardada para... hã...

— Depois...

— Jogue o tufo usado ali dentro e então...

Louisa puxou uma corrente que caía de uma caixa de madeira envernizada acima e uma carga barulhenta de água desceu em espiral pelo dispositivo.

— Mas para onde *ele* vai?

— Temos um tanque no porão.

A Sra. Sevier pôs a mão na boca.

— Louisa, você é tão... anticonvencional.

Talvez não fosse a escolha de palavras mais feliz. Louisa ficou com os olhos marejados de lágrimas.

— Aquele... aquele inglês mal-agradecido. Nós lhe demos seu primeiro contrato americano. Era para nossa casa ser seu mostruário. Simples cortesia... Ética comum... Era de se pensar que ele aparecesse aqui hoje, mesmo que só de passagem!

— Eu acho que essa, hã... *coisa* é maravilhosa. Louisa, como eu a invejo. Como eu queria ter a sua coragem.

— Sim. Bem. Você gostaria de experimentar?

Antonia deu uma risadinha por trás do leque.

— Eu o faria se fosse você, cara Louisa; ai de mim, quem sou eu para isso. Certamente, você guardou por aí alguns urinóis para suas amigas tímidas.

Louisa suspirou.

— No quartinho, atrás da biblioteca.

As damas saíram, passando pela sala de estar, que estava tão cheia de fumaça de charutos que os olhos de Louisa lacrimejaram. Cavalheiros de boca aberta se esparramavam nas namoradeiras, roncando. Sem dúvida, alguns estariam ali pela manhã.

Um comprido relógio de pêndulo bateu uma hora. Antonia reprimiu um bocejo.

O Capitão Fornier e o primo Philippe pairavam sobre a poncheira como se esta pudesse fugir. O ponche iniciara a noite como na receita da mãe de Louisa: rosado e cheirando a frutas cítricas. Agora estava raso, marrom-escuro e fedia a destilados baratos.

A orquestra estava tão... vigorosa! Louisa ouviu o grito de um homem. Minha nossa! Será que os irlandeses tinham requisitado uma dança típica?

— O baile de Natal dos Robillards — Louisa Robillard relembrou sua amiga — estabelecia os padrões de Savannah... ou melhor... da *Geórgia*!

— Ora, é claro que sim, querida — suspirou Antonia. — Ficamos todos muito *agradecidos*.

O Capitão Fornier instruía o embriagado Philippe sobre "a boa terra. *La Bonne Terre*". O capitão esmigalhava terra invisível entre os dedos.

As senhoras mais velhas buscaram seus maridos e agradeceram a Louisa.

Aquela criada muito negra — a afilhada de Pierre! — estava sentada de pernas cruzadas no assento da janela, meio oculta pelas cortinas.

Em seu assento da janela! A afilhada de Pierre!

Louisa farejou o ar e, embora ficasse chocada com a comparação, ela farejava como um lobo em busca de uma presa.

— Pobre homem — comentou Louisa, aparentemente pensando em voz alta. — Se ele soubesse.

Era tarde e Antonia estava ficando com dor de cabeça.

— Qual "pobre homem", querida? Philippe?

— Não seja boba. É claro que não é Philippe.

Elas passaram pelo saguão, onde os músicos demonstravam um entusiasmo marcado pelo cansaço.

— Ah, ser jovem outra vez — disse Louisa.

— Quem? Qual "pobre homem"?

— Humm.

— A pequena criada da Sra. Fornier é tão bonita.

— Humm.

— É fácil ver por que o caro Pierre concordou... — Antonia deu um tapa na própria boca. — Louisa, querida, você estava de acordo com ele, não é?

Essa *afilhada*, aquele arquiteto inglês, banheiros absurdos — tudo, tudo culpa de Pierre.

— Pobre Capitão Fornier.

— Como? O Capitão Fornier?

O gesto de cabeça triste, filosófico, de Louisa deplorava os infortúnios de tantos casamentos modernos.

— O sócio do meu marido é ianque. Como se pode esperar que ele conheça nosso estilo de vida? O estilo de vida de Savannah... tão consagrado.

Antonia ficou surpresa, mas empolgada demais para reprimir o sorriso.

— Minha nossa! Com certeza, você não quer dizer...

— Pela minha vida, não posso imaginar onde eles se meteram. Talvez estejam na biblioteca. Talvez sejam grandes leitores. Antonia, querida, por favor, me prometa que não vai dizer uma palavra.

A coluna de Antonia ficou rígida como uma escultura de açúcar.

— Louisa! Não sou a discrição em pessoa?

Louisa deu um tapinha no braço da amiga.

— Claro que é, minha cara. Claro que é. Coitado do Capitão Fornier. Exilado de sua fabulosa fazenda... os Forniers tinham dinheiro de sobra!... E agora isso! Aquela criança inocente no assento da janela. Será que ela viu — Louisa baixou a voz — mais do que uma criança deveria?

Sua amiga deu uma risadinha.

— Uma criança não é a melhor dama de companhia!

Louisa sentiu uma pontada de arrependimento quando Antonia começou a circular entre as outras mulheres, mas foi uma pontada suportável.

Augustin sentiu que estava sendo observado e entreouviu comentários.

Não podia ser sobre a bebida. Esperava-se que soldados — oficiais de Napoleão — bebessem!

Renunciando à concha, mergulhou seu copo diretamente no ponche marrom e o ofereceu ao seu grande novo amigo, Philippe. Os olhos de Philippe podiam tê-lo visto ou não. De repente ele se sentou pesadamente com a boca aberta e a cabeça para trás. Nehemiah mandou chamar o cocheiro de Philippe.

Agora aquela maldita criança estava puxando a manga de sua camisa.

— Sinhô, eu busco a sinhá e nós vai pra casa.

— Ela que vá para o inferno — Augustin se ouviu dizer.

— Sinhô, nós vai pra casa agora.

— Quem é o senhor aqui? — perguntou ele ao inconsciente Philippe. — Quem é o senhor aqui?

Apesar de Clara ser grande o bastante para ir para a cama sozinha, seus pais estavam lá em cima com ela.

Pegando a mão do marido, Louisa disse:

— Como sentiremos falta desses momentos ternos quando nosso bebê crescer.

Pierre apertou a mão dela, aliviado porque a briga entre eles havia acabado. Porém, quando o problema irrompeu na *orangerie*, os anfitriões não puderam fazer nada para impedir.

Você sabe atirar?

Eu considero Wesley Evans COVARDE e MEDROSO.

O DESAFIO DO Capitão Augustin Fornier apareceu no exemplar de 2 de janeiro do *Columbian Museum & Savannah Advertiser.* O padrinho de Fornier, Conde Montelone, afixou o desafio na Vendue House entre anúncios de vendas de escravos, corridas e garanhões para cobrição. Quando o conde retornou à Taberna do Gunn, os frequentadores do lugar clamaram por detalhes — os amigos do ianque estavam lá para receber o insulto? —, ao que o conde respondeu, com sua aspereza costumeira, que questões de honra não eram divertimentos vulgares.

A Taberna do Gunn era de tal forma favorita entre os refugiados franceses que os savanianos a apelidaram de Frère Jacques, e William Gunn, nascido e criado na Geórgia, tinha se conformado com os modos "afrancesados" de seu estabelecimento. Quase todos os frequentadores do Frère Jacques eram, como o Capitão Fornier, refugiados de São Domingos. Alguns eram imigrantes e havia algumas evidências de que o Conde Montelone tinha chegado ao litoral com o General Lafayette. O conde se sustentava com a venda de cavalos de proveniência desconhecida e de mulatos jovens. Tomava precauções elaboradas contra envenenamento e evitava alguns bairros à noite. Jamais punha os pés nas docas.

Apesar de Montelone nunca ter mencionado o General Lafayette, os patriotas franceses gostavam de lhe perguntar:

— Quem é o maior general? Napoleão ou Lafayette?

— *Le Bon Dieu*, somente Ele sabe.

A reticência do conde era uma clara prova de perspicácia. Alguns detratores mencionavam os escândalos de Charleston, mas ninguém sabia muito a respeito e, de qualquer modo, o caso fora totalmente abafado.

Na taberna de William Gunn cada vitória francesa era muito celebrada. Nesta América selvagem, hostil e *antifrancesa*, cada frequentador do Frère Jacques retornaria à França para se alistar.

As vitórias napoleônicas também eram populares entre os naturais de Savannah, cujo comércio ficava prejudicado pelo bloqueio e pelo hábito britânico de forçar os marinheiros americanos a servir em suas forças.

Poucos dias antes do Natal, as notícias de uma grande batalha se espalharam por Savannah, inicialmente como boatos, depois como fatos desconectados e, por fim, em enxurrada. Os primeiros relatos contavam que os prussianos haviam derrotado os franceses, e muitos copos deprimidos foram esvaziados por causa disso. Um relato subsequente — menos de 24 horas depois! — reencheu aqueles copos para brindar a vitória de Napoleão. As notícias da segunda batalha — e do segundo triunfo de Napoleão — não chegaram a Savannah até o ano-novo, quando o Frère Jacques já estava absorto em seu novo escândalo. O capitão Fornier (um *bon homme* como poucos) descobrira sua mulher (uma dama francesa de reputação previamente imaculada) comprometida com um certo Wesley Evans, um ianque recém-chegado. O capitão havia surpreendido a dupla na nova *orangerie* de Pierre Robillard no baile de Natal o cavalheiro em questão, local e ocasião do escândalo. Apesar de nunca ter pisado no Frère Jacques, Pierre Robillard era homenageado por lá. Quando os Robillards jantaram com o Governador Milledge, da Geórgia, toda a comunidade francesa de Savannah se envaideceu.

Assim como aprovavam inteiramente Pierre, sua impressionante casa nova e, por sinal, sua *orangerie*, os clientes do Frère Jacques reprovavam o primo Philippe, cuja defesa dos selvagens idólatras fazia os outros franceses parecerem imprudentes e sentimentais.

O próprio Augustin lembrava-se incrivelmente pouco daquela noite — apenas imagens distorcidas e desconectadas. Solange e o ianque estavam sentados bem próximos, disso ele lembrava. Ele *achava* que eles estavam completamente vestidos. Eles três gritaram, disso ele se lembrava. Assim como de Ruth cobrindo o rosto com as mãos. Ele levou um tapa doloroso na face: lembrava-se perfeitamente do golpe. Aquele tapa, o contato da mão propriamente dito, levara o que podia ter sido uma briga verbal de bêbado a uma questão de honra.

Na manhã seguinte ao baile de Natal, Augustin não saiu da cama antes do meio-dia, então vomitou, lavou o rosto e foi para o Frère Jacques, onde muitas informações desencontradas o receberam. Sem saber o que pensar nem exatamente o que havia acontecido, Augustin deu de ombros.

— Evans não me fez mal algum. Ele é ianque e não entende nosso modo de ser.

O Frère Jacques se dividiu entre os que achavam que a indiferença de Augustin ao insulto era *"très gentil"* e os que imaginavam que o tapa que deixara sua bochecha vermelha havia atingido todos os franceses.

Tanto os solidários quanto os ofendidos pagaram bebidas para Augustin e ele foi para casa tarde e meio embriagado. Lá, dirigiu-se ao aparador e se serviu de um copo, apesar da expressão triste de Ruth.

— Você também? Até você? — perguntou ele.

— Sinhô — disse a criança solenemente e pegou um pequeno volume entre os livros de Solange. — Pur favô, lê pra mim.

Com voz aguda e a fala enrolada, Augustin declamou:

Estranhos acessos de paixão já tive
E a contar me atreveria,
Mas só ao ouvido da Amada,
O que certa vez me sucedeu.
Quem eu amava parecia
Nova como uma rosa estival,
Quando sob uma lua prematura
A sua casa eu me dirigia.

Ele fechou o livro.

— Não estou com ânimo para poesia — declarou, arrotando um líquido quente que ferroou suas narinas e lavou sua garganta com uísque.

— A sinhá tamém não lê mais pra mim — disse a criança com tristeza.

"Ora, leia você mesma", pairou na ponta da língua de Augustin. Por que a criança não podia ler? Ela não era burra como os outros negros.

Ao entrar na sala, Solange pousou os olhos no copo, que Augustin então esvaziou.

— Ah — disse a mulher. — Você está em casa.

Ele se levantou.

— Tudo indica que sim.

— Teve uma noite agradável?

Augustin tentou pensar no que poderia interessá-la.

— O governo francês está exigindo compensações dos haitianos.

Solange suspirou.

— Seremos indenizados pela Le Jardin.

— É mesmo?

Eles não haviam discutido a *orangerie*. Augustin porque não conseguia lembrar e Solange porque fora indiscreta e se recusava a sentir culpa por isso.

— Sinhá, pur favô, lê pra mim? — pediu Ruth.

— Agora não.

— A moça do mercado... aquela moça que vende laranja... ela disse que o Conde Montelone gosta de laranja. Disse que o conde tá perguntano por mim. Por mim, sinhá.

— Vá dormir, menina.

— Eu tô tão feliz viveno aqui, viveno com a sinhá e o capitão. Eu sô uma neguinha sortuda, sô sim.

— Augustin — chamou Solange docemente —, será que você pode se inteirar da *nossa* parte nessas mágicas indenizações? Oficialmente, quero dizer. À parte de ponderar a respeito com seus companheiros de bar?

— Como?

— Ah, sim. Essa *é* a questão.

Augustin serviu outro copo, que ofereceu à sua mulher, recebendo um olhar gelado de desprezo.

— Eu tento fazê vosmecês feliz! Vosmecês são a única família que eu tenho.

Os joelhos de Augustin começaram a tremer, e a sensação foi subindo e tomando conta de seu corpo. Ele tremia tanto que mal conseguiu pronunciar as palavras.

— Eu sou al... alvo de... de... chacotas. Um... um corno... des... desprezível.

— Sinhá! Sinhá! — gritou Ruth. — Eu vô abri a janela. Tá tão, tão quente aqui!

— É claro que recebi as atenções de Wesley Evans — disse friamente a mulher de Augustin Fornier. — Ele, pelo menos, é homem.

Na manhã seguinte, Wesley Evans estava classificando o algodão no depósito Robillard & Evans quando seu sócio apareceu, vestido de modo tão solene quanto sua expressão facial. Pierre colocou uma caixa de mogno na mesa de Wesley.

Wesley explicava a um fazendeiro do interior por que o algodão dele não obtivera boa classificação.

— Se o senhor acha que pode conseguir mais — disse Wesley —, existem outros intermediários.

— Já tentei outros — retrucou o fazendeiro. — Só estava na esperança de que o senhor não viesse de mão fechada hoje. — Ele tirou o chapéu para coçar vigorosamente a cabeça. — Tinha esquecido que o senhor é ianque.

— E daí? — questionou Wesley, intrigado.

— Vocês ianques nunca estão de mão aberta, nem por dez segundos. Acho que vou aceitar sua oferta.

Wesley contou o dinheiro enquanto os negros do fazendeiro descarregavam a safra.

Quando o carroção do homem partiu trepidando, Wesley se virou para Pierre.

— Ora, que diabos foi aquilo?

— É precisamente por causa *daquilo* que vim. — Pierre tirou do casaco um exemplar dobrado do *Advertiser*.

— Não tenho tempo para notícias — declarou Wesley. — Estão vindo todos os fazendeiros das colheitas tardias. Eles deixam o algodão por tempo demasiado no campo e ainda esperam levar o preço mais alto.

Robillard empurrou o jornal para ele, dando um tapinha no anúncio.

— Que diabos está havendo?

— Não posso apadrinhá-lo.

— Me apadrinhar? Para quê? Porque eu segurei a mão da Sra. Solange... e fui severamente xingado pelo marido bêbado dela até estapeá-lo para que ficasse sóbrio? Não houve nada. Uma coisa sem qualquer importância. Vamos lá, Pierre. Estou muito ocupado para esse absurdo.

— Pelo jeito o valente capitão não está.

Teria Wesley notado uma ponta de satisfação na voz do sócio?

— Um duelo? Ele espera que eu lute em duelo? Já não se fazem duelos.

— Ah, então, nós, georgianos não esclarecidos, estamos enganados sobre o fato de que não faz muito tempo nos arredores da cidade de Nova York, bem no coração do reino ianque, o vice-presidente Aaron Burr matou Alexander Hamilton num *duelo.*

— Nós não duelamos. Já não é nosso costume. — Wesley ajeitou a aba do chapéu num ângulo profissional de negociante de algodão ocupado.

— Bem, meu amigo. É *nosso* costume. O cavalheiro que ignora um desafio público é... é... não é mais um cavalheiro.

Wesley sorriu.

— Alguma vez eu pretendi ser?

O sócio olhou para ele com pesar.

— Por mais que você deprecie os costumes do Low Country, meu caro Wesley, sofreremos por isso. Nossa sociedade encontrará menos fazendeiros dispostos a negociar conosco. Por que vender sua safra a um covarde quando se pode facilmente vender a um cavalheiro?

— Meu Deus do céu! Nossa! — Wesley jogou o chapéu no chão sujo do depósito.

Satisfeito pelo sócio ter entendido seu argumento, Pierre Robillard continuou.

— Nós somos assim, Wesley. Vocês, ianques, fazem as coisas maravilhosamente bem. Em mil anos, nós, georgianos, não teríamos inventado o descaroçador de algodão. Nós, georgianos, somos descuidados, excessivamente corteses, hospitaleiros e, geralmente, pacíficos. Mas quando o jovem cavalheiro da minha amada filha Clara vier me visitar, vou fazer questão de lhe perguntar: "Você sabe atirar?"

Wesley colocou a mão no ombro do sócio.

— Monsieur Robillard, o senhor me espanta. O senhor realmente é um homem eclético.

— Não, senhor. Fui um simples soldado sob as ordens do grande Napoleão e agora sou um simples comerciante.

A caixa de mogno continha um par de pistolas simples, sem entalhes. O dedo de Pierre percorreu um cano levemente oleado.

— Elas mataram cinco homens.

— Oh.

— Manon, o fabricante, foi acusado de ter aumentado seu diâmetro, algo imperceptível ao olho mais aguçado, mas trapaceou mesmo assim. Essas pistolas são da oficina londrina de Manon. Seus gatilhos disparam ao mais leve toque. Eu lhe suplico, não engatilhe até querer disparar. — Então, Pierre concluiu. — Não posso apadrinhá-lo, não contra o Capitão Fornier. O Conde Montelone assistirá a Fornier.

Wesley soltou um gemido.

— Seu padrinho deve ser um cavalheiro de igual posição.

— Sou um estranho em Savannah, tenho poucos conhecidos aqui.

— Deixando claro, nossos padrinhos são nosso esteio do caso. O seu e o do conde farão todos os arranjos e no dia eles dirigem o... caso. Se, naquele dia, você estiver indisposto, o padrinho pode duelar em seu lugar. Se você "mostrar a pluma branca", símbolo de covardia, ele tem permissão de derrubá-lo ali mesmo. — Pierre sorriu. — São regras estabelecidas. — Ele tossiu. — Wesley, tomei a liberdade...

— Pediu que alguém me assistisse.

— Sim, caro rapaz. Meu primo Philippe tem modos excêntricos, mas é inegavelmente um cavalheiro. Ninguém discutirá a sua escolha. Meu primo nunca atuou nessa honrosa função, mas eu irei instruí-lo, confie que o farei. Embora eu não possa ficar ao seu lado contra o Capitão Fornier, orientarei Philippe.

— O Philippe dos peles-vermelhas?

Pierre corou.

— Sem dúvida, ele é um estudioso dos nossos irmãos peles-vermelhas.

— Minha nossa. — Wesley pegou o chapéu, bateu-o na perna e o jogou no chão uma segunda vez.

Augustin desfrutava da felicidade de um marinheiro em casa depois de muitos meses no mar. Ele não estava aqui nem lá, e uma vez na vida as coisas pareciam estar como deveriam ser. Após lançar seu desafio, ele foi envolto por um profundo e grave silêncio, em que somente comentários comoventes ou amorosos podiam penetrar.

Ruth o tratava como se ele fosse diáfano, seguindo-o de um cômodo a outro, como se ele pudesse desaparecer se não estivesse sob vigilância. Quando ele e Solange tinham relações (como era simplesmente natural e certo), ele sentia os olhos de Ruth perfurando a porta fechada do quarto deles.

O marido ressentido não se lembrava da cena na *orangerie* nem de como sua esposa se comprometera com o ianque. Isso não importava agora — se é que já havia importado.

Por sua vez, Solange nunca se deu ao trabalho de dar explicações, porém, curiosamente, parecia estar amando seu marido, talvez pela primeira vez. Augustin não podia reclamar de sua sorte.

Na manhã indicada, ele acordou ao lado da mulher com o ruído das rodas esmigalhando o cascalho e o lapt-lapt dos arreios da carruagem do lado de fora da casa deles. Um cavalo bufou. O corpo de sua mulher estava morno como vida nova. Ele começou a afagá-la, mas parou. Antes de ir se deitar na noite anterior, ele havia se barbeado. Não sentiu a bochecha, a notória bochecha golpeada, diferente da outra.

Movendo-se em silêncio, vestiu sua melhor camisa, a mesma de linho com jabô que usara no baile de Natal. As manchas de vinho tinham sido removidas da camisa agora passada e engomada.

Augustin cogitou sobre o que restava depois que nos fôssemos. Visualizou as ondas concêntricas provocadas por uma pedra atirada num laguinho, diminuindo, mesclando-se à água, marulhando na beira, tendendo à imobilidade.

"Je vous salut, Marie, pleine de grâces... Ave Maria..." Será que um dia ele aprenderia a rezar em inglês? Sobrevivera a São Domingos quando tantos não conseguiram. Teria *Le Bon Dieu* um propósito para Augustin Fornier? Augustin deu de ombros. *Bon Dieu.*

Pela respiração mais acelerada, ele notou que Solange estava acordada, mas deixou que ela fingisse dormir. Sua solidão estava deliciosa e o que mais eles tinham a dizer? O amor dela o acalentava. Ele não se atrevera a esperar tanto... Calçou as botas que Ruth implorara para lustrar na noite anterior e vestiu a mesma casaca que usava para ir ao L'Ancien Régime. Diante do espelho, fez um laço exagerado, exuberante, na gravata triangular.

Ruth o aguardava no vestíbulo. Seus olhos castanhos e firmes lhe causaram um arrepio na espinha. Ele pousou a mão em sua cabeça, sentindo o calor do crânio passando pelos cabelos.

— Não devo me demorar.

— Vou rezá pro sinhô — disse ela, olhando-o sem piscar.

Pisando na neblina que subia da areia úmida da rua, Augustin refletiu — rezar *para?* —, mas o Conde Montelone o apressou para a carruagem.

— Vai pegar um resfriado — avisou Augustin. O conde cobriu as mãos com as mangas.

Eles foram para o oeste, saindo da cidade rumo ao Cemitério Judaico, que os duelistas preferiam por seus muros altos e escuros, pelo isolamento e a crença de que os judeus que poderiam objetar não o fariam.

Pouco depois da chegada deles, quando o cocheiro desembarcava para abrir a porta, uma segunda carruagem parou ao lado. Suas portas envernizadas exibiam um brasão azul e verde berrante, e o teto era contornado por uma ondulação nas mesmas cores. As plumas brancas que saíam do teto eram menos apavorantes que as plumas negras em carros fúnebres.

— Os temas indígenas de Philippe — deduziu o Conde Montelone.

As mãos de Augustin estavam tão frias que ele as meteu entre as coxas.

Três cavalheiros saíram da carruagem indígena. O lampejo do fósforo riscado por Philippe Robillard fez com que pontos cintilantes nadassem na visão de Augustin.

— Com licença. — O conde saiu para conferenciar com sua contrapartida. O médico estava tão reservado e inacessível quanto sua maleta preta. Augustin sorriu para Wesley, que balançou a cabeça, lamentando.

As mãos de Augustin estavam geladas. Como ele poderia puxar um gatilho?

Augustin entrou no cemitério, onde os túmulos se acumulavam contra o muro do lado sul. Pelo jeito, os judeus não acreditavam em lápides.

Como protagonista desafiado, Evans e seu padrinho escolheram as armas e o local. Agora, o conde perguntava a Augustin a distância que ele preferia.

— Eu não pensei...

— Você é bom atirador?

— Acho que não.

— Quinze passos então. Você pode errar o alvo, mas ele também. Philippe me garantiu que Evans não é atirador.

— *Le Bon Dieu.*

— Cada um irá disparar uma vez e, depois, se um de vocês não puder continuar, a honra ficará satisfeita. Depois que o sangue é derramado, um pedido de desculpas pode ser feito.

— Por Evans.

— Certamente por Evans. Foi o tapa dele que ofendeu.

Enquanto os padrinhos escolhiam as pistolas de seus protegidos, o sol nascente pintava de dourado o lábio preto do muro do cemitério. Que beleza!

— Não engatilhe até estar pronto para disparar — orientou Montelone. — Engatilhe quando levantar a pistola, mire no meio dele e toque o gatilho.

— Oh. Falando parece fácil.

A pistola era um bloco de chumbo na mão de Augustin.

Sob a instrução da voz rouca de Philippe, os dois homens ficaram de costas um para o outro, quase se encostando. Augustin podia sentir o calor do corpo de Evans. As coronhas das pistolas quase se tocavam, o que intrigou Augustin até ele se dar conta de que o adversário era canhoto. Por algum motivo, esse detalhe lhe deu vontade de chorar.

Um, dois, três... passos contados como se cada um deles fosse um importante personagem. Augustin marchou em direção ao monte cinza amarronzado de um túmulo recém-preenchido. Flores enegrecidas se curvavam sobre a terra.

— Virem-se. Cavalheiros, virem-se e disparem!

Ao se virar, Augustin sorriu. Que tolos são os homens! Que tolos! Ele ergueu sua pistola porque Evans estava erguendo a dele. Evans parecia menor do que Augustin se lembrava. Augustin levantou a pistola na horizontal, mas ela não estava nivelada quando a arma de Evans produziu uma rajada de fumaça branca, mas sem explosão. O conde gritou:

— Disparos falhos são iguais a tiros válidos! Capitão Fornier, o senhor pode atirar!

Ainda rindo daquele absurdo, Augustin apontou o cano para o céu. O gatilho era tão leve que parecia disparar por conta própria. A explosão foi mais alta do que ele esperava e a pistola deu um solavanco em sua mão

Enquanto os padrinhos se consultavam, Augustin olhava para o inimigo através de uma névoa benevolente. Bom sujeito! Bravo sujeito! Os padrinhos se aproximaram de Augustin. O conde perguntou:

— Evans o golpeou, não foi?

Intrigado, Augustin respondeu:

— Ele estava segurando a mão da minha mulher.

— A questão não é essa. Ele o golpeou? — Os lábios finos do conde estavam notavelmente azuis. — Então vamos continuar. Vocês precisam se encontrar novamente a menos que o Sr. Evans consinta em levar chibatadas.

— O quê? — Augustin franziu o cenho com tal força que doeu.

O conde explicou como que para uma criança.

— Segundo o código do duelo, nenhum cavalheiro pode bater em outro. Aquele golpe físico é, Capitão Fornier, aquele golpe é uma ofensa imperdoável.

O rosto de Philippe estava lustro de suor.

— O Sr. Evans lamenta profundamente seus atos na *orangerie*, mas não pode consentir em levar chibatadas.

Bater nele? Por que Augustin deveria bater nele? Nada tinha contra o sujeito. Ele fez que não com a cabeça, mas o conde estava inflexível.

— Capitão, sendo um cavalheiro, o senhor deve atirar. — Ele deu de ombros. — Não precisa ser fatal. O sangue invariavelmente satisfaz a honra.

Enquanto os padrinhos recarregavam as pistolas, Augustin inspecionava o novo túmulo judeu, cogitando quais flores eram aquelas que apodreciam.

Philippe recarregou a arma com uma expressão dura como granito, exagerando os mínimos movimentos manuais. Ele não erraria novamente. Augustin não conseguia conter o sorriso. Todos sorriam para Philippe, que nunca percebeu e os sorridentes nunca tiveram intenção de ofender.

Augustin sentou-se na ponta do túmulo enquanto Evans se encostava em um muro, enchendo o cachimbo. Um charuto! Seria maravilhoso fumar um charuto, mas as mãos de Augustin tremiam demais para acender um.

A mente de Augustin divagou para assuntos rotineiros. Precisava pedir a Nehemiah que mudasse a vitrine da loja. Ele necessitava de meias novas. Depois desta manhã, ele pagaria uma bebida para todos no Frère Jacques. Solange não se atreveria a objetar! Será que ela não poderia acompanhá-lo, desta vez, pelo menos?

Depois de prepararem as pistolas, os padrinhos apertaram as mãos com seriedade. Evans apagou seu cachimbo com uma chuva de fagulhas.

Nós somos fagulhas.

Os duelistas foram instruídos a ficar onde haviam atirado antes, com as pistolas ao lado. Ao sinal, eles levantariam suas armas ao mesmo tempo, fariam mira ao longo do cano e disparariam.

— Talvez Evans não dispare. — A pistola de Augustin se levantou na ponta do braço esticado. Ele se sentia pequeno, sujo e cansado.

Compostura

NA MESMA SEMANA em que dera o disparo fatal no capitão Augustin Fornier, Wesley Evans havia pagado 19 centavos pela libra do algodão. Dois anos depois, no dia do casamento de Wesley com a viúva Fornier, o produto de melhor qualidade valia apenas 10 centavos. Os savanianos culpavam o Presidente Jefferson pelos preços baixos e tempos difíceis, por ter impedido o comércio de todos os produtos americanos, inclusive o algodão, com a França e a Inglaterra. Embora as duas nações beligerantes tivessem violado a neutralidade americana, a Grã-Bretanha, que obrigara milhares de marinheiros americanos a trabalhar em suas forças, era a pior infratora, e os navios mercantes britânicos ficaram com o comércio que os americanos perderam. Havia contrabando e as tecelagens da Nova Inglaterra supriram parte do mercado, mas a crise afetou os intermediários do algodão de Savannah.

Solange nunca tinha imaginado a possibilidade de Augustin ser morto: aquele resultado jamais lhe passara pela cabeça. Homens tolos — como Augustin —, humilhados em assuntos relacionados à honra, desculpavam-se ou, na pior das hipóteses, levavam um tapa galante. Os homens assumem uma postura, é isso que eles fazem! Em segredo, no fundo do coração, talvez Solange tivesse achado romântico ter homens corajosos lutando por ela, como nos livros refinados e sensíveis que ela já não se dava mais ao trabalho de ler.

Naquela manhã pavorosa, o coche de Philippe levou Augustin para casa. Aos berros, Ruth foi correndo em sua direção. Solange a mandou parar de gritar, por favor, pare, por favor, pare, mas ela não obedeceu.

Desajeitado, Philippe lhe deu os pêsames. O Conde Montelone assegurou à viúva que o assunto correra de modo adequado, tendo a honra sido satisfeita.

— Não haverá perguntas inconvenientes, *madame*. A senhora pode ficar tranquila.

Ruth saiu correndo pela rua e desapareceu. Solange ficou com a boca seca e a garganta dolorida.

Pierre Robillard cuidou de tudo. Bom, na verdade, foi Nehemiah. Solange foi para o lugar indicado e sentou-se entre eles no primeiro banco da Igreja de São João Batista. Ruth não voltou para casa. Lamentavelmente, Louisa e Clara estavam indispostas e não puderam comparecer. Pelo jeito, a maior parte da sociedade de Savannah estava indisposta. Os frequentadores do Frère Jacques compareceram e os O'Haras marcaram presença, mas ninguém seguiu o carro fúnebre da igreja até o túmulo.

Na terceira, ou talvez quarta manhã seguinte, com efusivo apreço, o Conde Montelone foi fazer uma visita.

— O senhor conhecia bem o meu marido?

Ele lhe informou que o Capitão Fornier era um cavalheiro valente da "velha escola". Delicado como um gato que desenrola um novelo de lã, Montelone disse que, claro, ele não queria se intrometer, mas sob aquelas circunstâncias (seu marido era um funcionário do L'Ancien Régime, não era?), o conde gostaria de oferecer uma ajuda palpável à viúva Fornier. Ele fazia algumas compras e vendas. A criada da Sra. Fornier... Como era o nome dela mesmo?

Solange não conseguiu dizer o nome de Ruth. Fazê-lo seria declarar muito mais do que seria sua intenção. Ela balançou a cabeça.

— Não, *monsieur*. Ela não se encontra aqui no momento.

Quando Montelone sorriu, Solange se arrependeu de ter dito aquilo. Será que Ruth tinha fugido? Será que ele investigaria? Ele conhecia caçadores de escravos experientes. Caçadores inescrupulosos que às vezes capturavam e vendiam fugitivos sem notificar seus donos. As damas não podiam compreender a falsidade de certos homens...

Solange encontrou forças para dizer.

— Ela não é fugitiva. Não quero que o senhor investigue para mim.

— Ora, é claro que não, *madame*. Eu não suporia...

Mas logo que ele saiu, Solange foi procurar Nehemiah.

Ruth fora vista no mercado, mas ninguém sabia onde ela havia dormido. Sim, ele investigaria. Sim, ele seria discreto. Aquele conde, sim, aquele mesmo.

Na manhã seguinte, ou talvez na posterior, o criado de Wesley entregou a seguinte carta:

Cara Solange,

Por favor, queira aceitar meu sincero pesar. Seu marido era um homem mais corajoso que eu.

Antes deste caso terrível, eu era ignorante sobre os costumes sulistas. Daria qualquer coisa para ainda ser!

Bem sei que você é uma mulher sensata e virtuosa e confio que vá ignorar os mexericos maliciosos que podem desacreditar os mexeriqueiros, não uma dama irrepreensível!

Como há de entender, não posso visitá-la. Mas estou pronto para ajudá-la materialmente. Nehemiah é um intermediário confiável.

Como você, estou de luto pelo Capitão Fornier. Ele se conteve quando podia ter me matado.

Seu fiel criado, Wesley Robert Evans

A reprovação de Savannah caiu sobre Solange. A parte desafiada fora o Sr. Evans e, como qualquer criança da Geórgia sabe, os ianques não têm bom senso. O comportamento desavergonhado da mulher do falecido capitão tinha "plantado as sementes da tragédia" (a expressão feliz de Antonia Sevier) e os maledicentes questionavam (com uma piscada lasciva) exatamente que outras "sementes" tinham sido "plantadas".

A elite de Savannah acreditava que Solange havia incentivado o desafio fatal do marido com o intuito de abrir caminho para o matador, seu amante ianque.

Em um contraste dramático, Wesley Evans obteve a aprovação concedida ao cavalheiro que sabia atirar. Wesley desprezava tais lisonjas, às vezes em termos que poderiam ocasionar um desafio, caso as circunstâncias fossem menos excepcionais e Wesley não fosse um ianque irracional. Elogios mal recebidos deram lugar a acenos de cabeça aprovadores, chapéus tirados em cumprimento e olhares de reconhecimento. Wesley se enterrou no trabalho. Em pouco tempo, todos os donos de navios e fazendeiros do Low Country o conheciam de vista. Os lampiões ardiam até tarde nos escritórios da R & E.

Ninguém se surpreendeu quando um funcionário do hotel encontrou o Conde Montelone morto em seu quarto. A princípio, pela angústia escrita no rosto do morto, suspeitou-se de envenenamento, mas o superintendente do turno garantiu que o conde não havia jantado na noite anterior, contentando-se com uma única laranja, descascada por ele mesmo.

Quando Ruth voltou para casa, Solange perguntou:

— Você sabia que Augustin iria morrer?

Ruth não fez contato visual.

— Eu vejo umas coisa.

— Onde você esteve?

— Eu tinha que tomá um ar. — Ela repetiu com veemência — Eu tinha que tomá um ar! — Seu dedo gelado tocou a face de sua senhora. — A sinhá vai casá com aquele home. É, vai sim. Mió se daná pelo que é do que pelo que num é.

No devido tempo, quando Solange realmente se casou com Wesley, Antonia Sevier afirmou que ela o fizera para demonstrar desdém pela opinião decente, uma ideia que anos depois a própria Solange adotou, pois não podia admitir — nenhuma moça bem-nascida de Saint-Malo e certamente nenhuma filha Escarlette poderia confessar — seu anseio inexplicável, de deixá-la de pernas bambas, quando ela e Wesley saíram às pressas da recepção do casamento para caírem no leito nupcial.

O segundo marido de Solange era tão sagaz e determinado quanto ela, mas Wesley via a graça disso.

— Quando olha lá do céu para baixo — dizia ele —, Deus vê um formigueiro fervilhante em que a formiga rica não se distingue de sua criada.

— Um centavo é um centavo — Solange torceu o nariz. — Em um formigueiro ou no céu.

Dois anos e nove meses após o casamento, a Sra. Wesley Evans deu à luz uma filha saudável, Pauline. O batizado do bebê e a recepção subsequente na residência dos Evans foram prestigiados pela jovem Savannah, nada interessada nos escândalos cultivados pela aristocracia do século anterior com seus costumes ultrapassados.

Quando Solange sugeriu que Ruth fosse a aia negra de Pauline, Wesley objetou.

— Toda criança sulista precisa ter uma aia?

— As aias permitem que as damas sulistas papariquem seus cavalheiros — disse Solange com um sorriso torto que nenhum Escarlette teria aprovado.

Wesley pigarreou.

— Ruth é tão jovem.

— Os de cor amadurecem mais rápido que os brancos. Ruth é uma mulher, não uma criança.

— Acho que nunca conheci ninguém como ela. Não há chuva, neve, ventania, bonança ou tempos difíceis, não há nada que faça nossa encantadora Ruth deixar de sorrir.

— Você faz objeção?

— Eu gostaria de saber o que Ruth *realmente* pensa.

— Acredite em mim, querido. Você nunca vai conseguir descobrir.

Ruth passou a criar a criança naturalmente, e a mãe de Pauline paparicava o marido para total satisfação de ambas as partes.

Com a revogação do embargo, Wesley esperava que o comércio do algodão prosperasse, mas a política entre britânicos e americanos impediu a exportação do algodão até 1812, quando foi declarada guerra contra os britânicos, que não conseguiam engolir que os Estados Unidos já não eram sua colônia.

Louisa Robillard e sua filha Clara adoeceram na primeira semana de agosto e foram sepultadas no dia 8 de setembro de 1812. Arrasado, Pierre ofereceu sua parte da R & E Comércio de Algodão ao seu sócio. Graças ao acordo pré-nupcial que Wesley assinara de boa vontade, Solange permanecia uma *Femme Sole*, mas ela não esperou 24 horas para providenciar o capital para comprar a parte de Pierre.

Bloqueada pela frota britânica, Savannah penou até Andrew Jackson dizimar os índios aliados da Grã-Bretanha em Horseshoe Bend e, não muito mais tarde, os soldados britânicos em Nova Orleans. O Tratado de Gante acabou com a guerra e revogou o bloqueio. Os sinos da igreja dobraram e o preço do algodão subiu para 30 centavos.

Em Savannah, os martelos batiam, as serras cantavam e a Bay Street ficou tão obstruída por carroções de algodão e madeira que as damas da sociedade passeavam na Jameson Square. Os irmãos O'Hara expandiram seu negócio e ninguém deu risadinhas abafadas quando James O'Hara comprou uma carruagem. Quando Wesley se ofereceu para pagar o investimento de Solange na R & E Comércio de Algodão, ela riu.

— Construa-me uma casa que cause inveja nos Havershams. — disse ela. — Cor-de-rosa.

— Cor-de-rosa?

Ela apertou a boca em uma expressão que Wesley conhecia muito bem.

— Será rosa — disse ele e fez uma careta. — Rosa?

Embora houvesse um continente de pinheirais atrás do Cemitério Judaico e novas casas estivessem sendo erguidas por lá, a elite ainda construía na cidade. Wesley comprou duas casas em ruínas na Oglethorpe Square e mandou demoli-las.

Quando Ruth perguntou:

— Sinhô Wesley, pru que o sinhô tá demolino as casa em perfeito estado?

— Para que a gente possa ser melhor que os vizinhos.

— Que vizinho?

Pauline foi um bebê tranquilo e se transformou em uma criança dócil, a quem só era preciso dizer o que fazer e ela obedecia. Mesmo ainda pequena, ela não era bonita, apesar de Ruth não concordar com isso nem por um minuto. Ruth dormia em um colchão de palha ao lado do berço da criança e costumava acordar à noite para afugentar os pesadelos dela.

A jovem Mammy Ruth usava um simples vestido azul e um recatado turbante xadrez. Ela era a aia mais jovem da Reynolds Square e mantinha a cabeça erguida, mas não falava com ninguém a menos que lhe dirigissem a palavra. A bebê Pauline estava sempre limpa e adequadamente vestida para o clima. Pauline era uma criancinha tão arrumada que quase parecia engomada. As aias mais velhas aceitaram a jovem negra francesa e abriram seus corações para ela. Mammy Cerise, que criava os filhos dos Minnis, desenvolveu especial afeto por Mammy Ruth.

Aqueça um pano em sebo derretido para aliviar as cólicas.
Chá de casca de milho verde cura as erupções do sarampo.
Cinamomo é bom se a criança estiver com vermes.
A criança não chora para contrariar. Alguma coisa está errada com ela.

O pai da pequena Pauline chegava à R & E Comércio de Algodão antes que o sol prateasse o rio e trabalhava até o acendedor de lampiões ter acabado sua ronda.

Os Evans jantavam com a filha e supervisionavam as orações da criança na hora de dormir. Como Wesley era metodista, Solange, Ruth e Pauline assistiam à missa sem ele.

Solange comandava a construção da Casa Rosa. Exceto pela novidade da cor, ela queria uma casa ao estilo tradicional de Savannah e contratou o construtor mais antigo recomendado pelo Sr. Haversham. John Jameson havia construído uma dúzia de casas daquele estilo e (como salientou Haversham) "fizera reputação décadas atrás e não iria arriscá-la. Ele se preocupa com isso".

John Jameson, um baixinho mal-humorado, se irritou com o terreno duplo dos Evans, que era mais baixo que os terrenos vizinhos, de modo que a água iria correr para o porão.

— Isto é o *Low* Country, *madame*, terras *baixas* — lembrou ele. — "Água, água por todos os lados", como o Sr. Coleridge gosta de dizer.

Jameson admitia que a moda favorecia o supérfluo meio porão inglês, mas a fundação tradicional de alicerces — sem porão, *madame* — servira por muitos anos! Talvez a *madame* não soubesse que o revestimento de tijolos que ela preferia era caro. Muito caro. Jameson poderia lhe mostrar uma série de estruturas de madeira que sobreviveram a poderosos furacões! Uma cisterna no sótão? Pobre de mim! Mas por que a *madame* devia entender as mecânicas da construção? As damas de Savannah são muito refinadas para tais considerações "práticas". Como apoiar um dispositivo desses a 7 metros do chão? Uma cisterna de 3.500 litros? Sim, o Sr. Jameson sabia que a casa dos Robillards tinha uma cisterna dessas — além de alguns encanamentos *muito* incomuns. A Sra. Robillard — que Deus a tenha, *madame* — adotara a novidade. Talvez a *madame* não tivesse ouvido falar sobre o vazamento que destruiu o gesso no quarto do andar superior dos Robillards. Um quarto para a sua Mammy Ruth ao lado do quarto da filha? O Sr. Jameson nunca ouvira falar de tal arranjo e o considerava — sem intenção de crítica — inconveniente. As aias — como todo mundo sabia — dormiam em colchões de palha aos pés das camas das crianças. Uma escadaria em curva, *madame*? Sem dúvida, a escadaria em curva *é* tradicional, mas Jacob Bellows, o mestre construtor de escadas de Savannah, infelizmente, faleceu havia dois anos e o único outro mestre no Low Country trabalha em Charleston. O construtor de escadas de Charleston é (Jameson baixou a voz) *"um negro liberto"*.

— Contrate um pinguim se necessário. *Terei* minha escadaria em curva.

O Sr. Jameson balançou a cabeça, lamentando.

— *Madame*, não sei se conseguiremos convencer Jehu Glen...

— Pergunte a ele. Use seu imenso charme.

O Sr. Jameson, que há muito abandonara qualquer reivindicação a essa virtude, foi tomado de surpresa.

Solange conteve sua impaciência.

— O senhor pode tentar.

— Apesar de ser um grande artífice — Jameson persistiu —, dizem que Glen é... difícil.

— Humm.

O Sr. Jameson anunciou que, sim, a construção da Casa Rosa poderia se iniciar na primavera.

Apesar das preocupações de Jameson, foi feita uma fundação seca e uma trave horizontal atravessou o porão inglês. Silhares duplos foram dispostos para apoiar a cisterna do sótão e os trabalhadores apareceram sem estardalhaço conforme foram requisitados. Do mesmo modo, apesar de seu construtor, a Casa Rosa e a cocheira (atualmente servindo de oficina para o construtor) já estavam sob um teto no início de agosto.

Se a Casa Rosa ficasse pronta a tempo, os Evans dariam um baile de Natal.

Solange incentivou o Sr. Jameson a contratar os serviços de gesseiros, marceneiros e vidraceiros. Ele já havia convocado o construtor de escadas de Charleston e comprado o mogno para o corrimão?

Apesar de o Sr. Jameson não costumar começar os acabamentos antes de a argamassa curar por sessenta dias, três dias depois de colocarem as calhas, um pequeno exército de operários chegou à cocheira com moldes de gesso, plainas, cinzéis e goma-laca.

Em uma bela tarde de setembro na qual as rosas estavam frágeis, Ruth levou Pauline até a obra. A atividade e jocosidade dos operários a fascinaram. Irlandeses, negros livres e escravos contratados "da cidade" trabalhavam alegremente lado a lado.

Sob o marco onde as portas da cocheira um dia seriam colocadas, Ruth sentou Pauline a uma mesa de serragem.

— Tá veno, pequena. Os home tão trabaiano. Olha aquele lá. Nossa! Eu nunca vi uma serra tão pequena. Inté parece serra de boneca! Tá veno os home curvano a madera com vapor?

Um operário mulato ajustava esquadrias de madeira.

— Ei, você! — gritou um irlandês. — Tire suas mãos pretas do meu molde!

Muitos dos operários tinham *mãos* maiores que o normal, mas as do homem mulato eram finas e lisas, como as de um senhor. Ignorando o irlandês, ele continuou.

— Jesus, Maria e José! O que você está fazendo?

— Isso num vai funcioná, McQueen — respondeu o homem de cor. — Tem de ficá tangente. O seu ângulo tá muito inclinado.

O homem louro, com o rosto salpicado de sardas, pôs as mãos grossas nos quadris.

— Quem é você pra ficar corrigindo o meu trabalho?

O mulato se endireitou como se a pergunta merecesse resposta.

— Eu fui aprendiz de Jacob Bellows pur 12 ano, construtô das escada de Mulberry Park, Robinson House e do salão de baile Blakely House. Vô sê o Mestre Construtor de Escada aqui. Ou ocê faz o que eu digo ou pode zarpá.

— Ora, veja! Ora, veja! Sr. Jameson! Sr. Jameson, o senhor precisa vir aqui!

A serração foi interrompida e os homens em silêncio largaram as ferramentas enquanto o construtor contornava lentamente os projetos parados. Enquanto isso, o mulato se curvava sobre a bancada de trabalho, ajeitava seu transferidor e desenhava um arco numa tábua.

Jameson passou uma das mãos pelo cabelo.

— O que é isso? O que é isso? Não podemos trabalhar sem discutir?

— Sr. Jameson. O negro está me dizendo o que fazer. Esse crioulo *impertinente*.

Indiferente, como se estivesse em outro cômodo, o mulato desenhou outro arco. Ruth ouviu seu lápis riscar a madeira.

Um dos operários peidou, e seu colega lhe deu um soco no braço.

O sorriso de Jameson não estava muito seguro.

— Sr. Glen?

— Senhor? — Ele largou o lápis ao lado do instrumento antes de se virar.

— O McQueen aqui...

— "O trabaiadô faz jus ao seu salário", Sr. Jameson. Num é não? McQueen num faz o que eu digo pra ele fazê. McQueen mais incomoda do que faz jus ao seu salário.

— Jehu...

— Sr. Jameson, Savannah tá cheia de home que precisa trabaiá. Eu preciso de home que faz o que eu digo sem repricá.

— Esse crioulo...

Jameson abriu a carteira para contar moedas.

— Seu salário.

— O senhor deixaria um homem branco...

— Sr. McQueen, preciso de um construtor de escadas. Jehu Glen tem formação inglesa: a melhor do Low Country.

— Tudo bem, eu vou. Eu vou... filho da puta!

McQueen poderia ter armado uma confusão ao passar por trás do construtor de escadas curvado sobre seu trabalho, mas os outros seguraram seus braços e McQueen se contentou em cuspir na serragem. Jehu não olhou para cima.

— Ocê viu aquilo, bebê Pauline? Dá pra acreditá no que a gente viu?

O construtor de escadas inclinou o ouvido para as repreensões sussurradas de Jameson, mas não interrompeu o que estava fazendo. Talvez Jameson quisesse dizer mais, porém se virou para os outros.

— Hoje é sábado? Se não for, é melhor que continuem trabalhando.

No caminho de volta para casa, Ruth cantarolava de boca fechada uma canção que ouvira em algum lugar muito tempo atrás. Na manhã seguinte, na Reynolds Square, Mammy Cerise a ouviu e franziu o cenho.

— Para de cantarolá a música dos rebelde — disse ela.

— Música dos rebelde? — perguntou Ruth.

— Para de cantarolá isso!

Ruth franziu o cenho.

Mammy Cerise sussurrou.

— Ocê num sabia que tá cantano a música do levante haitiano? Os sinhô branco fica com ódio quando ove essa música.

Naquela tarde, protegida por um guarda-sol, Pauline cochilava do lado de fora da cocheira.

Jehu Glen era a criatura mais linda que Ruth já vira. Onde será que aquele homem tinha nascido, o que lhe dera forma? Seus movimentos eram econômicos e rápidos. Os raios de sol douravam os pelos de seus braços enquanto sua plaina produzia cavacos. Quando ele tirou os pelos do braço testando o fio de um formão, Ruth teve vontade de gritar "Cuidado! Não vá se cortá!" Ela se perguntou se aquele dramático teste de cada lâmina não significava que ele estava tão ciente dela quanto ela dele.

Ela voltou no dia seguinte e no outro. Uma vez, quando Jehu estava dentro da casa, ela tocou na lâmina de uma plaina e cortou o polegar, que colocou na boca, chupando o sangue quente e doce.

Outra vez, pegou um cavaco de cerejeira e enfiou no avental. O leve aroma da madeira perfumou seu colchão de palha naquela noite.

Outras aias levaram seus protegidos para a grande casa em construção. As crianças maiores faziam fortes e frotas com sobras de madeira.

Mammy Cerise ouvira falar no negro liberto construtor de escadas.

— O pai dele era home branco. Comprô uma criada bonita e não muito depois uma coisa levô a otra. Quando o bebê ficô grande, Glen deu a alforria pra ele e fez ele sê aprendiz de um ingrês que construía todas as grande casa de Charleston. Quando o ingrês morreu, o menino Jehu abriu o própio negócio. Ele se tem em arta conta.

Ruth sorriu.

— É mermu.

— Esse moço é tão sovina que faz meio centavo durá uma eternidade. Dorme num banco na cochera pruque é muito sovina pra alugá um quarto.

— Ele é prático. Tá economizano pra casá.

— Menina, num vai se metê na cochera quando escurecê.

— Eu nunca disse nada pro home, Mammy Cerise. Nenhuma palavra.

Solange achava que Wesley estava trabalhando demais, por muitas horas e, em uma noite de outubro, comentou isso durante o jantar. Ela também achava que ele andava bebendo muito, mas não mencionou essa parte.

Wesley esfregou os olhos.

— Todos esses novos intermediários e compradores, naturalmente, precisam "me visitar" ou "me pagar um uísque" ou "sentar para (rá, rá) explorar meus conhecimentos", querem aprender um negócio que eu entendo e eles não. Os fazendeiros do interior estão inundados de intermediários novatos, que lhes oferecem preços que não permitem lucro a ninguém.

— Talvez você devesse fazer um pouco menos. Delegar mais tarefas.

— Nesta alta, qualquer um que valha a pena contratar está se estabelecendo por conta própria.

Ela mudou de assunto.

— Nossa pequena aia está enamorada do seu construtor de escadas.

Ele relaxou.

— Ele não é *meu*, querida. Eu não reconheceria o homem se o visse na rua. Talvez seja de Jameson ou, visto que a patroa é você, acho que ele é seu.

— Jehu é um negro liberto e dono de si mesmo.

Ele deu de ombros.

— Quantos anos Ruth tem? Uns 15? Já tem idade para juntar os trapos com alguém, se quiser.

— Ainda não chegou tão longe. Ela só está sonhando acordada com o homem, apenas isso.

— Então, vamos resolver esse assunto quando for a hora. — Ele ergueu o copo. — Mais dois anos de tempos prósperos e terei abastança para você e Pauline.

— Pauline somente?

Ele franziu o cenho.

— O que...

— Você será pai novamente, meu querido. Caso não se mate de trabalhar antes.

Ele ofereceu o braço.

— Minha querida, querida Solange. Vamos subir para comemorar.

Ruth e Pauline passaram a almoçar na cocheira, onde os gesseiros preparavam os moldes e Jehu Glen montava as seções de sua escadaria curva.

Certa tarde, quando todos os outros estavam ocupados dentro da casa, Ruth se aproximou na ponta dos pés, quase sentindo o cheiro dele.

O construtor de escadas não tirou os olhos do corrimão que estava lixando.

— Os operário inferiô num têm de sê pago. Aquele home num é mió que um ladrão.

— Oh. — Ruth recuou.

Outro dia, Ruth ofereceu a Jehu a cesta de almoço delas.

— Come um poco — encorajou ela. — Nós tem bastante.

Impassível, Jehu olhou para a cesta que ela arrumava cuidadosamente e pegou um pedaço de queijo e uma maçã, que ele mordeu quando entrou na casa, resmungando com os gesseiros que o andaime estava no meio do caminho.

Jehu aceitou a comida de Ruth por três dias sem agradecer nem parar de trabalhar. No quarto dia, um sábado menos agitado, ele devolveu a cesta e perguntou:

— Quem é ocê, garota?

Ruth lhe respondeu.

— Ocê é uma daquelas nega francesa?

— Eu era bebê em São Domingos.

— Humm.

Na segunda-feira seguinte, partículas de pó pairavam nos raios de luz do sol que inundavam a cocheira e Pauline tirava uma soneca com a boca aberta. Jehu fixava braçadeiras e colocava peças coladas na bancada.

— Diz pra mim, garota — começou ele. — Jameson me paga um dólar por dia. Qual é o meu valô praquele home?

— Jehu...

— Eu valho mais ou menos de um dólar?

— Acho que vale um dólar.

O sorriso mal iluminou o rosto dele.

— Os operário acha que se eles ganha um dólar, eles vale um dólar. Pur que mardição Jameson ia contratá home que num valesse mais do que ele paga pra eles? Jameson deve ganhá mais pelo meu trabaio do que tá me pagano, se não pru que num ia fazê o trabaio ele mermu? O dinhero extra vai pro capital.

— Eu num achava...

— É claro que não. Ocê num se preocupa com dinhero. Os home livre têm que se preocupá com isso. Tem mermu.

Jehu falava sobre "capital" como "*Le Bon Dieu*" ou "Estados Unidos da América". Jehu descrevia o "capital" como os senhores descreviam uma dama bonita ou um cavalo veloz. Jehu tinha 471 dólares de capital. Possuía cinzéis, plainas, esquadros, prumos e uma caixa de ferramentas de nogueira feita por ele mesmo. Ele abria as gavetas forradas de veludo como se cada uma delas tivesse um nome. Aquela caixa de ferramentas tinha lugar de honra em sua bancada, e a última coisa que ele fazia todas as noites era lustrá-la. Tocando em um perfeito encaixe de madeira, Jehu informou Ruth:

— Antes de sê um Mestre, é preciso fazê uma obra de mestre.

O capital de Jehu estava guardado no cofre do Sr. Haversham, onde ninguém poderia roubá-lo e, muito em breve, ele usaria seu capital para se estabelecer como construtor, exatamente como o Sr. Jameson. Ele contrataria homens de cor da cidade porque eles trabalhariam por menos e não seriam insolentes como os negros livres ou os irlandeses. Com menos custos, ele poderia cobrar menos pelo trabalho e os brancos naturalmente *teriam* de contratá-lo.

Jehu contraiu os lábios.

— O pregadô Vesey diz que minha ideia num vai funcioná. Vesey diz que os home branco nunca vai dexá os preto se erguê. Eles têm medo. Me diz, garota, ocê acha que os branco têm medo de nós?

— Claro que tem. — Ruth se surpreendeu com o próprio arroubo e automaticamente cobriu a boca.

Ele desconsiderou isso.

— Pois bem, eles num têm. Nenhum nego tem exército, nem marinha, nem arma de fogo grande. Nenhum nego é dono de branco, isso com certeza.

Depois do trabalho e nas tardes de domingo, os negros livres e os irlandeses iam para as docas beber nas tabernas dos marinheiros, mas Jehu nunca os acompanhava.

— O home que num consegue juntá seu capital nunca vai sê nada — disse ele a Ruth.

Ruth era a única amiga de Jehu em Savannah, e ele só mencionava o nome de Vesey em Charleston. Denmark Vesey era "apenas um carpintero quarqué, sabia? Num era mestre artífice. Mas ele é um bom pregadô, respira labareda de fogo, é, ele faz isso. Quando ele prega, dá pra senti o fogo do inferno!".

Pela primeira vez na vida, Ruth sonhou em viver com alguém que não fosse Solange. Mas não podia. Solange esperava outro bebê, e Ruth cuidaria das duas crianças. As coisas eram assim.

Ruth pensou no que ganharia se fosse *paga* para ser aia. Será que Solange iria querer uma aia se tivesse de pagar? Ou será que ela mesma cuidaria dos próprios bebês?

Os sonhos de Jehu eram tão lindos quanto ele próprio. Charleston era rica como um faraó e um homem como Jehu... ora, um homem como Jehu poderia montar a própria oficina como seu amigo Denmark.

Embora o Sr. Jameson se esmerasse prodigiosamente e mantivesse seus homens no trabalho do "nascer ao pôr do sol", quando chegou a segunda semana de dezembro, a Casa Rosa não estava pronta, e a mobília que Solange havia encomendado da cidade de Nova York ainda não havia chegado às docas. Wesley parecia quase aliviado.

— Um baile de Natal teria sido uma grande despesa.

— Despesa? — Solange franziu o cenho. — Wesley...

— Por mim, fico agradecido por não termos que nos dar ao trabalho.

— Este ano.

— É claro, querida. "Este ano"...

Por duas décadas, as damas de Savannah haviam jogado as filhas casadouras contra a solteirice de Philippe Robillard. Algumas rejeitadas declaravam que qualquer homem que resistisse a moças tão bonitas, graciosas e *adequadas* devia ser um pouco *incomum*, e muita coisa estava implicada nessa branda descrição.

Sem anúncio prévio e para consternação geral, o abastado Philippe casou-se repentinamente com uma muscogee creek, tida como princesa daquele povo selvagem. As damas cujas filhas tinham sido desprezadas acharam que seria bom *mesmo* que ela fosse uma princesa.

Ninguém da sociedade foi ao casamento, para o qual apenas o primo Pierre e vários parentes muscogees foram convidados. Após a cerimônia, o grupo de convivas foi para a casa de Pierre brindar com xerez, ao qual os muscogees aparentemente estavam desacostumados. Um foi pego vomitando nas roseiras de Pierre enquanto Nehemiah ajudava outros a entrar na carruagem de Philippe para retornar ao acampamento.

No dia seguinte, Pierre fez um gracejo imprudente sobre "temer perder o pouco cabelo que lhe restava", que foi devidamente elaborado — com mímicas extravagantes — nas melhores salas de Savannah. Antonia Sevier insistiu que antes das núpcias cristãs do Sr. e da Sra. Robillard, um ritual pagão acontecera no acampamento muscogee.

A curiosidade sobre a princesa muscogee era intensa e, apesar do acúmulo de cartões de visita na salva de prata do vestíbulo da Sra. Robillard, ela nunca estava "em casa".

Pierre Robillard afirmava que a noiva de seu primo era uma mulher de encantos consideráveis, mas, apesar dos incentivos pouco sutis, ele nunca entrou em detalhes.

— O primo Philippe é um homem feliz. Finalmente, meu caro parente está "em seu elemento".

Após a longa ausência de uma década, o baile de Natal dos Robillards tornara-se uma lenda; um ícone da "Antiga Savannah", no qual toda dama era polida e todo cavalheiro sabia atirar. Os savanianos não ficaram decepcionados quando o convite dos Evans não se materializou e o dos Robilards sim. Os convites foram assinados por Pierre e Philippe, e abaixo da assinatura dos primos havia um rabisco que poderia representar um clã muscogee, embora ninguém soubesse exatamente qual.

Nenhum dos principais cidadãos de Savannah estivera na mansão de Philippe desde o velório de sua mãe, vinte anos atrás, e todos estavam ansiosos para ver o que a princesa muscogee havia feito de seu novo lar. Os sentimentalistas esperavam que a casa estivesse restaurada à grandeza que desfrutara durante a Revolução, quando servira de centro de operações para o general Howe.

Em uma feliz expectativa, a elite mandou reenvernizar suas carruagens, as joias cintilantes emergiram das caixas-fortes e as costureiras de Savannah ficaram com os dedos em carne viva criando vestidos de baile a partir dos últimos modelos de Paris. A curiosidade encontrava a especulação em cada sala da cidade; nenhuma foi saciada, ambas revigoradas.

Solange entregou o convite ao marido.

— Ela pode ser uma princesa, mas sua caligrafia é deplorável. Qualquer criança faria melhor.

— O que diz o Dr. Michaels? Você pode frequentar bailes em sua condição delicada?

Solange fez beicinho.

— Ele diz que vou ter um bebê saudável e feliz. Exige que eu faça mais exercício. Não estamos na idade das trevas, sabia?!

Será que Wesley havia escutado? Ele andava muito distante ultimamente.

— A empresa está passando por uma época muito movimentada. Os fazendeiros...

— Wesley, querido! — Solange segurou o rosto dele. — É Natal!

— Depois haverá o Baile do Aniversário de Washington e todos aqueles detestáveis brindes patrióticos e então...

— Não podemos desfrutar um do outro?

Ele se entregou.

— Minha querida, é claro que sim...

A casa de estrutura de madeira de Philippe Robillard ficava na esquina entre as ruas Broughton e Abercorn. Dois furacões e um incêndio que atingiram toda a cidade haviam destruído a maior parte das casas de madeira de Savannah, mas, embora maltratada, velha e meio torta, essa casa resistira. A moda desertara o bairro e, quando a mãe de Philippe faleceu, até suas amigas mais leais esperavam que ele encontrasse um endereço melhor.

As carruagens começaram a chegar às oito horas. Tochas chamejantes iluminavam os criados que dirigiam esses meios de transporte e ajudavam os convidados mais velhos a subir os íngremes degraus de pedras amarelas. A iluminação do saguão por trás das portas duplas era tão clara que deixava as feições familiares de Nehemiah indistintas enquanto ele cumprimentava os recém-chegados e os direcionava ao rude cocheiro muscogee de Philippe, que pegava bruscamente seus agasalhos.

— Boa noite, Sinhá Solange, Sinhô Wesley — cumprimentou Nehemiah. — Nós tá fazeno o máximo que pudemo. Tamo mermu.

A moradia de solteiro de Philippe não recebera nenhum toque feminino. Os convidados mais velhos reconheceram o papel de parede do salão, cujas cores eram mais vivas vinte anos antes. As damas mais jovens invejaram a vista fraca das mais idosas, que não conseguiam identificar direito o que habitava a escuridão das cornijas lá no alto.

As damas localizaram fios do esfregão nas pernas dos móveis, mas continuaram a conversar normalmente enquanto limpavam as cadeiras antes de sentar.

Os rodameios estavam entremeados de bálsamo, visco e azevinho, e uma grande guirlanda de musgo caía do candelabro.

Antonia Sevier conjeturou:

— O musgo é sagrado para os selvagens, não é?

No salão, lotado de mobília do século anterior pertencente aos seus pais, Philippe (que já havia bebido mais que a sabedoria receitava) apresentou sua princesa.

— Esta é minha querida esposa, Osanalgi. Sr. Haversham, Osanalgi. — Ele deu uma risadinha. — Chamem-na de Osa, como eu.

Os cabelos da mulher eram muito pretos, brilhantes e cortados reto. O elaborado vestido de festa fora feito por alguém cuja pele não se arrepiava ao seu toque. O sorriso de Osa era artificial, e seus olhos estavam agitados.

— Os muscogees foram os primeiros cidadãos da Geórgia. Existem oito... talvez *nove* subtribos, dependendo de como as consideramos.

— Ora, Philippe, isso é fascinante. A Sra. Robillard *precisa* nos contar tudo a respeito.

— Sim — respondeu Osa, sem dizer mais nada.

Então seus convidados seguiram em frente.

Depois de banir o enfadonho minueto familiar e fora de moda, quando os músicos da festa deram início ao ritmo novo (e indecente, segundo alguns) da valsa, Philippe e sua esposa foram para a pista de dança tão perdidos um no outro que não ouviram os sussurros por trás dos leques nem viram as piscadelas indelicadas.

Pierre cumpriu o dever de primo, dançando com as viúvas e solteironas. Algumas damas, que haviam conhecido melhores dias, pairavam em torno de um bufê que suas irmãs exigentes evitavam, apesar das garantias dadas por Pierre de que nenhuma iguaria selvagem se escondia por baixo do molho vermelho-escuro do *gumbo*.

Um ponche forte, sem borbulhas, elevou os ânimos e, apesar dos passos da valsa que precisavam aprender enquanto dançavam e da silenciosa anfitriã muscogee e de seu circunspecto cocheiro, em pouco tempo os convidados de Philippe começaram a sentir o espírito natalino. Eles não queriam conhecer a princesa? Pois bem, agora conheciam. Então era melhor aproveitar como podiam. Os Havershams se misturaram aos Seviers, os Minnis, aos O'Haras.

Os criados comemoraram no porão. Mammy Cerise designara Mammy Antigone para cuidar das crianças no quarto e o cocheiro conseguira um sujeito antissocial para ficar com os cavalos.

A cozinha era formada por tijolos iluminados por velas ao lado de uma lareira alta na qual uma caldeira borbulhava animadamente. Pierre Robillard confiara um barril de vinho Madeira a Nehemiah. Sentada à cabeceira de uma longa mesa de tábua, Mammy Cerise mantinha os olhos de gavião no barril enquanto Nehemiah cuidava de suas tarefas, acenando com a cabeça quando um caneco de lata podia ser servido, tossindo em reprovação quando o serviam com muita frequência.

A distribuidora do Madeira não se poupara e pressionava Ruth sobre Jehu e sobre questões particulares que Ruth não confessaria a ninguém. Mammy Cerise sabia como eram as mocinhas.

— Já fui uma.

— Pur favô, Mammy Cerise!

— Nós é tudo iguar, menina; todas nós muié precisa de amô.

Mammy Ruth voou para o quarto das crianças, onde Pauline estava montando uma torre de blocos que as outras crianças derrubavam com a mesma seriedade. Mammy Antigone dispensou com um aceno de mão a oferta de Ruth para substituí-la.

— Acho que vô ficá aqui com as criança. Prefiro criança mais que adurto.

Ruth esperava que a curiosidade de Mammy Cerise tivesse passado para os segredos de outra pessoa, mas armada com o Madeira e as lembranças do que havia aprontado em sua juventude, Mammy Cerise investiu novamente sobre Ruth.

— Aquele Jehu é esperto. Ele ganha dinhero bastante prum dia tê uma muié e filho. Tarvez inté compre uma casa pra morá.

— Tarvez faz isso mermu.

Mammy Cerise deu um sorriso como se tivesse chegado aonde queria.

— Jehu anda falano sobre aquele Vesey? O pregadô Vesey?

— Diz que ele é um home muito cristão.

— Tá certo. Vesey é nego livre como Jehu. Ganhô na loteria em Charleston e comprô a própia liberdade dele. Disse que foi Deus que deu o número. Vesey — Mammy Cerise baixou a voz, sussurrando — ... ele...

— Ele o quê? Eu vô à missa todas as manhã. Eu e Pauline sempre vamo.

— Vesey num é católico, benzim. Ele *diz* que é a favô das pessoa de cor!

O sorriso fraco de Ruth acatou o que a mais velha dizia.

As sobrancelhas de Mammy Cerise se juntaram.

— Eu num sei, menina. Eu num sei mermu. Isso que me preocupa. — Ela serviu meio caneco do Madeira para Ruth.

— Eu num bebo...

— Então é hora de começá. Não tem tanta coisa boa nesse mundo. As criança, o amô de um home bão — ela cutucou Ruth nas costelas — e isso. Às vez eu acho que é o mió. Com certeza, é o que tá mais perto da mão.

Mas Ruth não gostou do sabor e, assim que Mammy Cerise desviou a atenção, ela largou o caneco. Algumas aias estavam rindo e se divertindo, mas e se as crianças estivessem precisando delas?

O Sinhô Wesley estava de cara vermelha, rindo com o Sinhô Haversham e o Sinhô Pierre. A Sinhá Solange e a Sinhá Antonia estavam conversando, bem pertinho, como se *sempre* tivessem sido melhores amigas. Ruth puxou a manga da Sinhá Solange.

— Nós vai agora, sinhá? A pequena Pauline precisa ir pra casa.

— É Natal, menina. Com certeza, posso esquecer os meus afazeres uma noite por ano.

Ruth não conseguiu imaginar que afazeres a Sinhá Solange precisava esquecer.

— Eu vô ficá com a Sinhazinha Pauline — avisou ela.

Na antiga namoradeira do quarto, duas crianças dormiam aninhadas à Mammy Antigone, que abriu um dos olhos lentamente.

Ruth sentou-se no canto, encostada nos tijolos aquecidos da chaminé e adormeceu, acordando sempre que uma aia recolhia seu protegido. Quando Nehemiah sacudiu Ruth para que ela acordasse, sua boca estava seca e os olhos davam a sensação de ter areia sob as pálpebras.

No vestíbulo, Nehemiah passou a adormecida Pauline para Ruth. Como Philippe estava incapaz de fazê-lo, Pierre Robillard se despediu dos convidados do primo.

— Sra. Evans, que bom ter feito a condescendência de vir. Philippe ficou muito satisfeito por terem a senhora e Wesley podido abrilhantar nossa festinha — disse, e depois sussurrou: — Philippe diz que os Evans são "a nata da sociedade de Savannah".

Tendo ouvido Pierre usar esse feliz elogio a outros, Solange sorriu.

— E a nossa anfitriã?

Pierre olhou em torno.

— Talvez ela...

Quando Solange retornou ao salão, dois bêbados dormiam sentados nas cadeiras e o sujeito barbado enroscado num canto protestava com seu criado.

— Não quero ir. Durmo aqui.

As mãos da Sra. Philippe Robillard estavam afundadas até os punhos no *gumbo*, e o molho pingava em seu vestido de baile. Ela deixou cair algo — um camarão? Uma linguiça? — de volta na terrina, e agora tentava devorar a coisa com os olhos.

— Ora — disse Solange para a moça — ora, você está... — Solange tocou a própria barriga de grávida — como eu.

Impulsivamente, Osa agarrou a mão de Solange.

— Conversamos? — disse ela. — Conversamos?

Lutando contra a vontade de limpar a gordura da mão, Solange inclinou a cabeça para ouvir melhor. Elas conversaram por dez minutos — duas futuras mães —, até Osa parar de tremer e seus olhos se aquietarem. Quando Solange disse que precisava ir, a hospitaleira Osa mergulhou uma tigela na terrina e a ofereceu à convidada. Delicada e deliberadamente, Solange extraiu um único camarão cinza amarronzado com os dedos e deu todas as mostras de estar apreciando. Osa ficou radiante.

— Nós somos duas refugiadas — contou-lhe Solange. — Savannah pode ser muito cruel. — Ela limpou os dedos na toalha da mesa. — Os refugiados devem se tornar quem não eram.

Ruth levou Pauline para a carruagem. Como Wesley estava muito embriagado, Solange deitou Pauline no banco da frente e Ruth subiu para a boleia ao lado do cocheiro. Ela não estava cansada — nem um pouco. As estrelas invernais estavam muito brilhantes.

Na manhã seguinte, a casa ficou fria até Mammy Ruth acender a lareira na sala de estar. A cozinheira fez mingau de aveia. Solange desceu bocejando. Seus cabelos estavam despenteados, não tinha lavado o rosto e a maquiagem da noite anterior estava borrada como — Ruth não riu — pintura de guerra dos peles-vermelhas. Solange se apropriou do mingau de Ruth, pediu café — "ferva chicória junto" — e o jornal matutino.

Solange estava em sua segunda xícara quando bufou, batendo num anúncio contornado de preto.

— Minha Mãe de Deus! — Ela balançou a cabeça, incrédula.

Em voz alta, ela leu o anúncio do presidente do Haiti, que oferecia terras a qualquer artesão americano que fosse negro livre e que quisesse imigrar.

— Oh, minha nossa. Minha nossa, Ruth. Devo supor que você e o seu mestre construtor de escadas irão para o Haiti?

Ruth sorriu. Quase.

— Brigada, não, sinhá. Eu sô Mammy Ruth Fornier. Sô americana.

Solange esfregou a testa.

— É, acho que você é. — Ela dobrou o jornal e o largou. — Ela é inteligente, sabe?

— A Sinhá Robillard?

— Ela não tem médico. O povo dela não tem médicos... quer dizer, não o nosso tipo de médico. Philippe não ajuda. Vou pedir ao Dr. Michaels para atendê-la.

Solange se virou ferozmente para Ruth.

— Está vendo como as pessoas são cruéis? Como são terrivelmente cruéis? Osa é mulher do francês mais rico de Savannah. Mesmo assim, as grandes damas estão rindo dela agora enquanto tomam seu chá com torradas! A princesa Osa. "A coitada da princesa Osa. Inculta e tão *índia*!" — Ela tirou um filete de cabelo da testa. — Minha preciosa Pauline. Como vai se comportar quando tiver a idade de Osa? Será que vai andar fora dos trilhos, ser excêntrica, alvo de chacota? Ou minha filha será uma daquelas afortunadas que servem de modelo às outras?

Ruth disse à patroa:

— A Mammy Cerise diz que tudo que nós precisa é de amô. Amô é tudo e o fim de tudo.

Solange tocou a testa.

— Mammy Cerise! Mammy Cerise! A fonte do bom gosto e da compostura! Ah, pobre de mim. Ah, minha nossa!

— Sinhá, o que mais...

— Pauline não será uma criada, Ruth. Ela não vai cuidar dos filhos dos outros. Ela vai se casar com alguém com uma boa renda ou com perspectivas de ter bastante dinheiro. Minha Pauline e — Solange tocou a barriga com ternura — este pequeno viverão felizes entre seus iguais, conhecendo os benefícios da civilização, fazendo caridade para os menos abençoados. Pauline precisa ser ela mesma, mas não deve se destacar como a pobre Osa, como eu quando cheguei nestas terras. Como eles sussurravam: "Pobre mulher! Mais uma 'trágica' refugiada de São Domingos!" Sussurraram até eu ter dinheiro.

— Mas, sinhá. Vosmecê sempre se destaca no meio dos otro.

Com um gesto, Solange dispensou aquele elogio.

— Mammy, devo informá-la das regras... não, dos *mandamentos*... da sociedade educada. — Ela abaixou a cabeça como se estivesse rezando. — Para ser alguém — ela procurou as palavras — é primeiro necessário *parecer* ser alguém. O pai de Osa é um potentado. Portanto, ele age, veste-se, fala como seus súditos selvagens esperam que um potentado aja. Entendeu?

— Eu nunca vi nenhum poti... nunca vi nenhum, sinhá.

— Ah, viu sim. Quando Wesley descer as escadas se balançando, ele não vai parecer um potentado, mas antes de sair para cumprir seus afazeres será um. O Sr. Haversham, em seu terno preto muito caro, muito discreto... ele é um potentado. E Pierre Robillard, apesar de seus maneirismos e modos antiquados, também é. Eles são potentados porque combinam com nossa ideia do que tal coisa deveria ser. Como professora de Pauline, você deve estar atenta a esses traços que distinguem uma jovem dama de uma simples mulher — ela fez uma careta —, de uma desleixada ou vagabunda. Essas distinções são tão importantes quanto tênues. As afortunadas pelo bom nascimento e refinamento se distinguem pela sua compostura.

— "Compostura", sinhá? — Embora Ruth não soubesse o que isso significava, ela estava disposta a prestar atenção e obedecer.

Solange era muito sagaz para ignorar que algo começava a cheirar mal. Um importante intermediário de algodão, primo-irmão da Sra. Sevier pelo lado paterno, foi encontrado morto em seu escritório, tendo se matado com uma dose de arsênico dissolvido num copo de um fino uísque muito envelhecido. O melhor algodão estava valendo 4 centavos a libra — se fosse possível encontrar um comprador. Um escravo trabalhador, sadio e obediente, podia ser comprado por 400 dólares, metade do que teria valido no ano anterior. A margem do rio estava entulhada de algodão, que formava montinhos apodrecidos, parecido com neve, tendo sido abandonados quando os fazendeiros do interior não conseguiram vender e resolveram voltar para casa.

Talvez por não querer pensar naqueles montinhos de neve, Solange lia para Pauline (que escutava quando não estava entretida com uma boneca ou com seu gatinho) e para Ruth, que estava fascinada pelas firmes proscrições do livrinho de etiqueta.

— "Uma dama não fala de si mesma. Deixa que os outros a elogiem."

— E se ela fez arguma coisa de especiá?

— "Investigando, os outros podem ficar sabendo de nossos feitos." Pauline, você deve evitar expressões populares. "Pode confiar em mim" é um claro sinal de trapaça. "Para ser breve..." prevê prolixidade. E "sem querer me gabar..." denota vaidade.

Em todos os dias de inverno que retinham Pauline dentro de casa, Ruth pegava o livro de etiqueta.

— "Se por acaso uma dama ouvir uma indecência, ela deve prontamente interromper e censurar quem a falou. E se a pessoa não puder ser detida, a dama tem liberdade para se retirar com a dignidade intacta. A acompanhante de uma dama mais jovem deve interceder, se a indecência for uma mera indelicadeza."

E assim por diante.

Wesley jantava com a família e era terno com Solange e Pauline, mas depois retornava ao escritório para dormir, brincando que sua presença "mantinha os oficiais da justiça à distância".

Ruth dormia mal. Um excesso de névoa pairava sobre a família e havia muitas vozes de espíritos.

Como se a compostura pudesse aumentar o preço que as tecelagens pagavam pelo algodão e retirasse suas pilhas do passeio, Solange continuava inflexível em suas instruções.

— "A dama deve variar o vestido, caso contrário os ociosos se divertirão confundindo a descrição de sua roupa com a de sua pessoa. Quando se trata de vestuário, a sociedade aplaude a mulher que não se apressa a seguir a moda, mas adota o *démodé* quando as que são melhores que ela o fazem."

— Qué dizê que ela veste como todas as otra dama?

— Precisamente. "O traje da jovem dama deve ser recatado em forma e enfeites, caso contrário seus pretendentes concluirão que ela adora o luxo."

Durante o jantar, Wesley contou:

— Haversham está cancelando os empréstimos. Não foi ideia dele. Esse crédito lhe pertence. Mas ele é um serviçal da Filadélfia. Mesmo assim, é uma grande vergonha.

— Mas o Banco dos Estados Unidos não deveria conceder empréstimos? Para incentivar o comércio, quero dizer.

O sorriso de Wesley foi sábio e amargo.

— Seis meses atrás, qualquer homem que conseguisse fazer sombra sob o sol se qualificava para um empréstimo. "Isso é *tudo* de que o senhor necessita?" A boa reputação e o crédito de um homem não significavam nada. O banco financiava sujeitos tolos que solapavam os honestos. Agora o banco quer que os sujeitos tolos paguem a dívida. Como eles não podem pagar, a desventura *deles* também se torna a *nossa*.

Na manhã seguinte Solange explicou por que uma dama solteira não deve comer muito.

— "Ela não deve ser considerada muito vigorosa em seus apetites."

— Mas e se ela tivé com fome?

— Uma moça pode ter apetites. Na verdade, ela os *terá*. Mas *não* deve reconhecê-los. Os pretendentes acham que moças respeitáveis não têm apetites, e somente moças descuidadas os decepcionarão.

Solange observava a prosperidade dos O'Haras nesses tempos difíceis como uma matéria que se aprende na escola.

— A prudência, Ruth, é a arma mais poderosa de uma dama.

Pauline não prestava muita atenção, mas Ruth era uma aluna ávida. Ela geralmente compreendia as coisas sem precisar de muita explicação e ter esse tipo de aula era um raro prazer.

No ano que se iniciava, Wesley ainda não estivera na Casa Rosa.

Quando Solange pediu que o Sr. Jameson abandonasse a construção, ele objetou, dizendo que em sessenta dias ela estaria pronta.

— Posso pagar sua última conta — anunciou Solange. — Mas não mais que isso.

Jameson lhe disse que a cisterna do sótão, embora instalada, ainda não tinha os encanamentos, os rodameios não estavam pregados no saguão, faltavam as balaustradas, os corrimões e o verniz na escada em curva. Em resumo, a Casa Rosa estava incompleta.

Solange conseguiu dar um sorriso.

— Pode até ser, senhor. Mas já não temos meios de completá-la.

O Sr. Jameson balbuciou raivosamente. Perguntou se ela havia pensado nos operários que ele contratara e nos homens como ele, que tinham famílias para sustentar.

— O senhor poderá contratá-los novamente quando a situação melhorar — respondeu ela.

A segunda gravidez causava um inconveniente maior que a primeira e as chuvas de primavera geralmente mantinham Solange em casa. Em um dia nublado no qual ela visitava a Casa Rosa, os operários estavam desmontando os andaimes e Jehu empilhava tábuas de madeira numa carroça decrépita. Solange foi de tal forma tomada pela melancolia que tropeçou num barril de pregos e caiu inconsciente.

Ao abrir os olhos, Jehu estava de pé diante dela.

— A sinhá qué uma água? Arguma coisa que eu possa fazê?

— Não, não.

— O Seu Jameson num vem mais aqui. Se quisé, eu busco o Seu Wesley.

— Não, tudo bem. Estou tonta, só isso.

Ele a ajudou a se levantar. Como suas costas doíam. Como ela ficaria feliz quando tudo isso acabasse.

Jehu pigarreou.

— Eu andava pensano em falá com a sinhá. Sobre aquela garota Ruth.

— Agora não — disse Solange. — Agora não.

Três dias depois, numa manhã de domingo, em meio ao clamor dos sinos da igreja, Nehemiah parou na entrada da casa dela, segurando o chapéu, com uma expressão que ela nunca vira antes em seu rosto. Ele estava explodindo com uma notícia que não queria dar. Depois que a deu, ajudou-a a entrar em casa, onde Solange desmaiou.

Visto do Factors Walk, um passadiço 12 metros acima, Wesley parecia um pássaro negro morto com sua capa feito asas espalhadas pelas pedras do calçamento molhado, um pássaro negro que voara por uma janela de vidro, caindo morto na doca abaixo.

— Foi um tremendo dum escorregão, sinhá. — Nehemiah desculpou a queda de Wesley. — Ora, quase ninguém consegue ficá com os pé firme no argodão moiado, mais escorregadio que graxa de eixo.

Chumaços do produto inútil tomavam a calçada, as escadas, as sarjetas: estavam por tudo quanto é lado. O rio rugia, arremessando a espuma suja contra as docas. Wesley nunca havia ficado parado. As pessoas silenciosas em volta não estavam tão imóveis quanto Wesley agora. Para onde fora a agitação dele? Solange fez o sinal da cruz. Será que os metodistas poderiam ir para o céu? Ela nunca tinha pensado nisso.

— Como foi?

— Ninguém viu, sinhá.

Um espectador viu Solange e Nehemiah na esplanada diante do passadiço e o círculo se abriu para conceder uma melhor visão à nova viúva. Solange começou a tremer e ficou agradecida quando, espontaneamente, a tremedeira cessou.

— A sinhá qué...?

Aquelas escadas, aquelas docas; quantas centenas de vezes ela havia descido sem nunca perceber como as gaivotas berravam alto, o quanto eram estridentes? Ao soltar o corrimão, a mão de Solange doía.

Os homens tiraram os chapéus e, com murmúrios e cicios, abriram caminho. A cabeça do pobre Wesley estava virada de modo pouco natural, e seus cabelos caíam sobre os olhos, a face deitada numa poça de líquido escuro.

Algum tempo depois, Nehemiah segurou o braço dela. O que Ruth pensaria? E a coitadinha da Pauline? E quem era a viúva Solange? Desesperada, ela agarrou o braço generoso de Nehemiah.

A nova carruagem de Pierre deixou Solange, Pauline e Ruth na Capela Metodista. Talvez por ordem de Pierre, elas passaram pela Abercorn Street, onde o broche de crepe na porta de Philippe Robillard lamentava o bebê natimorto de Osa. Não houvera funeral católico. Rumores diziam que o bebê fora enterrado pelos muscogees.

Pierre contratara o fabricante do caixão e entregava as lembranças antes do culto: luvas pretas de pelica para as damas e lenços pretos para os cavalheiros. Os enlutados eram amigos de Pierre e homens de negócio que Solange mal conhecia. Em seu banco, Philippe e Osa, todos de preto, estavam colados um no outro. Os O'Haras ficaram no fundo da igreja.

A mente de Solange ia das flores do altar para o manto de veludo do pastor e dali para o cheiro das velas de cera de abelha. Ela não conseguia imaginar o amanhã. Wesley e Solange: seu *presente* transformara-se em *passado*.

Ao lado do túmulo, ela deu uma rosa a Pauline para que a menina a jogasse sobre o caixão do pai, e Ruth jogou algo embrulhado num pano azul entre as flores. Solange jogou um pouco de terra sobre o caixão.

O céu estava cor de barba-de-velho.

De volta à carruagem de Pierre, o cheiro forte de couro recém-tingido e do óleo de tutano usado no amaciamento deixou Solange enjoada. Ela lutou contra a ânsia de vômito. A fita preta de seu vestido de luto se esticava como amarras de âncora em sua barriga protuberante.

Na casa de Pierre, homens e mulheres conhecidos e desconhecidos lhe deram os pêsames e tapinhas em sua mão sem vida. Por que ela deveria acreditar neles? Seus entes queridos ainda viviam! Os irmãos O'Haras, pelo menos, não se ofereceram para tocá-la.

— Nós sentimos pelo seu dissabor, *madame.*

Os apreciadores de álcool bebiam, os famintos faziam fila no bufê. Philippe estava chocado: seu pesar pelo filho natimorto superava qualquer outro. Dois outros convidados estavam inteiramente de luto, outros usavam faixas pretas, e alguns cavalheiros tinham broches de luto na lapela. Antonia Sevier a abraçou. Antonia não havia perdido uma irmã recentemente? Aqueles que tinham vindo para marcar a morte de Seu Wesley eram um promontório que ruía metro por metro, bem-amado por bem-amado, dentro do mar. O conhaque que Nehemiah lhe deu tinha gosto de água.

Ruth dava bolo para Pauline e a protegia das condolências efusivas dos adultos que faziam a criança chorar.

Solange chorava.

O que ela iria fazer? O que fazer? Ela sempre fizera. Algo. Ela sempre *fizera* algo.

Tudo estava embaçado. Por que ela não conseguia enxergar em meio à maldita névoa?

Ela agarrou o braço de Pierre Robillard.

— Pierre, meu caro Pierre. Você precisa me ajudar. Preciso vender o negócio.

Ele deu um tapinha na mão dela.

— Sim, cara Solange.

— Em breve precisarei de dinheiro. Sem Wesley...

— Pobre Wesley, meu querido amigo — lamentou Pierre com um soluço. Tirando um lenço de grandes dimensões da manga, assoou o nariz. Solange fechou a mão vazia.

— Pierre. Você precisa me ajudar a vender a empresa de Wesley.

— Ah, minha cara. Oh, minha cara...

Solange controlou a vontade de consolá-lo. Pierre estava tão *indefeso*. O Sr. Haversham ofereceu os pêsames. A mulher dele ficou aguardando na porta para ir embora. A Sra. Haversham não estava usando um broche de luto? Um primo favorito? Solange ouvira qualquer coisa do tipo...

O rosto do Sr. Haversham estava envelhecido e as faces, antes rechonchudas, pendiam das maçãs como as de um cão perdigueiro. Seus olhos estavam injetados, tão vermelhos que deviam doer.

— Muita gentileza da sua parte ter vindo — agradeceu Solange.

Quando eles saíram, Solange perguntou a Pierre:

— O primo da Sra. Haversham...?

— John Whitemore, sim. John era um dos voluntários do General Jackson. Os ferimentos de guerra...

— Estamos todos de luto, todos aqui...

Pensamento que renovou as lágrimas de Pierre.

— Sua querida Louisa, a estimada Clara. Você deve sentir muita falta delas.

— Ah, sinto! Como sinto!

— Pierre, preciso vender nossa casa. Vou me mudar para a Casa Rosa.

— *O quê?*— Ele enxugou os olhos.

— Não posso sustentar dois domicílios.

— Minha nossa. Minha nossa, Solange. Mas a sua Casa Rosa não está pronta!

— O encanamento não está, mas eu passei a vida toda sem isso e posso muito bem continuar assim.

— Os quartos?

— Inacabados. Mas o telhado é novo, a parte externa está pronta; portas e janelas estão instaladas. Ora, até tenho uma bela escadaria em curva de mogno. Pelo menos, parte dela...

Em seguida os dois choraram por seus amados perdidos e doces sonhos que deram em nada.

De manhã cedo no dia seguinte, Nehemiah chegou com carroções e os homens de O'Hara para fazer a mudança de Solange para a Casa Rosa. Ela, Ruth e Pauline foram com a primeira leva. Pesar esquecido, Pauline correu pelos cômodos vazios.

Os homens de O'Hara depositaram sofás e aparadores na sala de estar. Essa sala inacabada seria o quarto de Solange, enquanto Ruth e Pauline dividiriam a sala menor, que teria sido o gabinete de Wesley.

— O Sinhô Wesley ele deve tá se rino agora — comentou Ruth. — Veno Pauline mais eu aqui!

— Rindo! — disse Solange ultrajada. — Ora, o que você quer dizer com isso?

— Ah, o Sinhô Wesley gosta das coisa separada. O negócio dele fica no negócio dele. Agora nós vai tá roncano no negócio do Sinhô Wesley. — Ruth deu uma risadinha.

— Como você sabe o que Wesley pensa... pensava?

Ruth foi até uma cristaleira que estava sendo carregada com descuido e respondeu, distraída:

— Ah, eu falo com ele. Falo com o Sinhô Augustin tamém. — Para os homens de O'Hara, ela avisou: — Cuidado com isso! É de vidro! — Os olhos dela brilharam. — Eles se preocupa com vosmecê. Seus dois marido tão cuidano de vosmecê.

Solange sentiu uma curiosa luminescência nas laterais da vista e a imobilidade que pressagiava uma forte dor de cabeça. Ela engoliu bile. Fingindo uma animação que não sentia, disse:

— Seremos felizes aqui. Depois que eu vender nossa outra casa, ficaremos muito bem.

Quebrado o encanto, com sua alegria costumeira, Ruth retrucou:

— Sim, sinhá. Tenho certeza que vosmecê vai ficá. Sempre ficô e vai sempre ficá. — Ela agitou um dedo para os homens. — Tome cuidado com isso. Não é d'ocês e ocês num têm dinhero pra pagá se arrebentá com isso.

A mobília de Solange ficou à deriva no cômodo muito grande, e seus tapetes eram ilhas em mares de piso de pinho amarelo. O pensamento "Seremos felizes aqui" surgiu sem convite em sua mente e ela o dispensou com uma piscadela, mandando os homens de O'Hara mudar sua cama com dossel (a *sua* cama, não a *deles*) para outra parede.

Ruth levou Pauline para dormir a sesta.

Mais tarde, Solange estava sentada naquela cama com pensamentos que não chegavam a lugar nenhum quando Ruth voltou, chateada.

— O que foi agora?

— A sinhá tem que ir inté a cochera. Faz esse favô.

— Mas...

— Arguém qué falá com vosmecê. Tá esperano na cochera.

— Mais tarde, Ruth. Preciso descansar. Diga para quem quer que seja que volte depois.

— Ele num pode! Ele tá ino embora.

Solange viu duas Ruths tremeluzentes lado a lado, separando-se e reunindo-se novamente. Ela temeu que fosse vomitar.

— Muito bem. Se é tão desesperadamente importante... Me busque um copo d'água.

Enquanto Ruth foi buscar água, Solange foi até a cocheira. O marco vazio da porta pulsava. Suas vidraças sujas cintilavam de modo sinistro.

Jehu Glen afiava cinzéis na bancada vazia. *Lima prá lá; lima pra cá.* Ele pingou óleo na pedra.

— O que está fazendo aqui? O Sr. Jameson não lhe pagou?

Jehu se virou de repente, *muito de repente,* e tirou o chapéu.

— Desculpe, sinhá. Num ovi vosmecê chegano. Esses cinzel são de aço Sheffield e precisam de cuidado. — Ele acariciou um cabo de madeira.

Solange estava com vontade de gritar. Ela umedeceu os lábios.

— Você já acabou aqui.

— Sim, sinhá. Eu vorto quando vosmecê quisé que eu complete a escada. Só farta duas semana.

— Por enquanto, não.

— Sim, sinhá, eu sei. A escada pode sê acabada a quarqué hora. Vosmecê diz e eu venho.

— Jehu, não estou me sentindo bem e você precisa ir. Agora.

— Sinhá Evans, eu num posso ir antes de lhe fazê uma proposta. Fiquei esperano o dia todo.

— Sua proposta... ela... ela vai esperar.

— Não, sinhá, num pode mais. Eu já carreguei minha carroça, comprei minha mula e tô pronto pra ir. Já tava pronto onte.

Solange sentiu a mão suar. Ruth tinha lhe trazido a água. Ela levou o copo aos lábios e bebeu a água.

— Eu comprei a madera que o Sinhô Jameson num vai precisá. Pagam bom dinhero por noguera e cerejera em Charleston. — Jehu balançou a cabeça diante desse fato incrível. — Tô com a nota de venda do Seu Jameson aqui comigo.

Solange viu algo escrito no papel que ele tirou do bolso do colete. Reconheceu a assinatura de Jameson.

— Sinto muito sobre o Seu Evans. Ele era... — ele buscou a palavra — ele era muito bão.

— Sim, era.

Jehu pôs o chapéu, mas o tirou em seguida, como se sua mão o tivesse traído.

— Jehu... — disse Ruth.

— Eu quero me casá com a Srta. Ruth.

Solange fechou os olhos, mas os abriu novamente quando começou a oscilar.

— Vocês querem juntar os trapos. Como Ruth é minha criada e você é um negro livre, isso apresenta dificuldades que podemos resolver quando você retornar à cidade.

— Eu num vô vortá. — Depois, animadamente: — Até que o Sinhô Jameson mande me chamá. Uma bela duma escada, sinhá. Só farta duas semana.

Solange entregou o copo vazio para Ruth.

— Depois — disse ela. — Volte mais tarde.

— Nós num vai juntá os trapo, sinhá. Eu mais Ruth vai se casá na igreja. Vamo ficá na frente de todo mundo. Inté que a morte nos separe.

— Isso não será possível. Ruth é minha... Ruth me pertence.

Os olhos dele estavam tão ardentes, tão determinados! O rosto de Jehu virou um borrão e Solange ouviu sua voz como se estivesse submersa.

— Eu sô bão com as mão.

Estupidamente, Solange pensou: "Ah, você é bom com as mãos."

— Mas pra falá num levo jeito.

"De fato", Solange pensou.

— Eu compro a Ruth. Eu tem dinhero.

Ao lado dela, Ruth sussurrou.

— Vamo, Jehu. Mostra o dinhero pra sinhá.

Ruth... a sua Ruth era uma forma, uma forma negra borrada. Solange precisava de um lugar escuro e fresco. As janelas da Casa Rosa não tinham cortinas. Não havia cômodos escuros onde ela pudesse se deitar enquanto Ruth botava um pano frio em sua testa.

— Amanhã. Eu penso nisso amanhã.

— Sinhá Evans, toda essa chuva tá fazeno os rio subi e eu preciso de ir. Eu tô indo com ou sem a Ruth. Ela diz que dinhero vivo tá sendo bão.

O homem desatou uma carteira de couro do cinto, colocou-a na bancada e contou cuidadosamente as águias de ouro de 10 dólares, oito pilhas de cinco. Agachou-se para visualizar cada pilha idêntica, sem conter uma a mais ou a menos.

— Podia tê dado quinhentos ano passado, mas os preço baxô e quatrocentos é mais que justo. Onte mermu, uma garota como a Ruth... só que não tão bonita... pegô trezentos na Vendue House. Quatrocentos é mais que justo.

Solange murmurou:

— Ruth?

Ruth apertou bem a mão dela.

— A sinhá foi boa pra mim. Eu vô senti saudade de vosmecê e da Pauline. Eu qué ir. Eu qué sê Sinhá Jehu Glen.

— Mas quem vai cuidar de mim? — uivou Solange.

Ocê vira quem faz de conta que é

ASSIM QUE A luz do sol dourou a relva do pântano, um mulato muito magro e uma mulher muito negra partiram de Savannah pela antiga Estrada Real. Ela se equilibrava sobre um baú de ferramentas numa carroça decrépita ao lado de tábuas de cerejeira, nogueira e mogno de diferentes tamanhos. O homem conduzia a mula velha, que tendia muito a inclinar.

Ruth se maravilhava com as flores da primavera, o coaxar das rãs minúsculas e dos sapos grandes, além de todos aqueles pássaros arremetendo e mergulhando sobre as tábuas e o capim alto. Ruth entendia exatamente como eles se sentiam, pois era como ela também se sentia!

A Estrada Real não fazia jus ao nome; era uma trilha estreita de areia, intercalada por trechos cobertos de conchas e por tábuas ou troncos servindo de ponte sobre pequenos córregos. Às vezes, Jehu tinha de arregaçar as calças e cruzar a vau, puxando a mula que zurrava.

Eles foram para a beira, deixando passar outras carroças, cavaleiros e um grupo de 22 negros acorrentados andando em fila indiana atrás do especulador de escravos, que cochilava sobre a sela, sendo levados pelo condutor, um negro robusto, cujo chicote repousava no ombro. Os negros não viram Ruth, Jehu nem os pássaros do pântano ou o capim alto. Eles viam as ancas balouçantes do cavalo do especulador ou as costas do negro à sua frente. Seus pés rangiam na areia, as correntes tilintavam, uma respiração áspera e audível, alguém choramingava.

Ao passarem, eles levaram a luz junto e por algum tempo Ruth não olhou mais em volta. Ela ouvia o som dos cascos da mula e o cansativo rangido previsível de um eixo mal-engraxado. O céu tinha ficado cinza, o pântano se estendia até o horizonte plano e aqueles pássaros mergulhadores estavam matando e comendo todas as criaturas que podiam. Ruth estremeceu e cobriu o corpo com o xale.

Eles seguiram seu caminho até o anoitecer, quando pararam, dividiram um pão e um pedaço de queijo duro. Jehu desencilhou e amarrou a mula, e eles se deitaram embaixo da carroça. Jehu estava cansado demais para falar, e Ruth, com muito medo. Uma palavra errada poderia permitir qualquer coisa. Qualquer coisa! Ela se enroscou nas costas de Jehu, enfiou os joelhos em suas reentrâncias e adormeceu.

Na manhã seguinte, os peregrinos chegaram à larga extensão do estreito Port Royal. Um ponto distante finalmente virou uma balsa sob uma vela triangular amarela. De seu assento na proa o barqueiro berrava instruções para dois negros sem camisa, cujas calças rasgadas desafiavam o recato. O barqueiro cuspiu o toco de seu charuto na água enquanto o timoneiro largava o leme para se arremeter adiante e garantir a entrada da embarcação em sua doca flutuante.

Rapidamente, o capitão pisou em terra firme, exigindo os papéis.

— Peguei quatro fugitivos ano passado. — Ele correu o dedo pelo certificado de emancipação de Jehu. — Cinquenta dólares de recompensa pelo escravo para toda obra, 30 pela doméstica, 20 pela criança. É claro — o homem admitiu sombriamente —, tive de dividir com o capitão-do-mato, mas foi dinheiro achado. Ninguém queria o fugitivo velho, então ele morreu comigo. O escravo deve ser prudente quando foge, no caso de o patrão não querer mais ele. A rapariga também é emancipada?

Ele analisou a nota de venda de Ruth.

— Ah, agora você é senhor? Senhor Jehu Glen? — O barqueiro deu uma gargalhada. — Esse é o melhor lugar para pegar negros fujões. O único para cruzar o estreito de Port Royal em 160 quilômetros para cima e para baixo, a menos que você nade feito peixe. — Satisfeito com a expressão familiar, ele repetiu: — Feito *peixe*!

A fisionomia de Jehu nada traiu, mas seus olhos não deixavam as mãos do capitão com os preciosos papéis, que significavam quem ele e Ruth eram nesse mundo desapiedado. Finalmente, o barqueiro os dobrou descuidadamente e os devolveu a Jehu, que os redobrou de acordo com os vincos originais, colocou um sobre o outro em sua carteira impermeável, guardou-a no bolso interno do colete de couro sobre seu coração pulsante.

— Eu e a senhorita precisa cruzá, sor. Quanto custa? — perguntou Jehu.

O barqueiro esfregou o queixo, pensando.

— Dez centavos cada. Mais 25 pela carroça e a mula.

— Sor, isso é meio dia de salário.

O homem sorriu.

— Como eu lhe disse: são 160 quilômetros até a próxima travessia.

Uma nuvem de pó vindo da direção de Savannah materializou-se num tropeiro ruivo com vinte bois da raça Aryshire pretos e castanhos.

O capitão cumprimentou o tropeiro com intimidade.

— Tudo calmo hoje, Tom — disse ele. — Não como da última vez.

— Sor... — chamou Jehu.

— Já volto pra vocês assim que o velho Tom atravessar. — Ele deu uma risadinha. — *Desde que* você tenha meus 45 centavos.

— Ah, dinhero eu tem. Sor, tem muito lugá...

O capitão deu uma gargalhada.

— É, mas esses Aryshire são pe-cu-lia-res. — Ele riu, mas o tropeiro ruivo pareceu constrangido.

Os bois baixaram a cabeça, fazendo objeção à prancha de embarque escorregadia, mas o tropeiro era onipresente com seu chicote e não demorou para que todos estivessem embarcados.

A vela virou com um rangido e então o negro mais jovem levantou as amarras da escora, correndo em seguida até o leme, onde os dois homens aguardaram até a corrente capturar a embarcação antes de fazerem o leme roncar, usando-o para direcionar o curso.

Jehu se empoleirou na carroça enquanto a balsa se punha a barlavento na travessia do estreito. Quando Ruth pôs a mão em seu ombro, ele disse:

— Agora não.

Eles dividiram um pedaço de pão e puseram a mula para pastar. Ficaram esperando enquanto o sol se dirigia para Savannah e afundava no pântano. Nuvens de mosquitos saíram do nada. As aves estridentes do pântano faziam seu banquete.

Apareceu um coche com um cocheiro todo de preto e uma mulher. Ruth achou que ele fosse um pastor. O cocheiro não disse uma palavra e, quando a mulher falou, foi inclinando-se para sussurrar. Talvez, pensou Ruth, ele não fosse pastor. Talvez fossem fugitivos! A ideia a alegrou. Apareceu um granjeiro malvestido com dois porquinhos amarrados em cordas. O granjeiro se encostou no coche do pregador e os dois homens brancos começaram a conversar.

Quando a balsa se aproximou da margem, Jehu lançou um olhar casual para os viajantes que poderiam tomar o lugar deles, mas não disse nada a Ruth, que, apesar de ter percebido, também não falou uma palavra. O barqueiro mordeu a moeda de prata de 25 centavos antes de conduzi-los a bordo atrás do pastor, do granjeiro e seus porcos. A brisa estava fraca e a balsa ficou à deriva por um bom tempo antes que sua vela triangular virasse e ficasse cheia.

Jehu ficou na popa da embarcação com os negros esfarrapados. O mais velho riu de algo que Jehu disse. O pastor e a mulher conversavam. Um porquinho fungou e grunhiu. O negro mais jovem dirigia enquanto o mais velho tirava um cochilo abraçado aos joelhos. A margem oeste ia virando uma linha enquanto a leste ganhava contornos.

O sol era uma faixa amarela quando a carroça deles chegou rangendo à terra firme.

— Agora ocê tá na Carolina — disse Jehu.

— A merma coisa que a Geórgia — disse Ruth. As mesmas palmeiras, os mesmos carvalhos, o mesmo solo arenoso, o mesmo musgo pendente.

Em cima de uma pequena colina, as velas brilhavam nas janelas do Shellpoint Inn. O pastor entregou seu veículo a um garoto negro e entrou com a mulher. O granjeiro e os porquinhos seguiram pela estrada. Jehu deu a volta até os fundos, onde a cozinheira disse que eles poderiam dormir no celeiro por 10 centavos mais metade disso pela forragem da mula. Dois centavos por uma tigela de feijão com presunto. Eles puseram a tigela no meio e dividiram seu conteúdo, uma colher cheia por vez. Jehu fez questão que Ruth raspasse o prato.

Um gavião noturno passou pela luz do lampião quando a cozinheira abriu a porta da cozinha. Barulho de panelas. Uma voz lá dentro.

Jehu desencilhou a mula e a amarrou onde pudesse alcançar feno e água. Uma luz fraca entrava pelas frestas das paredes de troncos. A mula resfolegou dentro do balde de água.

Não havia sinal de que negros tivessem dormido ali antes, mas isso não significava nada. Negros não possuem nada para deixar abandonado. Jehu levou suas ferramentas e a caixa de ferramentas para um estábulo e estendeu o cobertor deles em cima de um monte de feno que caía de uma manjedoura. Ele tirou a camisa. Sob a luz fraca, sua pele brilhava como aço molhado.

Jehu olhou para Ruth.

— Agora ocê é minha. Eu faço o que quisé com ocê.

Ela se deixou levar pelo sorriso largo dele.

— Ah, sinhô. Num faz isso comigo! Eu nunca conheci nenhum home antes — disse ela. — Oh, não, sinhô — continuou Ruth quando as delicadas mãos de Jehu libertaram seus seios. — Sim, sinhô — concordou, quando ele a penetrou.

Charleston era como Savannah, porém mais rica, mais movimentada e mais negra. A cidade se estendia ao longo da estreita península onde os rios Ashley e Cooper se encontravam. Ali aportavam embarcações, dali zarpavam, levantavam as velas, formavam ondas de proa e faziam todas aquelas coisas que barcos grandes e pequenos costumam fazer. As residências de Charleston eram maiores que as de Savannah, porém, com exceção do White Point, Charleston não tinha parques e praças públicas. As avenidas principais corriam de norte a sul e o parque White Point, na ponta da península, era praticamente o único lugar em Charleston onde, como os negros tinham a entrada proibida, havia mais brancos que pessoas de cor. Os senhores brancos de Charleston eram mais arrogantes que os de Savannah e mais rápidos no uso de uma chibata ou chicote.

Os senhores brancos mais sensíveis mandavam os criados para a casa de correção para serem açoitados. Como anteriormente a casa de correção havia sido um depósito de açúcar, eles eram mandados lá "para buscar açúcar".

Jehu vendeu sua madeira, a carroça e a mula e alugou um barraco de dois cômodos nos fundos de um comércio atacadista de arroz na Anson Street. Cada peça era ventilada por uma janela sem vidraça ou cortina e o telhado ficava à sombra durante as horas mais quentes do dia. Ruth mandava Jehu tirar os sapatos do lado de fora, antes de pôr os pés no piso de madeira, que ela havia esfregado e alvejado até ficar liso feito vidro. Ela pintou o marco da porta e o peitoril da janela de azul para impedir a entrada dos espíritos e pendurava musgo, ervas e plantas que perfumassem o ar (além de manter a cabeça de Jehu fixa na devida mulher). Ao pôr do sol, quando a brisa vinha do rio, eles comiam arroz com feijão ou verduras fritas, às vezes com um pouco de porco salgado. Jehu geralmente tomava uma dose de uísque depois, apenas uma, mas Ruth nunca. Era a chance que eles tinham de conversar, mas nunca falavam muito.

Jehu tinha mais trabalho do que podia fazer. Suas escadarias e obras de marcenaria haviam lhe dado uma boa reputação, embora seus clientes alardeassem que Jehu era "aprendiz do inglês".

Ele gastara a maior parte de seu capital na compra de Ruth. Às vezes se perguntava se não deveria ter oferecido menos.

— Qual é o meu valô procê?

— Num quis dizê nada com isso. Dinhero faz dinhero se a gente sabe como usá.

— Eu nunca vi dinhero fazê coisa arguma. Essa moeda de 10 centavo, ela só fica aí parada. "Moeda, levanta e vai varrê meu chão. Num consegue? Num consegue, é?" Acho que eu mermu vô tê de varrê.

— O capital — ensinava Jehu — faz um home sê livre. Se tivesse capital bastante, nós comia carne todas as noite. Foi o capital que te alugô esse lugar.

Dando uma risadinha, ela se sentou no colo dele.

— Eu tô aqui.

Ruth encontrou trabalho como vendedora numa banca do mercado. Ela havia esquecido suas línguas da infância, mas não como conduzir uma negociação.

Quando ela entregou seus pequenos ganhos para ele, Jehu disse:

— Nós finge que ocê é escrava de Jehu, mas nós sabe quem é escravo de quem, num é, garota?

A maioria dos mulatos livres de Charleston assistia ao culto com os brancos na Igreja Episcopal de St. Philip. A taxa de iniciação de sua Sociedade Marrom era de 50 dólares e eles pagavam mensalidades também. Alguns possuíam escravos; uns poucos mulatos ricos chegavam a possuir uma dúzia de escravos.

Como a maioria dos negros, Jehu e Ruth frequentavam a Igreja Episcopal Africana Metodista na Cow Alley no extremo norte. Era um prédio grande e novo, caiado de branco por dentro e por fora; ninguém iria querer esfregar suas melhores roupas dominicais em nenhuma parede, pois a madeira verde ainda vertia resina, que passava pelo cal. Os bancos não tinham encosto, nem o púlpito, ornamentos, mas Jehu Glen havia feito a porta de entrada com a melhor cerejeira, que o pastor, Reverendo Morris Brown, fechava e abria com uma grande chave de ferro.

Antes de seguir o chamado de Deus e ir para a Filadélfia, onde foi instruído e ordenado, o Reverendo Brown era um negro livre, fabricante de botas. A próspera igreja de Brown fazia casamentos, funerais e dava bênçãos, assim como oferecia estudos bíblicos para os que não sabiam ler a Bíblia e escola dominical para seus filhos.

Fundada por negros livres, artesãos bem conhecidos, a igreja africana era uma nítida prova de que as pessoas de cor podiam prosperar neste mundo e serem iguais ao próximo.

A igreja africana era o único lugar do Low Country onde os negros podiam se reunir sem a presença de brancos, a única porta que eles podiam trancar. A Sociedade Marrom e a igreja da Cow Alley eram os pilares da sociedade negra na próspera cidade portuária de 23 mil habitantes.

Pearl, a amiga de Ruth na igreja, brincava:

— Ocê tem o que devia tê e mais o que eu devia tê tamém. — Havia alguma verdade nisso. O pequeno rosto de Pearl espreitava de baixo do lenço e ela era reta feito um garoto. Havia nascido na fazenda Ravanel... — No tempo que eles prantava índigo. Antes de chegá o arroz, sabe. — Sendo filha de uma criada doméstica, tornara-se criada doméstica também. — A Sinhá Ravanel num gosta da cidade — contou Pearl. — Mas o Coroné Ravanel gosta. Entonce, nós fica na cidade a maió parte do tempo. O Coroné Ravanel é famoso pelos cavalo dele!

A Sra. Ravanel precisava de uma aia para sua pequena Penny, mas não queria comprar uma.

— E se a aia num é boa? Num é todo dia que chega uma aia das boa no mercado de escravo. E se a sinhá compra uma aia que diz que faz quarqué coisa, mais num sabe fazê nada, o que a sinhá vai fazê entonce? Vai tê de vendê ela de novo e, nesse meio-tempo, o que acontece com a Sinhazinha Penny?

— Pruque ocê num serve de aia?

— Pur causa de que eu num gosto de criança. Criança é tudo chata!

— Pruque ocê tá me contano isso?

— Pur causa de que a Sinhá Ravanel tá procurano uma aia pra contratá. Ela pode despedi quarqué aia que num funcioná, o que num chega perto do pobrema de vendê uma. Ocê já num foi aia?

Ruth riu.

— Eu era Mammy Ruth antes de sê Sinhá Glen.

— Ocê ainda num é Sinhá Glen — Pearl deu uma risadinha. — Ocês vive em pecado.

— Pur enquanto — corrigiu Ruth.

Frances Ravanel contratou Ruth por recomendação de Pearl. Penélope (Penny) Ravanel tinha 2 anos e era "difícil", mas Ruth se afeiçoou à criança.

— Nós duas num somo tão diferente, benzim. Nós num escuta ninguém, só nós merma — disse Ruth a ela. O que, embora não fosse estritamente verdadeiro em relação a Ruth, certamente era em relação à Senhorita Penny.

Jehu não ficou completamente satisfeito com o novo emprego de Ruth.

— Ocê tá de criada otra vez!

— Ocê tá ganhano 2 dólar cada dia que trabaia. A Sinhá Ravanel me paga 50 centavo. A gente continua a comê como comia e paga nosso alugué e num compra nem uísque nem tabaco... — Ela fez uma pausa.

— Continua.

— Nós pode vivê do meu salário e o seu pode sê o capital.

— E a igreja?

— Cinco centavo pra coleta de todo domingo.

— Vô pensá.

Ruth sabia que a decisão já tinha sido tomada.

O Coronel Ravanel havia lutado sob o comando de Andrew Jackson na Batalha de Horseshoe Bend e, embora nunca usasse da falsa modéstia, também não alardeava o fato. A maior parte dos fazendeiros do Low Country havia se esquivado da guerra e, como um dos poucos heróis da região, Jack fora convidado para concorrer ao Senado.

Ele dispensou o convite com uma risada.

— Vocês não querem um senador que entenda tanto de cavalos como eu. Ele pode sair galopando.

Quando o próprio Governador Bennett fez o pedido, o Coronel Jack lhe disse:

— Nós dizimamos aqueles índios como se fossem porcos num chiqueiro. Não creio que isso me qualifique para criar leis.

Como a mulher de Jack, Frances, geralmente abrandava os humores e a língua do coronel, James Petigru comentou:

— Pena que a Frances não possa concorrer ao Senado no lugar de Jack. — Um comentário que circulou.

A recusa de Jack e seu desdém pelo "chiqueiro" fizeram ruir o que a boa vontade lhe trouxera pelo heroísmo e nunca mais lhe pediram para concorrer a qualquer cargo público.

Jack não ligou. Ele era feliz montando, treinando, apostando ou comparando cavalos de corrida, e alguns afirmavam:

— O único ser humano de quem Jack Ravanel já gostou foi sua mulher. — Acrescentando. — Sorte a dele que sua mulher é a Frances.

Frances era uma daquelas afortunadas que conseguia adotar a dignidade ou descartá-la com a facilidade com que trocava de chapéus. Sua perfeita compostura na Igreja Episcopal de St. Philip ou no passeio da Bay Street se dissolvia em uma risada de garota diante das piadas grosseiras de que seu marido era fã e permitia as carícias travessas de Jack quando achava que os criados não estavam olhando.

Depois de preparar dois ovos, um mingau de aveia e servir a Jehu com um pedaço do pão dormido, Ruth ia até a casa dos Ravanel para vestir a Srta. Penny e dar de comer a ela. Ao meio-dia, enquanto a criança dormia a sesta, Ruth levava o almoço para Jehu. Entre as aparas aromáticas e o cheiro forte de cola, Jehu comia seu queijo e sua maçã enquanto Ruth pensava em como *Le Bon Dieu* podia tê-la abençoado tanto.

Certo dia, quando Jehu limpava a boca e pegava as ferramentas, Ruth lhe disse que queria ser uma mulher casada quando o bebê viesse.

— Ora... — começou Jehu. — Eu... Bebê? — Tirando-a do chão, ele abraçou Ruth, mas apenas seu torso, afastando-se da barriga preciosa.

Jehu pediu a Denmark Vesey que fosse padrinho de casamento deles. Décadas atrás, Denmark tinha sido camareiro do Capitão Vesey (alguns sussurravam que o belo garoto fora mais que isso), mas Vesey o vendeu a um fazendeiro de São Domingos. Depois de chegar à fazenda, o garoto teve crises de epilepsia: debatendo-se, delirando, espumando e mordendo com tanto vigor que o fazendeiro desgostoso o devolveu ao navio em troca de reembolso total.

Apesar daquele intervalo nada auspicioso, o garoto readquiriu a confiança do capitão, aprendeu a ler e acabou se tornando secretário dele. Quando o capitão se aposentou do mar para abrir uma fábrica de velas de cera na East Bay, Denmark Vesey desempenhou as tarefas que um gerente branco desempenharia.

— Mil novecentos e oitenta e quatro — disse Jehu com entusiasmo. — Mil novecentos e oitenta e quatro foi o número de loteria que Deus disse pro Denmark jogá. Garota, sabe quanto o Denmark ganhô?

Ruth, que já ouvira essa história antes, perguntou, como esperado.

— Quanto?

— Mil e quinhentos dólar.

— Tudo isso?

— Denmark comprô a própia liberdade. Ninguém emancipô o Denmark Vesey. Ele mermu se fez livre.

— A muié do Vesey, a Susan, ela é livre? Os filho dele?

— Denmark podia morá em quarqué lugá do mundo. Podia ir pra Libéria, pro Haiti, pro Canadá... podia ir embora do Low Country, ir pra Filadérfia. Num existe escravo na Filadérfia.

— A muié e os filho dele tamém vai?

— Não, num vai. Denmark num vai pruque num *vai querê* e eles num vai pruque num *pode*!

O carpinteiro de 64 anos, muito alto e muito preto, ensinava a Bíblia em sua casa nas noites de terças e sextas.

O Reverendo Morris Brown, o pastor *ordenado* da igreja da Cow Alley, tinha a pele marrom como Jehu. O pouco cabelo que se acumulava atrás da careca estava sempre arrumado contra o vento, mesmo quando não ventava. Brown era ligeiramente surdo e, às vezes, apesar dos gentis acenos de cabeça, não entendia o que estava sendo dito. Os bondosos olhos cristãos de Brown focavam no Novo Testamento, mais amoroso, enquanto Vesey, a contrapartida não oficial de Brown, raramente se afastava do Antigo, mais duro.

Os senhores, até os mais conservadores, que não confiavam em nenhuma reunião de negros, não viam perigo em Brown e, como cristãos, esperavam encontrar o pastor e seus servos no Paraíso, onde poderiam precisar deles.

Diante de sua congregação, o radiante Reverendo Brown uniu em matrimônio o Sr. e a Sra. Jehu Glen e pediu a Deus que abençoasse aquela união. Ruth nunca pensou que poderia ser tão feliz. Ela flutuava com a leveza de uma pluma.

Ruth usou o vestido azul solto, de modo que sua barriga não se casou antes de si própria, e Jehu estava o próprio Mestre Construtor de Escadas, vestindo a casaca usada do Coronel Jack e uma cartola esmagada por um cavalo. Ruth comprou a gravata de linho branco de Jehu com os centavos que a Sra. Ravanel lhe dera de presente de casamento.

Ao lado dela no altar, Pearl segurava a aliança de casamento que Jehu havia feito a partir de uma moeda espanhola de prata. Denmark Vesey assomava sobre Jehu como Golias. Depois de Pearl entregar a aliança e Jehu colocá-la no dedo de Ruth (era tão pesada!), o Pastor Brown declarou que eles estavam casados e que Jehu poderia beijá-la, o que ele fez enquanto Denmark Vesey falava:

— Esse home aqui presente e sua esposa agora são um e é o desejo de Deus que um permaneçam. Nenhum home, seja de cor, nego liberto ou sinhô, pode separá-los.

O Pastor Brown não era o único adulto que abria espaço para Denmark Vesey. O cabelo grisalho do homem era bem curtinho, mas seu tamanho e sua vasta barba grisalha o faziam parecer com

Abraão, o Rei Saul ou outro governante bíblico. Quando Vesey se aproximava, alguns brancos preferiam atravessar a rua a ir para o lado e lhe dar passagem.

Conforme o Sr. e a Sra. Glen iam saindo pelo corredor da igreja, Gullah Jack, o sacerdote do vodu, batia palmas e dançava em volta deles, gritando:

— Deus os uniu. Os esprito tão abençoano essa união. Os esprito tão despejano amor!

O casal parou com Gullah Jack sacudindo seu chocalho de cabaça. Ele o sacudiu para Ruth e seus olhos saltaram.

— Quem é ocê, muié? A quem pretence?

Ruth enfiou o braço no de Jehu.

— Sô dele agora. Num oviu?

Como se Ruth tivesse respondido a uma pergunta que ele não tinha feito, Gullah Jack sustentou o olhar dela até as pessoas ficarem inquietas e o Pastor Brown dizer:

— Jack! Já chega!

— Muié, ocê sabe do que eu tô falano! Ocê e os esprito sabe! — Jack deixou escapar e se virou para ir.

Jehu apertou a mão de Ruth para levá-la para casa.

Vesey murmurou apenas para os ouvidos deles.

— Gullah Jack, ele tem poder, mas num tem bom senso.

Jehu e Ruth sorriram. Vesey deu um tapa no ombro de Jehu e confidenciou para que toda a congregação pudesse ouvir:

— Ocê arrumô um home bom. Jehu é marrom que chega pra Sociedade Marrom, mas Jehu é preto como eu.

Seus olhos passaram pelos ouvintes.

— Os mulato num têm muito a perdê.

— Denmark, pru que ocê tá pregano no dia do *meu* casamento?

Ele deu uma risada de homem grande, mas não desviou o assunto.

— Os mulato espera desbotá e virá homem branco. Têm os hábito do homem branco, os negócio do homem branco, vai na Igreja Episcopal de St. Philip com os branco. Eles fica lá no sótão... todos os home de cor fica lá em cima... mas, minha nossa, pru que fazê alarde disso?! Pru que num faz objeção de num podê entrá pela nave e testemunhá seu amor por Jesus? Pru que num faz objeção de tê escravo também? Pru que os escravo que eles têm é preto, não marrom? Os marrom vai desbotá até um dia num tê mais negrume algum e ficá branco como a neve.

Jehu concordava com tudo que o homem dizia, então Ruth lhe deu uma forte cutucada nas costelas para lembrá-lo o motivo para estarem ali. Pelo canto do olho, Ruth viu o Pastor Brown ir embora quase como se estivesse fugindo.

Então ela se afastou do marido e de seus amigos e foi até a amiga Pearl, que a abraçou (com cuidado) e disse que Ruth era a noiva mais linda que ela já tinha visto, e Ruth sorriu porque sabia que era verdade.

Pearl apresentou Ruth a Thomas Bonneau, que tinha o rosto e as mãos castigados pelo mar salgado e pelo tempo. O sorriso dele era brilhante.

— Já vi ocê no mercado. Ocê é aquele pescadô!

— Mais caçadô de ostra, mas eu sei onde os pexe gosta de se escondê. Eu tamém vi ocê, Sinhá Ruth. Difício num vê uma garota como ocê.

— Thomas! — advertiu Pearl e depois deu uma risadinha. — Ele faz de conta que é rebelde, mas Thomas é mansim, mansim.

— Ocê foi a única que me amansô — atestou Thomas.

— Óia só pra ocê — disse Pearl. — Sinhá Glen. É isso que ocê é agora.

— Faz tanto tempo que sô Ruth. Num me alembro quem eu era antes.

Nuvens esparsas decoravam o céu indiferente acima dos negros que tomavam refrescos no pátio da igreja da Cow Alley. O Sr. e a Sra. Glen sentavam-se nos degraus da entrada ao lado de Thomas Bonneau e Pearl.

— Jehu — sussurrou Ruth. — Tô me sentino tão *importante*. Como se fosse uma rainha ou coisa parecida.

— Thomas, num vai me apresentá?

O garoto impetuoso era mais ou menos um ano mais moço que Ruth. Ele tinha a pele marrom e era muito bonito.

— Este garoto é o Hercules. Ele se imagina um cavalero.

— "Eu me imagino", pescadô? — Sobrancelhas incrédulas e um sorriso brilhante. — Um dia vô vencê as corrida do Jóquei Clube. Pode apostá!

— Aposto que eu conheço um nego que se acha o máximo.

— Craro que me acho. Craro que sim! Garota, agora que a gente se conhece, eu proponho você largá de sê casada com esse carpintero e fugi comigo. Nós vai pro norte e busca nossa fortuna.

Ruth não pôde deixar de rir.

— Eu me casei *hoje*! Num acha que eu podia ficá casada por um tempim?

— Eu te dô uma semana. — Hercules levantou um dedo. — Antes de eu ir te buscá.

As pessoas de cor, vestindo suas roupas de domingo, imaculadas e bem-passadas, cumprimentaram os jovens que estavam começando sua família de maneira *cristã*, orando para que o casal tivesse sorte, para que seus filhos sobrevivessem à infância e que não fossem vendidos, podendo assim confortá-los na velhice. Foi isso que, em sua inocência e em seu conhecimento, eles desejaram a Jehu e Ruth Glen; eles oravam para que *Le Bon Dieu* os favorecesse.

Às vezes, os oficiais da Ronda ficavam sentados no fundo da igreja da Cow Alley enquanto o Reverendo Brown pregava sobre o amor e a grande paciência de Jesus, assim como as recompensas da vida eterna que vivia, mas nenhum branco frequentava os estudos bíblicos de Denmark Vesey.

Três semanas depois do o casamento de Jehu e Ruth, Pearl seguiu a amiga, saindo da casa de Denmark Vesey, na Bull Street. Ruth se abanava.

— Nunca esfria em Charleston? Dá pra cortá o ar como se fosse pudim.

— Benzim, num tá quente. É ocê.

— Hum hum. Se eu num tivesse... Tá quente demais pra pensá!

— Tava quente lá dentro.

— Ele num para de pregá sobre o Moisés. Moisés! Moisés! Moisés! Meu Deus, como eu queria sabê lê! O que aquele véio Moisés tem a vê cos de cor? Os católico tem Maria e os santo olhano por nós e o vodu tem os esprito vigiano, mas aqui é Moisés, Moisés todo o tempo e de todo jeito!

— O Denmark é bom pregadô.

— Ah, é sim. Mas às vez eu penso pru que ele num compra a muié dele e vai pro norte com a famia. Pru que ele num pensa mais neles. Acho que ele num pensa em mais nada, só no Moisés!

Pearl mudou de assunto.

— Quando é que o bebê vai chegá?

— Assim que ela quisé. Quando é que ocê vai se casá?

— Ela?

— Ela. Quando é que ocê e o Thomas se casa?

— Assim que o Thomas economizá que chegue pra me comprá. A Sinhá Ravanel me dexa ir por duzentos.

— Duzentos dólar?

— Ela diz que ela merma ia me emancipá, de graça, mas o Coroné Jack, o arroz dele num foi bem joerado e pegô um preço baxo, entonce ele foi e komprô otro cavalo ligero, que custô uma grana preta.

— A Sinhá Ravanel é de boa natureza.

— O coroné tamém num é mau — confidenciou Pearl —, a num sê quando bebe. Quando a sinhá num tá em casa e o Coroné Jack tá bebeno, ponho uma cadera debaxo da maçaneta da porta. Eu tenho de me ri quando a Sinhá Frances dá um pito nele. O grande herói de guerra, coroné da infantaria e aquela garota faz dele o que qué. O

Coroné Jack baxa a cabeça como um garotim. Vamo entrá de novo. O véio Moisés num vai machucá ninguém. Faz tempo que tá morto.

Ruth divagou:

— Fico pensano nos egípce. Eles num era muito diferente do povo de Moisés. Tarvez argum deles se deitô com as muié de Moisés, tarvez argum israelita se deitô com as muié do faraó. Mas *Le Bon Dieu,* Ele "endureceu o coração do faraó", entonce o faraó num dexô o povo do Moisés ir embora. Ele num pôde dexá pruque o *Bon Dieu* num dexa! *Le Bon Dieu* endurece o coração do faraó e manda os gafanhoto e as praga e acaba matano todos os fio primogênito dos egípce e do própio faraó. Entonce o faraó fica cheio de dô no coração e dexa Moisés parti. O faraó tá contente de tá separado deles. Entonce o *Bon Dieu* endurece o coração do faraó de novo e ele manda os sordado atrás dos hebreu. Eles vão galopano e chega no mar, que Moisés divide. Uma parede de água dum lado e dotro. O generá, ele diz "Adiante!" e eles têm de obedecê, entonce eles galopa ino na direção das duas parede de água, mermu cos cavalo com medo e bufano. Eu devia ficá feliz cos hebreu salvo no otro lado, mas às vez, Pearl, eu me sinto como os egípce. Como se aquelas parede d'água fosse caí em cima de mim.

— Ocê tá com medo de tê o bebê.

— Tô mermu. Nunca tive nenhum bebê antes.

— Nem eu. Mas se nenhuma muié nunca tivesse tido bebê, ocê e eu num taria aqui respirano esse ar que é grosso como pudim.

Ruth deu uma risada e elas entraram novamente para os estudos bíblicos com Denmark Vesey e Moisés.

Ao contrário da maior parte da alta sociedade de Charleston, a família Ravanel ficava na cidade tórrida durante todo o verão, mas não abandonava o bom senso. Jack nunca ia à sua fazenda entre o pôr do sol e o amanhecer. Todos sabiam que a febre amarela matava à noite.

A casa da cidade da família Ravanel tinha uma cozinheira, mas não tinha mordomo nem cocheiro, e a jovem amiga de Frances, Eleanor Baldwin Puryear, insistia com Frances para que ela comprasse mais criados.

— Ora — começava Eleanor —, como você poderá receber?

A jovem Sra. Puryear estava convencida de que sua fortuna herdada não era um sinal de favorecimento do Criador. Era uma prova de Sua apreciação.

— Receber? — suspirou Frances. — Nós recebemos no Jóquei Clube por mais sábados do que eu gostaria. Minha cara Eleanor, um cavalo de corrida custa muito mais que o jóquei que o monta.

O marido de Eleanor, Cathecarte, escrevia poesia, e o *Charleston Courier* havia publicado várias de suas odes à esposa (adequadamente disfarçada como uma deusa greco-romana). Esses poemas faziam Eleanor corar, e ela "mal os lia", apesar de poder recitá-los de cor.

Às vezes, Cathecarte aparecia usando uma gravata de um roxo forte e tinha tanto orgulho de sua farda da milícia dos Patrulheiros de Charleston, feita sob medida, que a usava em todos os encontros sociais. A Sra. Puryear — embora ainda não tivesse filhos — tinha opiniões sobre a criação das crianças, que ela ofereceu a Ruth quando esta levou a Srta. Penny para a sala de estar a fim de entreter as amigas da Srta. Ravanel. Ruth assentiu e sorriu:

— Sim, Sinhá Puryear.

Após uma conclusão particularmente vigorosa durante a conversa, Eleanor finalmente foi embora, apesar do protesto de Frances:

— Minha cara Eleanor, vai nos privar da sua companhia tão cedo? — Depois de Frances fechar a porta atrás da amiga, encostou-se nela, suspirando. — Preciso me lembrar: Eleanor é bem-intencionada.

Ruth não conseguiu conter uma risada, que contagiou Penny e, em seguida, a mãe dela, e as três ficaram rindo até não aguentar mais.

Em janeiro, depois da venda da safra de arroz e após os negros terem recebido sua cota anual de vestimentas e de terem aproveitado as festividades do dia de Natal, seus senhores dirigiam-se à cidade para a mais alegre temporada social da América. Os bailes do Jóquei Clube e da Sociedade Santa Cecília eram entremeados por *soirées* aristocráticas, às vezes duas ou três na mesma noite. Os mexericos eram engrossados por intrigas, rivalidades reacesas, rios de uísque e a aspereza do Low Country, que logo se tornavam casos de honra. Os cavalos corriam todos os dias, menos aos domingos, e apostas arruinadoras eram frequentes.

Jehu se aborrecia. Aqueles que podiam pagar pelo seu trabalho estavam em festa. Com suas casas ocupadas com idas e vindas, ninguém da classe alta recebia de bom grado a necessária interrupção de um operário. Com algum sacrifício à dignidade, Jehu encontrou um trabalho pelo pagamento exercido na cidade, 50 centavos por dia, descarregando madeira nas docas do rio Ashley.

O enfermo Middleton Butler, fazendeiro de índigo e patriota da Guerra Revolucionária, raramente deixava sua casa da King Street. No final de fevereiro, depois que os fazendeiros voltaram para suas terras em função do plantio de primavera, ele contratou Jehu para trocar os rodameios e painéis de madeira da casa.

Ruth estava tão pesada que levar a cesta de almoço para a casa dos Butlers passou a ser uma tarefa difícil, e Frances Ravanel sugeriu que Jehu levasse o próprio almoço até a criança nascer.

— Mas, sinhá — disse Ruth. — Eu gosto de vê ele comê.

Naquela noite de sábado, Jehu acabara de chegar em casa e Ruth estava ajeitando as roupas de domingo deles quando se curvou para a frente e gemeu:

— O bebê tá vino.

Jehu estava pensando nos pregadores da Filadélfia que iriam falar na igreja da Cow Alley naquela noite e, tomado de surpresa, piscou e ficou olhando boquiaberto para a mulher. Ruth estava molhada como se tivesse urinado.

— Oh! — disse Jehu, mas em seguida correu para a rua em busca de um coche e não muito depois estava batendo na porta da cozinha da casa da família Ravanel. Uma cortina se abriu acima e Pearl pôs a cabeça para fora. Quando viu quem era, bateu palmas e desceu correndo as escadas. Jehu levou Ruth para cima e a deitou na cama de Pearl.

— Bota uns trapo pra eu me deitá em cima — sussurrou Ruth. — Eu tô vazano.

— Num se apoquente, benzim — retrucou Pearl. — Nós tem sabão.

A Senhora Frances mandou Jehu até os Butlers para buscar Dolly, a parteira (e, segundo alguns, sacerdotisa vodu). No coche, Jehu formulava perguntas, mas a postura cortante de Dolly as deixou impronunciadas.

O quartinho de Pearl estava cheio de mulheres que tratavam o Mestre Construtor de Escadas como um móvel grande e indesejado.

— Pru que ocê tá aqui? Qué atrapaiá enquanto sua muié uiva? — perguntou Pearl.

— Jehu, vai pro culto da igreja. Ocê queria ir. Eu tô bem. A Sinhá Frances e a Pearl e a Dolly tão tomano conta de mim — disse Ruth.

Sim, Jehu queria ficar, mas quando saiu daquele quarto cheio de mulheres, sentiu-se muito livre.

As faces e a testa de Ruth cintilavam de suor. Dolly pôs a boca perto do ouvido de Ruth.

— Ocê vê coisa, num é?

— Às vez — respondeu ela meio sem fôlego.

— Às vez eu tamém vejo. O bebê vai tá bem.

— Eu credito em ocê, mas tô com medo.

— É claro que deve de tá. Todo mundo fica.

Todas as mulheres rezaram, embora Frances Ravanel não tivesse muita certeza de estarem rezando para exatamente a mesma divindade. Aguardaram. A Sra. Ravanel estava com sua cesta de bordado e Pearl observava o movimento da agulha minúscula. Pearl bem queria que seus dedos não fossem tão grossos e disse que apenas as damas brancas eram finas o bastante para fazer aqueles pontinhos. A Sra. Ravanel apenas sorriu.

Quando a luz cinzenta que precede o amanhecer passou pela pequena janela, elas lavaram Ruth, passaram óleo em sua barriga e em seus seios doloridos e a cobriram com um lençol limpo de retalhos de linho. Na maior parte do tempo, elas discutiam a época, variedade e condições dos produtos e peixes disponíveis no mercado. Às vezes, no entanto, desviavam-se dos assuntos seguros e Pearl, que sabia ser indiscreta, mencionou o terrível acidente "bem na Meeting Street tão tarde da noite de sábado que nem sábado era mais, já era a manhã do Shabat!", quando o jovem Sinhozinho William Bee, muito bêbado, tinha passado por cima de seu camareiro, Hector, com os cascos do cavalo.

— Uma tragédia terrível. — A Sra. Ravanel designou o incidente como "Ato de Deus" com mais rapidez do que Pearl desejaria. Pearl tinha opiniões sólidas ainda não expressas.

Elas seguraram Ruth, acocorada sobre o penico, que Pearl levou para a latrina do pátio. Frances lia salmos reconfortantes e Dolly recitava os que havia memorizado. O dia foi clareando e elas ouviram a cozinheira se movimentando na cozinha e o ruído do fogo sendo aceso na lareira. Pearl desceu para buscar um chá quente. A ponta da biqueira do bule estava quebrada, então o chá gotejava quando ela o serviu. A Sra. Ravanel pegou a caneca com alça. Quando os seios de Ruth ficaram quentes, duros e doloridos, Dolly tirou seu leite e o colocou em uma tigela. Elas lavaram o rosto de Ruth e levantaram um pouco sua cabeça para que tomasse água. Deram-lhe uma tira de couro para morder quando a dor aumentasse e enxugaram seu suor. Quando a cabeça do bebê saiu, Dolly puxou com delicadeza até conseguir enganchar um dedo na axila do bebê e ele saiu rapidamente. Pearl estava de olhos arregalados. Dolly limpou a boquinha, aspirou o nariz e então o peito manchado de sangue se inflou como um balão para soltar um "buááá" zangado, um som que elas acharam sutilmente belo. Dolly cortou o cordão e o embrulhou num retalho de algodão azul enquanto a Sra. Ravanel lavava o rosto confuso e vermelho da criança, que agitava os punhos cerrados e franzia o rosto. Dolly colocou a menininha no seio de Ruth e o mamilo em sua boca, o que provocou um jorro quase tão forte quanto o primeiro alento: a primeira mamada.

Pearl, Dolly e a Sra. Ravanel sorriam feito bobas. O sorriso de Ruth estava cansado e tranquilo.

— Me veio um nome — disse ela. — Ela vai sê Martine. Bebê Martine.

O sol já estava alto quando Pearl e a Sra. Ravanel foram para o pátio, onde a lavadeira mexia um caldeirão fumegante e um garoto cavalariço repreendia o cavalo que estava alimentando. Pearl levantou os braços magros acima da cabeça e se espreguiçou.

— O coronel deve vir para casa amanhã. É provável que tenhamos um ou dois cavalos novos — disse a Sra. Ravanel e virou a cabeça, fazendo o pescoço estalar. Depois estalou os dedos. — Penny deve estar se perguntando onde fui parar. Pearl, por favor, vá buscar o marido de Ruth. Depois que Dolly for para casa, você e ele podem cuidar da Ruth. Quando você tiver um tempo, troque minha roupa de cama.

— Sim, senhora.

Frances Ravanel cruzou os braços, se abraçando.

— A doçura de Deus.

— Sim, sinhá.

Depois que sua senhora saiu, Pearl apurou o ouvido para o choro de Martine, mas o bebê estava quieto. A excitação de Pearl zunia na superfície de sua exaustão. Ela estava ansiosa para dar a notícia a Jehu. Naquela calma manhã de domingo, havia bem poucos negros na rua e eles estavam cautelosos, portanto, Pearl também ficou. Ela parou uma mulher conhecida.

— Passei a noite fazeno um parto. O que houve?

Em detalhes sussurrados e rápidos, Pearl ficou sabendo como, perto das nove horas da noite anterior, com o culto apenas começando, a Ronda havia arrombado a porta de cerejeira de Jehu, entrado na igreja da Cow Alley e prendido todo mundo.

Apesar de haver uma lei municipal que proibia as pessoas de cor de se reunirem entre o pôr do sol e o amanhecer, ela nunca fora cumprida. Os pastores visitantes da Filadélfia, o Reverendo Brown, Denmark Vesey, Jehu Glen e mais 140 pessoas haviam sido levados para a casa de correção.

— Minha nossa! — exclamou Pearl e correu de volta para a casa da família Ravanel. Ela esperou o máximo que pôde para contar a Ruth que seu marido estava na cadeia.

A Câmara Municipal condenou o Reverendo Brown e quatro outros negros idosos libertos a "um mês na casa de correção ou a sair do estado". Brown e Vesey escolheram a cadeia. Os pastores da Filadélfia foram para lá deportados.

Dez congregados, inclusive Jehu Glen, foram condenados a pagar 5 dólares ou a receber dez chicotadas.

— Eu tenho uma filhinha recém-nascida, entonce os 5 dólar num são meu pra gastá — disse Jehu ao homem do açoite.

— Está bem — retrucou ele, desenrolando o chicote.

Até que o pastor da congregação fosse solto, os cultos das manhãs de domingo eram ministrados pelos diáconos, e assim que pôde trabalhar de novo Jehu consertou a porta da igreja.

As coisas voltaram ao normal e Charleston desfrutou de um verão tranquilo. Nas tardes de domingo, quando o tempo era bom, os Glens escapavam do calor da cidade no batel de Thomas Bonneau. Embora o batel tivesse um forte cheiro de peixe, com Martine nos braços, Ruth se sentia importante quando a minúscula embarcação passava por goletas, brigues, escunas e todo tipo de barcos, alguns dos quais haviam cruzado o oceano. A correnteza os levava para a propriedade que o pai branco de Thomas Bonneau havia lhe dado. Thomas Bonneau se orgulhava de seu meio acre rochoso como se esse pedacinho de terra fosse a propriedade de um senhor. Depois de amarrar o barco, Thomas ajudou Jehu, Ruth e Pearl a desembarcar em sua doca.

— Bem-vindos à minha casa — dizia ele toda hora.

Thomas morava numa palhoça de pescador, mas uma residência mais concreta estava em construção. Os quatro amigos queimaram conchas de ostra e as trituraram antes de misturá-las com areia e água para levantar as paredes de uma pequena casa quadrada.

— Esta casa vai durá cem ano — prosava Thomas. — Nenhum vento, maré nem furacão vai botá a casa Bonneau abaxo.

— Cem ano — repetiu Ruth. — Nem consigo imaginá tanto tempo é isso.

— Minhas escada... — começou Jehu, mas o olhar brilhante de Ruth transformou sua vanglória num sorriso.

Enquanto seus pais trabalhavam e riam, Martine ficava deitada sob uma palmeira no fino berço que Jehu havia feito. Martine era um bebê contente, que ficava sempre balbuciando.

As marcas do açoite eram visíveis nas costas musculosas de Jehu.

— Única parte de Jehu Glen que é branca — brincava ele.

Ao meio-dia, Ruth preparava as verduras e Pearl assava um pão para acompanhar o peixe apanhado por Thomas. Depois de comerem, eles ficavam em pares na tarde preguiçosa. Thomas e Pearl iam para o arvoredo atrás da casa nova, e Ruth e Jehu sentavam-se na doca de Thomas, balançando os pés mergulhados na água fria enquanto os barcos a vela passavam com calma à distância, indo e vindo do porto de Charleston.

— Ocê já quis morá notro lugá? — perguntou Ruth.

— Num tem lugá como aqui. Os construtô do Low Country oviu falá de Jehu Glen.

— Eu num entendo como os branco pode dá as criança pruma aia. Num existe criatura mió que uma criança — disse Ruth.

— Pruque as criança ainda num é sinhô. As criança é muito pequeninim pra empunhá aquele véio açoite.

Com as palavras de Jehu, o sol, que tanto brilhava, caiu atrás de uma nuvem.

Nos dias de trabalho, Ruth levava o almoço de Jehu para a casa de Butler, e Martine ia junto para que seu papai a admirasse.

O sobrinho do velho Middleton, Langston Butler, seria o senhor quando Middleton morresse e agora supervisionava a fazenda e a maior parte dos serviços na casa da cidade. Se tivesse dependido de Langston, ele não teria contratado "um artesão caro demais para arrancar os lambris de pinho 'perfeitamente em ordem' e substituí-los por painéis de cerejeira 'caríssimos' arrematados com rodameios de mogno hondurenho. Seu tio Middleton sabia ser 'extravagante'".

Jehu, Ruth e Martine geralmente comiam no pátio com Hercules, sentados em baldes virados de cabeça para baixo. Hercules era filho de Middleton, mas ninguém dizia. A mãe dele tinha sido vendida depois de desmamar o bebê — alguns diziam que para a Geórgia, outros, para o Alabama.

— O Sinhô Langston tá loco que o véio morra. Cada dia que passa com o tio respirano é otro dia perdido. É isso que Langston acha. Se eu fosse o Sinhô Middleton — Hercules baixou a voz —, acho que ia ficá desconfiado com quarqué coisa que o Langston me desse pra comê. — Ele deu uma piscadela digna de nota, inocente, para seus ouvintes. — Se é que ocês me entende.

Os criados veem o que não escondemos deles, pois se precisássemos esconder nossos segredos, os criados não seriam nossos inferiores e merecedores de sua posição. Hercules descrevia as ambições de Langston Butler francamente, em termos que teriam deixado o jovem senhor preocupado se fosse um homem branco de igual posição social que soubesse tanto quanto Hercules.

— O Sinhô Langston vai nos virá de pernas pro ar. O Sinhô Middleton gosta de gastá dinhero. O Sinhô Langston só gosta de gastá dinhero numa coisa, que é cavalo, e ele num é igual o Coroné Jack. O Coroné Jack, ele *gosta* de cavalo. O Sinhô Langston, ele compra cavalo pruque é isso que os cavalero do Low Country faz.

Langston Butler detestava a gastação do tio e o modo como negligenciava Broughton, a fazenda deles junto ao rio Ashley. Langston tentava expandir a produção de arroz, mas, ao fazer uma oferta pela terra adjacente de Ravanel, o Coronel Jack perguntou:

— Seu tio Middleton está a par desses planos?

Middleton não estava — o que Jack sabia muito bem e era de admitir que ele tenha apreciado o desconcerto de Langston.

— Os home branco é tudo ganancioso. Eles era negro até a ganância dexá eles branco — disse Hercules.

Jehu concordou.

— O Sinhô Langston fica preguntano quanto custa essa madera. O que eu vô fazê com os resto. Entonce eu dexei todas sobra sem valô numa pilha. Ele pode fazê o que quisé com aquilo.

Hercules riu:

— A cozinheira tá usano essa cerejera fina pra fazê a janta.

— Os home tão sempre dizeno como esse e aquele tão enganano eles, eles conhece o trapacero — disse Ruth. — O trapacero avisa como escorpião abanano a cauda.

— Garota? — Hercules abriu um sorriso largo. — Quem foi que enfiô essas ideia nessa sua cabeça bonita?

— Quem fez ocê ficá tão insolente?

— Pruque eu sô, ora. Eles num me manda pegá açúcar pruque eu sei como falá cos cavalo.

Ruth achava que Hercules estava somente se pavoneando, do jeito que os rapazes bonitos fazem, mas Jehu ficou enciumado, e então eles pararam de comer no pátio.

O senhor Langston Butler desculpava a insolência de Hercules, mas sentia algo em Jehu de que não gostava. Inspecionava o trabalho dele meticulosamente e com desconfiança.

— Essa sala vai ser usada por damas.

— Sim, sinhô. (Jehu detestava chamar alguém de patrão.)

— Elas não vão reclamar de um trabalho malfeito, mas eu sim. — De joelhos, o jovem senhor Butler foi se movendo ao longo do painel, dando tapinhas em pontos nos quais o verniz parecia um pouco mais brilhante e tentando pôr a unha por baixo do encaixe do rodameio. Levantando-se, ele espanou as calças na altura dos joelhos. O sorriso de Butler deu a Jehu vontade de perguntar: "O que o sinhô qué de mim? Pru que tá me aborreceno?", mas é claro que ele não podia fazer isso.

— Seu trabalho é quase tão bom quanto o de um irlandês.

Jehu não conseguiu se conter.

— Os home de cor tamém qué andá de cabeça erguida.

O jovem Senhor Langston sorriu para um adulto da idade dele, mestre num ofício que Butler não dominava; um homem casado, com uma filha e um bom nome. Seu sorriso tinha por objetivo informar a Jehu que caso Langston Butler o golpeasse — talvez com o atiçador de brasas, aquele ao lado da lareira, tão próximo de sua mão — ou pegasse uma pistola e o matasse, as únicas consequências da morte de Jehu seriam a sujeira do sangue no parquete e a inconveniência de arrastar o corpo de um negro morto para a rua.

Apesar do sorriso horroroso de Butler, Jehu lambeu o lábio e repetiu:

— Os home de cor tamém qué andá de cabeça erguida. — Quando as palavras de Jehu ainda pairavam, suspensas no ar, ele brincou. — Pelo meno tão erguida quanto a de um irlandês.

Mais tarde, quando Jehu contou sobre aquela conversa a Ruth, ela estremeceu.

— Ocê num pode sê insolente, Jehu. Ocê num é o bastardo do tio dele e ocê num tem jeito com cavalo. Ocê é tudo pra mim e pra Martine.

Jehu tilintou as moedas no bolso.

— O home me pagô, num foi? — perguntou ele. — Pagô direitim.

Depois que Thomas Bonneau comprou Pearl da Sra. Ravanel, ela passou a trabalhar para sua antiga senhora por 25 centavos ao dia. Quando o Reverendo Brown uniu Pearl e Thomas em casamento, Frances Ravanel foi à cerimônia, mas não ficou para a festa.

A emancipação legal não era fácil, mas o Coronel Ravanel ajudou Thomas Bonneau a alforriar a esposa. Quando Pearl perguntou a Jehu por que ele não havia dado a Ruth a carta de alforria, Jehu brincou:

— Num posso perdê meu capital.

Por quase um mês Ruth lhe negou o leito matrimonial até que suas próprias necessidades impossibilitassem sua determinação.

"Dado o grande e rápido aumento de negros e mulatos libertos neste estado, por migração e alforria, é conveniente e necessário que o legislativo contenha a emancipação de escravos... Fica, portanto, resolvido, pelos honoráveis Senado e Câmara agora reunidos em Assembleia Geral, que, de agora em diante, nenhum escravo será emancipado, exceto por decreto-lei."

PODER LEGISLATIVO DA CAROLINA DO SUL,
20 DE DEZEMBRO DE 1820

Na Meeting Street, com carruagens paradas atrás dele e cocheiros irritados gritando, Hercules deu a má notícia a Ruth. Ele tirou o chapéu e não flertou com ela. Martine perguntou:

— A mamãe tá doente?

Naquela noite, o jantar foi silencioso. No caminho para os estudos bíblicos na casa de Denmark Vesey, Ruth andava calada e, quando Jehu tentou segurar sua mão, não conseguiu. A pequena casa de Vesey estava quieta. Nenhuma pessoa de cor do lado de fora, exceto Gullah Jack, sentado nos degraus da entrada, aparando um pedaço de pau.

— Uma bela noite — disse Jehu.

— A meno que chegue a Ronda. — Jack moveu comicamente as sobrancelhas grossas.

— Olá, mama. Os esprito anda preguntano pur ocê.

Ruth manteve os lábios imóveis e passou por ele. Cobertores serviam de cortinas para o marco da porta e das janelas e muita gente se aglomerava na pequena sala. Jehu e Ruth encontraram um espaço livre no fundo. Estava apertado, quente e abafado.

A bíblia de Denmark Vesey estava apoiada num banco alto, e seus lábios se moviam enquanto ele a lia em silêncio. Ruth se perguntou por que os lábios de algumas pessoas se moviam quando elas liam e a de outras não.

Algumas pessoas usavam chapéus ou lenços. Outras cabeças estavam nuas, brilhantes ou foscas, pretas, carecas ou grisalhas. Ruth pensou: "Os que não são libertos nunca podem ficar assim."

Ela ainda divagava quando Denmark Vesey abriu sua bíblia e falou:

— "Atentai todos vós, eis que vem o dia do Nosso Senhor, quando todos os vossos bens serão despojos e deverão ser repartidos entre vós." — Ele bateu na página com um indicador grosso de operário. — Vocês acham que Zacarias tá falano com nós, os nego? Vocês acham que Deus olha pra baxo e vê quantos despojo os nego têm? Não, Ele num tá falano com nós; Ele tá falano com os senhores da terra. "Atentai todos vós, eis que vem o dia do Nosso Senhor." Como é que ocês vai se prepará presse dia? Vai ficá atrapalhano no meio do caminho ou vai dá uma mão? "Eis que vem o dia do Nosso Senhor..."

Apesar do ar viciado, do abafamento e do calor, Ruth sentiu um calafrio descer pela espinha. O dia do Nosso Senhor.

Denmark Vesey leu com atenção, acompanhando as frases com o dedo indicador.

— Atentai vós — sussurrou ele.

A sala estava tão silenciosa que seu sussurro passou por todos como um velho amigo.

— Digam, meus irmão... Quantos docês curva a cabeça prum sinhô na rua? Quantos?

Alguns olharam para baixo. Outros desviaram o olhar.

— Então nenhum docês curva a cabeça prum sinhô? — Ele lambeu os lábios. — Essa é a verdade? Ora, ocês sabe e eu sei que os sinhô branco é uns bebo cruel, fornicadô e descrente. Ocês sabe e eu sei que eles é isso. Mas ocês curva a cabeça pra eles mesmo assim, pruque... imagino... eles é mió que ocês. Humm. — Ele colocou um indicador no queixo, pensativo. — Misericórdia! Os de cor é pior que fornicadô, descrente e bebo cruel. Imagino que ocês teje tudo danado. Ocês tá na estrada da mardição eterna. — Uma expressão de surpresa jocosa passou pelo seu duro rosto negro. — Jesus Cristo tá sarvano os sinhô, mas num tá nem aí procês.

— Aquele sinhô que ocês encontra na rua, ele nota ocês curvano a cabeça e todo aquele rapapé, ou eles passa como se ocês num fosse nada mais que um poste ou a maçã dum cavalo no chão? Levanta as mão. Quantos de vocês curva a cabeça? Quantos sai da calçada pro sinhô passá?

Martine se agitou nos braços de Ruth.

— Num tem nada que Nosso Sinhô odeia mais que mentiroso!

Cabeças se abaixaram como se nada tivessem a ver com as mãos levantadas.

Surpresa jocosa.

— Ora, isso é a maioria docês. Ora, ora... — O sorriso de Vesey era o de um tio afetuoso. Ele leu em silêncio, os lábios se movendo, dando tapinhas no texto antes de olhar para cima, aparentemente surpreso por ver tanta gente em sua casa. — Quanto docês "cavaiero de cor" faz de conta que é idiota feito aquela velha vaca leitera que o sinhô manda ocês ordenhá? Quanta das muié revira os óio, suspira e diz: "Sinhô, eu num passo de uma neguinha, isso é muito difício pra eu entendê?"

Murmúrios e um vozerio como se fosse o som de dentro de uma colmeia, com todos batendo as asinhas.

— Quanto docês ensina pras criança: "Se o sinhô pregunta arguma coisa, baxa os óio e fica olhano pros pé. Se ocê sabe a resposta, diga. Se num sabe, responde mermu assim! Mais nego é açoitado pur num sabê do que pur tá enganado?" Ôcê diz pros seus fio: "Num olha praquele home branco e seje o que fô que ele faz, num se atreva a sê insolente." Quantos docês?

Ele tirou os óculos e esfregou o alto do nariz.

— Mamães e papais, quantos docês diz isso?

Thomas Bonneau se levantou para dizer:

— As criança acaba machucada se num faz assim.

— Ah, Sr. Bonneau. Feliz de ouvir sua interpretação da Bíblia. Mas ocê tá certo, o sinhô tem o mercado de leilão, tem a pistola, tem a casa de correção e o seu açoite. Mas "Atentai vós, eis que vem o dia do Nosso Senhor", Sr. Bonneau. Atentai vós...

Ele cerrou seu grande punho e ficou olhando para o pastor.

— Eu sô carpintero faz muito tempo. Faço prumo e nível, igual a quarquer branco. Eu sei como pendurá um prumo e como vê um nível. Aquele nego de pele marrom ali, Jehu Glen, ele é o mió construtô de escada do Low Country, mió que qualquer home branco. Ocês sabe, ele sabe, os home branco sabe... pru que Jehu tem de curvá a cabeça na rua?

"Ocês ouviu falá daquele Thomas Jefferson, o sinhô branco que era presidente? Pois bem, ele era. Presidente de todos os Estado Unido. Semana passada eu tava trabalhano na *piazza* do Sinhô Bee pruque as parede deles tava apodreceno de dentro pra fora! Os carpintero branco botaru as calha do Bee por dentro das parede; por dentro em vez de por fora! Pruque era assim que Thomas Jefferson fazia. E eu aposto 10 centavo cocês que as parede do Thomas Jefferson também tá apodreceno. Num existe no Low Country um carpintero nego tão burro que vá pôr as calha dentro das parede, onde as calha fica tampada e num dá pra destampá. Chama um home branco pra fazê isso! — Ele balançou a cabeça com pesar. — Às vez eu acho que é pra *nós* que os sinhô devia tá curvando a cabeça."

As risadas começaram baixinhas no fundo da sala, mas foram aumentando de volume antes que ele as silenciasse.

— Eu tava arrancano as calha pra pôr do lado de fora onde um home pode alcançá se entupi, mas o criado do véio Sinhô Bee, Arquimedes... ocês tudo conhece ele: um home de pele marrom que frequenta a Episcopal de St. Philip. Archimedes fica me pertubano. "Você num vai fazê isso", diz ele. "Home branco pôs aí. Deve de tá certo."

— As calha num pode vazá pruque um home branco pôs elas lá?

"Misericórdia!"

"O Archimedes, ele começou como ocês e eu. Começô a aprendê no joelho da mãe dele. Depois o sinhô disse isso e mais aquilo pra ele. O sinhô diz pro Archimedes: 'Você num sabe nada.' E quem vai discuti com o sinhô, que tem todas as pistola e a casa de correção e o açoite?"

Ele fez uma pausa com ar de alguém que sabe a verdade e sussurrou:

— Pois o seu sinhô num tá certo! Sê escravo num faz docê menos que um home!

Vesey ergueu os olhos para o teto baixo de tábuas como se não estivesse falando com eles, como se não estivesse falando com ninguém naquela sala.

— Eu num vô sai da calçada pra nenhum home branco. Vocês sabe que num vô. Já me mandaru duas vez sentir o gosto do açúcar. Duas vez eu senti aquele véio açoite.

— Mas eu num sô burro, num sô preguiçoso e num sô um muleque. Sô um home no meu auge. — Sua risada foi uma bufada. — Bem, tarvez já passei um *pouco* do meu auge.

Risadinhas com a autodepreciação de Vesey. Alguns músculos com câimbra se movimentaram e um velho tossiu.

Ele apontou o dedo indicador como se fosse o bastão de Moisés.

— Ocê num pode fazê de conta que é um garoto sem virá um garoto. Ocê num pode fazê de conta que é mais burro que o home branco sem virá mais burro que o home branco é. Ocê vira quem faz de conta que é.

"O nego que curva a cabeça pro sinhô na rua, que se faz de bobo, que se esquece de quem ele é, esse home é um escravo. — Ele fechou a bíblia. — Ele merece sê um escravo!"

Ele sussurrou no silêncio.

— O dia do Nosso Senhor tá próximo.

Eles saíram em grupos de dois e três. Na esquina, Thomas Bonneau agarrou Jehu pelo braço.

— Nós têm de fazê de conta, nós num faz e leva açoite, ou pió. Às vez eu acho que o Denmark Vesey tá tentano fazê que matem a gente.

— Ocê vira quem faz de conta que é — respondeu Jehu.

Thomas Bonneau largou o braço de Jehu e analisou sua fisionomia antes de assentir lentamente, sem raiva. Os Bonneaus nunca mais voltaram aos estudos da Bíblia na igreja da Cow Alley e os

Glens nunca mais andaram no batel de Thomas; eles não comeram mais juntos e os Bonneaus terminaram sua casa sem a ajuda dos Glens. Aos domingos, depois da missa, Jehu, Ruth e Martine comiam na beira do rio, mas nunca em White Point, que apenas os brancos podiam frequentar.

A temporada social foi decepcionante naquele inverno. O dinheiro estava curto e o preço do arroz, baixo. Os Ravanels tinham menos trabalho para Ruth. Apesar de Frances Ravanel recomendá-la à Sra. Puryear, após uma longa conversa, a Sra. Puryear apenas deu sugestões de como Ruth poderia economizar:

— Não é preciso comer carne em todos os almoços — aconselhou ela. — Meias rasgadas podem ser cerzidas.

Embora Middleton tivesse pedido a Jehu que fizesse um projeto de reforma para a casa da fazenda Broughton e Jehu tivesse passado semanas se dedicando a isso, Langston Butler fora contra o projeto e, como o trabalho não havia sido iniciado, nada pagou. Quando Jehu reclamou, ouviu do jovem Butler que, se parasse de choramingar, ele poderia ser contratado novamente quando o preço do arroz subisse.

Falta de trabalho significava mais estudos bíblicos e era frequente Jehu chegar em casa depois da meia-noite. A Ronda passou para conhecer de vista os estudantes da Bíblia e não exigiu seus passes.

Hercules não ia.

— Aquele Vesey, ele tem raciocino demais pra mim — disse ele a Ruth. — O que ele diz pode tá certo, mas pode tá errado tamém. Além disso, eu tenho de trená meu potro; ele vai sê campeão.

— Hercules... — Ruth queria conversar sobre Vesey.

— Qué dizê, esse potro é especiá. É como se ele e eu, nós tivesse nascido gêmeo.

Pearl entrou em trabalho de parto em fevereiro. Ruth, Dolly e a Sra. Ravanel cuidaram dela, mas o bebê de Pearl morreu em poucas horas. A intimidade de Ruth e Pearl morreu com o coitadinho. Pearl saiu da casa da família Ravanel e se mudou para a casa de parede de ostras do outro lado do rio. Ruth só voltou a ver os Bonneaus muito de vez em quando.

Os estudos bíblicos eram demasiadamente tarde para Martine, então Ruth e a filha pararam de ir.

Poucas mulheres frequentavam e Ruth foi a última a desistir. Jehu ficou aliviado.

— Aprendê a Bíblia — disse ele — é coisa de home.

Quando Jehu chegava muito tarde, Ruth fingia não acordar. Fingia não ouvir Jehu andando de um lado para o outro e murmurando no cômodo ao lado.

Mas ela ficava grata pelo retorno do marido, que a despertava daquele sonho familiar de estar acocorada dentro de um cesto de mandioca com sangue passando pelo trançado.

Sapatos de ir à igreja

O SOL ESTAVA alto no céu, os melhores produtos tinham sido vendidos e os feirantes estavam guardando as coisas para tomarem o rumo de casa.

Ruth estava de olho numa batata-doce gorducha que passara despercebida pelos consumidores. Às vezes, o bom produto ficava escondido pelos piores; às vezes, o feirante segurava por muito tempo uma boa batata-doce. A que Ruth queria não tinha marcas ou qualquer arranhão. Fora bem tirada da terra.

— É mió se decidi logo. — Os cestos vazios já estavam empilhados no carrinho de mão da feirante. — O sol vai caí antes deu chegá em casa.

— Quanto ocê tá pedino pur aquela batata-doce miúda, que nem tá madura? — perguntou Ruth pela terceira vez.

— Cinco centavo.

— Dá pra comprá algo mió que isso pur 5 centavo.

A feirante bocejou e pôs a mão na frente da boca. Colocou o cesto de pimentões não vendidos em cima dos vazios.

— Os tempo tá difício, moça — disse Ruth. — Meu home num trabaia desde antes do Natal. Eu tenho 2 centavo pra sua batata-doce.

Franzindo os lábios, recusando-se a fitar Ruth nos olhos, a mulher colocou três repolhos não vendidos no cesto dos pimentões, remexendo-o para que os pimentões ficassem em cima. Acrescentou duas batatas-doces menos desejáveis.

— Eu tenho de empurrá esse carrim estrada acima inté em casa e empurrá de vorta antes do raiá do dia. Essa batata aqui vai tá tão boa amanhã quanto tá hoje. Chega de manhã, uma boa batata-doce vai me consegui 10 centavo. Eu tenho uma fia e um home faminto. Ocê num compra a batata, tarvez eu merma cozinhe!

Ruth tocava os centavos no bolso do avental. Ela iria fervê-la, fatiar para Jehu e Martine e comeria a pele e o que ficasse grudado. Estava com muita vontade de comer aquela batata-doce.

Então não se virou para o chamado. Chamados são chamados. Mas um grito fez sua cabeça se virar. Um grito era o Pavor que ela andava esperando. O Pavor está chegando! O Pavor chegou. Aqui. Hoje!

Pavor era um cavaleiro branco, galopando a toda pelo corredor entre as bancas. Quando seu cavalo tentou pular um carrinho de mão, o casco derrubou o carrinho e batatas vermelhas saíram rolando pelo paralelepípedo. Os negros saíram correndo. Um tropeiro puxava uma mula que corcoveava nas hastes e chutava a caçamba da carroça.

O cavaleiro segurava a crina do cavalo com uma das mãos e tinha uma espada na outra, e galopava diretamente na direção de Ruth, como se fosse exatamente por ela que tivesse vindo. Quase tarde demais, ele firmou os calcanhares nos estribos e puxou as rédeas, fazendo seu gordo cavalo branco baixar as ancas e parar. Um rapaz branco em cima de um cavalo gordo da mesma cor. O cavalo estava suado e os olhos do cavaleiro ardiam fora de foco.

— Ôôô! — Seu berro começou agudo e incerto. — Ôôô! Voltem para seus senhores! Ôôô! Ordens do governador Bennett!

Sua jaqueta verde dos Patrulheiros de Charleston estava mal abotoada e a pistola de cabo curvo na cinta da espada estava perigosamente pronta para sair de seu ninho.

— Voltem para seus senhores! — repetiu ele com um grito desafinado. — Qualquer negro encontrado na rua será considerado alvo legítimo! — Ele se levantou nos estribos para brandir a espada acima da cabeça.

Ruth sentiu um aperto no estômago, mas abriu um sorriso.

— Sinhô Puryear, como vai?

O jovem Cathecarte fitou-a com fúria, como se um segredo tivesse sido traído.

— Eu sô a Ruth, sinhozinho, a aia da Sinhazinha Penny Ravanel.

Ele não ouviu. Talvez não conseguisse ouvir. Seus olhos vagavam por todo canto e lugar nenhum. Os nós brancos de seus dedos seguravam firme o punho de uma espada cintilante, que ansiava por morder uma carne. Em um terrível tom monocórdio, ele perguntou a Ruth:

— Por que vocês querem nos matar?

— Matá o sinhô? Eu mal conheço o sinhô.

— Tenho sido um bom senhor — insistiu Cathecarte. — Eu nunca, nunca mandei um criado "buscar açúcar". Nunca peguei uma rapariga negra contra a vontade dela. — O suor brilhava nas faces dele. A ponta curva de sua espada se agitou como a língua de uma serpente. Com uma brisa fria, Ruth sentiu o vazio em suas costas. A feirante havia abandonado seu carrinho e sumido.

Ruth não tirava os olhos do jovem senhor. Seu cavalo gordo estava descuidado com as patas, mas Ruth não se atrevia a recuar.

— Ôôô! — gritou Cathecarte para o mercado vazio. — Voltem para seus senhores!

Carrinhos de mão virados. Uma mula sem tropeiro arrastara a carroça até onde podia mordiscar o feijão derramado. As folhagens das palmeiras se curvavam com o calor.

O suor escapou das axilas de Ruth e correu frio pelas laterais de seu corpo.

— Argum pobrema hoje de manhã, Sinhô Cathecarte? — perguntou ela claramente.

— Problema! Você está certa, maldita! — (Reflexivamente) — Desculpe meu linguajar. — Ele embainhou a espada, puxou o fôlego sonoramente e entoou a citação: — "A morte o soldado enfrenta por uma coroa de flores imaginária..." — Seus dedos vagaram pela jaqueta mal abotoada. — Volte para seu senhor — disse ele calmamente.

— A Sinhá Ravanel?

— Quem? À droga da sua senhora, seja ela quem for. Qualquer negro encontrado na rua será responsabilizado por... será responsabilizado. — Ele desabotoou um dos botões e o abotoou novamente.

— O sinhô vai tê de começá tudo de novo — disse Ruth.

Ele olhou para ela, mas com o olhar perdido.

— O abotoá, quero dizê. O sinhô tem de fazê um pur um, de baxo inté em cima. — Sua mão se estendeu para pegar aquela batata-doce gorda e jogá-la dentro do avental. — Eu paguei pur isso — mentiu Ruth. — Essa batata é minha.

— Uma batata-doce — disse ele. Logo depois, refletiu. — Neste dia, em esplendor solitário, uma batata-doce...

— Sinhô?

— Poesia. O sublime Byron corrompido por um humilde poetastro de Charleston.

— O sinhô num precisa ficá com medo. Eu num vô machucá o sinhô.

Ele balançou a cabeça.

— Você? Me machucar? Tudo o que vemos não passa de um sonho dentro de um sonho? Vá embora. Minha paciência tem limites.

Com o avental dobrado até a altura dos quadris, Ruth atravessou a cidade o mais rápido que pôde, e não era a única apressada. Negros e brancos fugiam dos lugares públicos. Cavalos selados e encilhados eram puxados para os estábulos, portas eram batidas atrás das cocheiras, cortinas, fechadas, e portas, trancadas por dentro.

A batata-doce alimentaria sua família, e Ruth ainda tinha 2 centavos e mais uma moeda de 5. Ela lutou contra uma imensa vontade de jogar a batata fora. Sim, ela a roubara, mas aquela feirante não iria voltar. Abandonara seu carrinho, não é? Ruth poderia ter roubado mais, porém não o fizera. Ela virou na Anson Street. A batata em seu avental pesava como um tijolo de culpa.

Ela não daria nome ao Pavor. Os espíritos haviam avisado que o Pavor estava vindo, mas ela não dera importância. Agora murmurava:

— Nós vai sobrevivê como sempre sobrevivemo. — Mas sua boca estava seca como ossos.

Ruth hesitou diante da porta. Sua própria porta! O sol havia rachado a pintura azul do marco, que descascava. Por que deixara de repintá-la? Ela engoliu um gemido e encostou a testa na madeira quente e áspera.

Sua mão se retardou na maçaneta. Em toda sua vida, Ruth nunca temera nada como agora, ao abrir aquela porta. O Pavor esperava lá dentro.

O sol que passava pela janela formava um retângulo amarelado na parede oposta. Jehu estava sentado, com as costas para um canto, a cabeça baixa nas mãos. Martine se abraçava ao joelho do pai.

Quando seus olhos encontraram os do marido, Ruth teve vontade de recuar. As lágrimas verteram.

— Todos nós de cor — disse Jehu sonhadoramente — vamo ficá livre. Pensa nisso, benzim. Minha própia oficina. Eu inté posso contratá um aprendiz. O pessoá rico no Haiti deve tê escadaria tamém, num é? Nada de curvá a cabeça e fazê rapapé pruque ele é branco e eu nego. Home branco e home de cor é tudo a merma coisa. O bom trabaiadô segue em frente, o preguiçoso fracassa. — Jehu fez uma pausa e, na voz familiar de Denmark Vesey, continuou. — Nós vamo saí livre.

— Ah, Jehu — disse Ruth. — Mas ocê é livre.

— Os de cor liberto num é livre. Nós vai se erguê como Moisés e vai embarcá num navio como a Arca de Noé e navegá inté o Haiti. Todos nós de cor, preto e mulato, vamo sê *livre*. "Atentai vós, eis que vem o dia do Nosso Sinhô..."

— Quem foi que ocê matô? — sussurrou Ruth.

— Os sinhô é como o faraó: o faraó num dexava o povo de Moisés parti.

— A Sinhá Ravanel? O Coroné Jack?

— Eu sei onde o Langston Butler dorme.

Em silêncio, Ruth colocou a panela, garfos, colheres, canecas de metal, a outra blusa de Martine, o casaco dominical de Jehu e seus sapatos de ir à igreja em um cobertor que enrolou e amarrou.

— Ocê carrega a Martine. Vai tê de dexá as ferramenta.

— Não! — gritou ele. — Levei seis ano pra reuni essas ferramenta e num vô dexá elas.

— Com certeza num vamo dexá a Martine!

Quando Martine choramingou, Ruth lhe deu um beijo no alto da cabeça.

— Docim, ocê tá moiada. Acho que o papai num tava cuidano d'ocê.

Os olhos de Jehu estavam ausentes, como se ele não soubesse quem Ruth era.

Ela conseguiu dar um sorriso.

— Meu amô, nós precisa ir embora. Nós precisa saí de Charleston. Nós tem de corrê!

— Mas, Ruth — explicou ele pacientemente —, nós num pode corrê. O Gullah Jack passô aqui agora mermu. Arguem *informô* os sinhô e eles chamô a milícia, e os miliciano tão guardano os portão da cidade. O Denmark tentô fugi, mas num conseguiu passá. Nós fomo pego, Ruth. Eles pegô nós.

Ela teve vontade de dar um tapa na cara dele.

— Ocê nem nunca teve no Haiti. Eu sim! — Ela encontrou uma fralda limpa. — Docim, eu vô trocá ocê e depois nós vai comê uma boa batata-doce.

Em uma voz mais baixa, Ruth disse:

— Panela de barro num pode enfrentá panela de ferro, Jehu. Ocê já é livre. Pru que tá fazeno isso?

O homem que ela amava respondeu.

— Eu num podia mais fazê de conta.

No domingo eles não saíram para ir à missa, e Ruth cozinhou aveia em grão. Sem conseguir comer, Jehu guardou sua porção para mais tarde.

Jehu amolou seus cinzéis e a lâmina da plaina. Martine ficou grudada na mãe; estava com calor, suada e com medo. Quando Martine finalmente adormeceu, Ruth saiu e atravessou a cidade; ela era a única pessoa de cor na rua. Embora os milicianos a olhassem com desconfiança, ela andava rapidamente, olhos baixos, e eles não a abordaram. Ela respirou com mais facilidade depois de entrar num beco conhecido que dava no pátio da casa da família Ravanel. Deu uma batidinha na porta dos fundos.

Talvez não tivessem ouvido. Ela bateu com mais força.

Após um longo tempo, houve o ruído de passos, um murmúrio e um estalo metálico.

— Quem está aí?

— Eu, Ruth, Coroné Jack. Preciso lhe preguntá uma coisa.

A porta se abriu apenas o suficiente para que o olho injetado do Coronel Jack a examinasse. Quando teve certeza de que Ruth estava sozinha, ele abriu a porta e baixou a pistola.

— Ruth.

— Preciso conversá.

— É? Sobre o quê?

— Acho que o sinhô sabe.

— Não, "acho" que não sei. Fui informado de que nossos criados planejam uma insurreição. Creio que planejaram nos assassinar em nossas camas. Talvez você tenha ouvido falar sobre isso, não é?

Meio entorpecida, Ruth assentiu e baixou a cabeça para receber a censura dele. Em vez disso, ele suspirou, balançou a cabeça e chamou-a para entrar.

— Esses tolos malditos. Em nome de Deus, o que estavam pensando?

O vestiário estava lotado de japonas de caça, botas de montaria e cheirava a couro. O Coronel Jack tomou um longo gole de um cantil e bafejou seus vapores em Ruth.

— Segredos não são segredos se mais de uma pessoa sabe — disse ele, como se estivesse ensinando a uma criança.

— O que vai...

— Ah, eles serão enforcados. Sem dúvida. Não se pode sair por aí matando os senhores, sabe? Frances e Penny não se aventuram a sair e eu não vou a lugar nenhum sem as pistolas. O pai da cozinheira, Jarod, foi meu camareiro durante a guerra, mas eu a tranquei no quarto e estamos passando a pão de minuto enlatado. Em quem podemos confiar, Ruth? Em quem? O que você veio fazer aqui? Não é seguro para nenhuma pessoa de cor ficar andando por aí... — O Coronel Jack se engasgou de emoção. — Meu Deus. Não o seu Jehu...

— Coroné Jack...

Ele levantou a mão pedindo que ela se calasse.

— Não. Por favor, não diga nada que não queira que um juiz ouça.

— Mas, coroné...

— Ruth, você é uma boa aia. Frances não para de elogiá-la. Sim, eu sei, eu sei... Mas não me ponha numa posição... Não posso ser colocado numa posição em que...

— Sinhô Jack, o que eu vô fazê?

O Coronel Jack tomou outro gole, limpou o gargalo do cantil e o ofereceu a ela.

— Melhor cura que eu conheço.

Ruth piscou.

— Eu fiz juramento, sinhô. Sô abstêmia.

— A cevada faz mais do que John Milton pôde fazer para reconciliar os caminhos de Deus... Ruth, me desculpe se... Não! Não me conte. Não há nada que eu possa fazer, e eu *não* quero saber! — Ele deu um sorriso torto. — Como você já está aqui, poderia...? Penny está doida de medo...

Na sufocante sala de estar da família, a pequena Penny correu para Ruth e abraçou suas pernas. As cortinas estavam cerradas e um penico que precisava ser esvaziado empestava o cômodo. Roupas, sujas e limpas, adornavam cada cadeira, e o cinto da espada e o mosquetão do coronel Jack estavam sobre a mesa.

Os olhos de Frances Ravanel estavam vermelhos de tanto chorar.

— O meu Jehu...

O Coronel Jack falou asperamente.

— Nem mais uma palavra.

— Eu...

— Você, Ruth? Você com certeza não! — disse Frances, engasgada de emoção.

— Não, sinhá, eu não... Eu num sabia nadica de nada — gemeu ela. — Ele nunca me falô! — Como se tivesse vontade própria, o dedo indicador de Ruth revolveu um cacho do cabelo de Penny.

— Eles não são cristãos? — perguntou a Sra. Frances. — Eu disse ao Jack que eles são cristãos e não iriam... São tantos os brancos que saem da cidade nos meses quentes. Os Bees estão em Southern Pines, meus primos, em Table Rock, na Carolina do Norte, tantos amigos estão fora. Você acha que os conspiradores contaram com a ausência deles? Que esperteza! Quem imaginaria que negros analfabetos poderiam conceber uma conspiração dessas? Ou que poderiam desejar fazer isso? A conspiração não teve origem numa igreja cristã? Imagino que eles estivessem *tentando* ser gentis: caso se rebelassem quando a maioria dos brancos está fora de Charleston, eles teriam menos gente para... assassinar.

— Sinhá...

— O Rolla, do Governador Bennett; você conhece o Rolla?

— Não, sinhá. Qué dizê, eu vi ele na igreja, mas a gente nunca se falô.

— O Rolla serve ao Governador Bennett. Se dependesse do Jack, nossa vida social se resumiria às pistas de corrida e ao Jóquei Clube, mas às vezes eu gosto de sair, e meu querido Jack me faz esse favor. O Rolla já me serviu nos almoços do Governador Bennett. "Coma mais desse presunto, que sempre foi do seu gosto, Sinhá Ravanel." Rolla era homem de confiança do Governador Bennett. Ele o considera parte da família! Ao ser preso, Rolla confessou isso. Aparentemente... — A Sinhá Ravanel franziu o cenho. — Aparentemente, o Rolla gosta muito do governador, pois disse que não poderia matá-lo com as próprias mãos. Ele teria pedido que outro conspirador o fizesse.

Os Ravanels estavam chocados de pensar tal coisa.

— Eu nunca... — sussurrou Ruth.

Frances usou seu lenço para enxugar o rosto de Ruth.

— Estou carregando meu segundo filho. Não lhe contei porque... porque... Você não desconfiou?

— Não, sinhá.

— Já perdi duas gestações. Eu adoraria dar um irmão ou uma irmã a Penny para que ela tenha alguém com quem brincar. Fico pensando em quem designaram para nos matar.

— Sim, sinhá. — A mão de Ruth caiu imóvel ao lado do corpo, e Penny pôs o polegar na boca e começou a chorar.

No dia 2 de julho, Peter Poyas, Ned Bennett, Rolla Bennett, Betteau Bennett, Denmark Vesey e Jess Blackwood foram enforcados.

Passaram-se dias. Longos dias. Ruth vendeu sua aliança de casamento para comprar comida. Martine não choramingou nem se alvoroçou. Eles não saíram. Falavam aos sussurros.

— Tem home que nunca fica sabeno o que dão pra fazê. Eu sô sortudo — disse Jehu a Ruth, que foi para o outro cômodo, impedindo assim que ele a visse chorar.

Sem falar em esperança, pois era muito tênue, eles começaram a ter alguma.

Embora as ruas estivessem patrulhadas pelos milicianos e a igreja da Cow Alley estivesse fechada, as fazendas junto ao rio voltaram a produzir. Cancelas de madeira foram erguidas, e a plantação de arroz, alagada para o fluxo de germinação. O mercado reabriu, embora os Patrulheiros de Charleston o vigiassem. Os negros levavam seus produtos e os vendiam, mas não se demoravam por lá.

Na terça-feira, eles foram buscar o marido de Ruth. Embora a porta estivesse trancada, eles a arrombaram e passaram pelo marco azul como se aquilo não importasse. Sete homens brancos, armados com espadas e pistolas, com medo de um negro desarmado. O líder deles perguntou:

— Jehu Glen?

— Jehu Glen, construtô de escada.

— Por que deveríamos dar importância a isso?

A cabeça de Jehu se levantou e, por um instante de orgulho, ele era seu Jehu novamente.

— Pruque importa pra mim.

Quando eles levaram seu pai, Martine chorou de maneira tão inconsolável que Ruth sentiu o coração se partir.

— Ocê tem de sorri — disse Ruth. — O mundo trata ocê mió se ocê sorri. Ocê tem de escondê o que sente de verdade, fia. Eles mata ocê se ocê num sorri.

Naquela noite, com a lua alta no céu, Ruth deixou Martine dormindo e atravessou Charleston até o pátio dos Butlers. Os cavalos bufaram e mexeram os cascos no estábulo. Ruth abriu uma fresta na porta que dava para uma escadaria estreita e subiu na escuridão.

O quarto de cima, iluminado pelo luar, estava salpicado de homens que dormiam em colchões de palha.

— Hercules? — sussurrou ela.

O homem mais próximo se sentou, o peito cintilando ao luar.

— Minha nossa — queixou-se ele. — Agora ocês muié tão vino aqui! — Ele voltou a se deitar com um grunhido.

Uma sombra tornou-se Hercules, nu, exceto pelo trapo que lhe escondia as partes.

— Ô garota danada.

— Eu...

— Eu sôbe do Jehu. Sinto muito.

— Ele só queria...

Hercules rebateu asperamente.

— Nós tudo qué!

Ela acenou com a cabeça para os que dormiam.

— Pur favô.

Ele a seguiu até lá embaixo, até o pátio banhado pelo luar.

Ela buscou o garoto atrevido no rosto de Hercules, mas aquele garoto se fora.

— Eu num tenho nada procê, Ruth. Ocê tem de vendê as ferramenta do Jehu...

— Ele vai precisá delas quando vortá pra casa.

Hercules soltou uma lufada de ar.

— Eu tenho duas moeda de 4 escondida. Vô pegá — disse ele.

Quando ele andava pelo quarto alguém reclamou:

— Cumé que se pode drumi com todo esse rebuliço?

— Fecha essa mardita porta. O sereno dá febre — reclamou outra voz.

Quando desceu novamente, Hercules vestia calças esfarrapadas.

— O que ocê tá sabeno? — perguntou Ruth.

— Enforcaru o Pastô Vesey, Peter Poyas...

— Isso eu sei. Todo mundo sabe. O que mais ocê tá sabeno?

Hercules fez uma pausa.

— Os branco tá com medo. Num sabe quem tava do lado do Vesey e quem num tava. Tá com medo. O Sinhô Langston tá drumino com as pistola do lado da cama. Ele fez questão de me contá sobre as pistola pra eu avisá quarqué nego que quera matá ele. — O inesperado sorriso maroto de Hercules. — Eu disse "ninguém de nós aqui qué matá o Sinhô Butler. Nós é tudo nego sastifeito".

— O que ocê tá sabeno? — repetiu Ruth.

— No depósito de açúcar tão preguntano quem mais tava com Vesey. A maioria num fala. O Peter Poyas num disse nada, mermu tendo sido açoitado inté num podê mais ficá de pé. O Gullah Jack disse tudo que eles qué ouvi.

Úmido e quente. Um pássaro noturno piou. Vagalumes piscavam mensagens desanimadoras.

— Tarvez eles vende arguns em vez de enforcá — disse Hercules. — O Sinhô Langston diz que enforcá os nego é o mermu que rasgá dinhero.

— O que eles tava pensano? É certo que nenhum tava pensano na minha Martine nem nos fio das muié deles. É certo que num tava.

Hercules deu de ombros.

— Já eu, eu gosto de cavalo.

No dia 12 de julho, Jack (Gullah Jack) Pritchard e Monday Gell foram enforcados.

Ruth não sabia se ousaria calçar sapatos. Seus sapatos simples de ir à igreja eram sóbrios como a manhã de domingo, mas...

Seu pequeno crucifixo de madeira, ela sabia que era melhor não usá-lo. Naqueles tempos, Charleston não era um bom lugar para ser uma negra cristã.

Muitos senhores andavam se sentindo desconfortáveis com a cristandade de seus escravos. Sim, eles queriam que os escravos abandonassem as superstições pagãs e todos os senhores protestantes confessos acreditavam que todos os cristãos deveriam ser capazes de ler a Bíblia, mas negros alfabetizados eram perigosos.

Uns poucos fazendeiros devotos superaram seus temores, mas a maioria se contentava em pregar para os analfabetos. Um dos textos prediletos era de São Paulo: "Servos, obedeçam aos vossos senhores terrenos com respeito e temor, com sinceridade de coração, como a Cristo."

Os homens da Filadélfia que haviam incentivado a igreja do Reverendo Brown na Cow Alley (como salientou o *Charleston Courier*) "eram clérigos brancos filantrópicos e de coração aberto que incitaram entre nossos negros um espírito de insatisfação e revolta". Os senhores do Low Country respiraram aliviados quando a igreja da Cow Alley foi posta abaixo.

Em tempos menos temerários, os sapatos de ir à igreja de Ruth (e seu crucifixo) teriam indicado a docilidade que o Sinhô Butler esperava. Embora ela não pudesse esfregar sua negritude no banho, tomá-lo provava seu desejo de fazer isso. A blusa branca de Ruth fora engomada de forma impecável e seu lenço xadrez estava imaculado. Sua saia rodada era marrom e ela estava descalça. Levar Martine era arriscado — e se a criança se comportasse mal? Mas a pequena evocaria misericórdia, que era a única esperança de Ruth. Não importava que o Sinhozinho Langston Butler não tivesse tido um único pensamento misericordioso durante todo esse tempo. Não importava o que HAVIA acontecido! O que importava era o que IRIA acontecer!

Pessoas de cor não podiam testemunhar *a favor* de outras pessoas de cor, somente *contra*. Embora a maior parte dos conspiradores de Vesey tivesse permanecido calada, Gullah Jack não fora o único a delatar outros para evitar a forca.

Ruth odiava esses homens mais do que odiava os que haviam enforcado Vesey e os que julgariam Jehu naquela manhã.

Como Ruth não podia testemunhar no tribunal, ela o faria fora dele! Martine estava impecável, e seu cabelo, em tranças caprichadas. Os brancos achavam que um preto bem-vestido era insolente, mas Martine era encantadora. Um homem branco poderia açoitar um negro até sangrar, mas se encantar com sua filha.

Elas aguardaram logo abaixo da porta de entrada da casa dos Butlers na Meeting Street. Martine sentava-se na sarjeta, instruindo sua boneca de pano, Silly. No dia anterior, Ruth ouvira Martine advertindo: "Silly, seja boazinha! Eles enforca os nego mau!"

As lajotas da calçada retinham o frio da noite, embora o sol da manhã chamuscasse o céu. Dentro das residências, os criados iam de cômodo em cômodo na ponta dos pés, fechando as cortinas ensolaradas e abrindo as sombrias para ventilar. "O que os branco faria sem nós?", pensou Ruth. "Quem havia de abri e fechá aquelas cortina tudo se nós num tivesse aqui pra fazê isso?"

Ele sairia em breve. Não iria se atrasar. Senhores importantes esperariam pelo tio Middleton de Langston, mas seu sobrinho problemático devia chegar na hora.

Ruth achava que ele não se lembraria dela, apesar de suas idas frequentes à casa dele com o cesto do almoço de Jehu. Ela não podia pensar em Jehu sem começar a chorar.

Martine cantava para sua boneca: "Lá, lá, lá." Ruth tinha a sensação de que sua alma havia secado.

Butler se materializou com tamanha rapidez que era como se sempre tivesse estado lá. Num piscar de olhos, a presa de Ruth chegara!

— Martine. — A filha dela pôs o polegar na boca. — Não esqueça a Silly.

O jovem senhor usava uma casaca conservadora e calças cinza apertadas. Ele consultou o relógio.

Hercules prometera se atrasar cinco minutos e dera um beijo na testa de Ruth.

— Tô trenano a Valentine pras corrida do Jóquei Clube e sô o único que consegue manejá aquele cavalo. O Sinhô Langston qué derrotá o cavalo do Coroné Jack. Só mais tarde ele vai notá minha intenção, mas num vai me açoitá inté a corrida. Se o cavalo ganhá, ele vai esquecê daquele véio açoite. Se não, eu levo açoite por quarqué coisa que fizé procê. — Hercules deu de ombros. — Vô dá cinco minuto procê, Ruth. Aproveita o máximo que pudé.

Quando Ruth ficou diante dele, Langston Butler atravessou-a com o olhar como se ela fosse vidro.

— Sinhô Butler! — chamou Ruth num impulso.

Quando ele não respondeu, ela balbuciou:

— Sinhô Butler, eu sô a Ruth, esposa de Jehu Glen. Acho que o sinhô num se alembra, mas eu trazia a janta do Jehu quando ele tava fazeno sua sala. O sinhô vai jurgá o meu Jehu hoje no tribuná.

Os olhos dele estavam frios e focados, como os de uma cobra. Ele a olhou de cima a baixo. Franziu o cenho. Seria para seus pés descalços?

Ruth implorou:

— Jehu Glen é bom marido, sinhô. É o papá da pequena Martine. Jehu tentô fazê tudo direitim, mas aquele Vesey... aquele Vesey... — Ruth balançou a cabeça, desgostosa. — Vesey dexô o Jehu doido. O meu Jehu morria de medo daquele véio.

O jovem senhor fechou seu relógio e olhou para a esquina, onde sua carruagem deveria aparecer.

— O sinhô conhece meu Jehu. Ele tá fazeno os seu rodameio. Ele tá fazeno as pranta pra sua casa da fazenda. Meu Jehu é um nego valioso, sinhô. Se o sinhô fosse vendê o Jehu, credito que ele pegava 700, tarvez 800 dólar. Eu sei que ele errô. Num tô pedino pro sinhô sortá ele. Num sinhô, num sinhô. Mas ele vale 800 dólar, sinhô. É isso que tô pedino, sinhô. Vende ele. Num desperdiça 800 dólar.

Como que tocado por seu apelo, o jovem senhor estendeu a mão para tocá-la no queixo, e os duros olhos azuis encontraram os amedrontados olhos castanhos.

— Se eu me atrasar para o tribunal, vou mandar açoitá-la pelo incômodo. — Sua voz baixa foi a coisa mais dura que Ruth já ouvira. Apesar do sol que lhe queimava os ombros, aquela voz lhe fez sentir frio.

O ruído atrás dela era da carruagem que Hercules conduzia.

— Acorda, seus vagabundo! — exclamou Hercules, como se estivesse irritado com os cavalos por atrasá-lo.

Desesperada, Ruth pegou Martine no colo, como se a filha fosse um argumento.

— Ela adora o pai — implorou ela. — O pai é tudo que ela tem.

Martine ficou muda de espanto. Depois, abriu o berreiro.

O desgosto passou pelo rosto branco e pálido do Senhor Butler.

— Se o seu marido é valioso — disse ele —, pense no quanto mais valiosa você é: uma reprodutora com prova de fecundidade ao lado.

Ruth ficou sem fôlego. Langston Butler pôs o pé no estribo da carruagem e olhou para Hercules na boleia, deixando claro que não fora enganado.

Ele fechou a porta e sorriu para Ruth.

— Seu marido, Jehu? Ele não queria manter a cabeça erguida? — Ele acenou. — Creio que podemos arranjar isso.

Ao ir embora, Langston Butler dava risadinhas.

Por anos depois disso, Ruth se perguntou o que poderia ter dito para que as coisas saíssem de outro modo. Talvez devesse ter usado seus sapatos de ir à igreja.

Martine

Em 26 de julho, Mingo Harth, Lot Forrester, Joe Jorre, Julius Forrest, Tom Russell, Smart Anderson, John Robertson, Polydore Faber, Bacchus Hammett, Dick Simms, Pharaoh Thompson, Jemmy Clement, Jerry Cohen, Dean Mitchell, Jack Purcell, Bellisle Yates, Naphur Yates, Adam Yates, Jehu Glen, Charles Billings, Jack McNeil, Caesar Smith, Jacob Stagg e Tom Scott foram enforcados.

— Nós VAMO sê separada, docim. Num tem o que fazê — disse Ruth a Martine. Sua filha usava os melhores trapos que Ruth possuía e seu cabelo brilhante estava trançado com fitas verdes, pelas quais, na noite anterior, Ruth trocara seu jantar na cadeia dos escravos. — Ocê tá tão bonita, minha fia. Eles têm de vê como ocê é bonita. A minha Martine. Eles vão amá ocê assim como eu amo. A nova sinhá vai se derretê pur ocê.

Com outros escravos, Ruth e a filha aguardavam na plataforma de madeira ao lado das escadas da Exchange House, que era a alfândega e agência dos correios de Charleston. Após o leilão de escravos, haveria o de cavalos. Por último, várias mercadorias seriam vendidas — cabrestos, selas, moedores manuais de grãos, pequenas ferramentas e duas malas verdes e lustrosas.

Na manhã do mesmo dia em que Jehu foi enforcado, a Ronda bateu educadamente na porta com o marco azul quebrado de Ruth. As cautelosas autoridades de Charleston pretendiam recuperar as despesas e confiscaram as ferramentas de Jehu, sua escrava e sua cria. Suas plainas, seus cinzéis e instrumentos de medição foram vendidos a um construtor, e o capital humano de Jehu foi mandado para a casa de correção para ser leiloado.

Ruth ocultou de Martine o destino do pai, mas o imaginava sempre que fechava os olhos cansados.

As autoridades estavam decididas a fazer um enforcamento exemplar e como o patíbulo não acomodava 24 homens ao mesmo tempo, os condenados foram conduzidos pelo longo muro de pedras que havia protegido a cidade dos britânicos em 1812. Vinte e quatro cordas de cânhamo foram penduradas naquele muro e os condenados subiram em banquinhos na frente dele. Um aglomerado multirracial e barulhento se espremia junto aos milicianos enquanto o carrasco ajustava os nós das cordas. Quando ele chutou os banquinhos, a queda foi insuficiente para quebrar os pescoços e os 24 homens começaram a ser estrangulados. Quase todos se debateram, chutando, se contorcendo e tendo convulsões. Bacchus Hammett levantou os joelhos para abreviar a agonia e o carrasco deu cabo de vários pendurados. O filho mais moço de Jeremy Clement, Cícero, tentou correr até o pai, mas levou um coice do cavalo de um miliciano e morreu naquela noite.

O leiloeiro de Ruth, um cavalheiro barbado num casaco de linho e um imaculado chapéu de abas largas, examinava atentamente os documentos de venda enquanto sua mercadoria era inspecionada por compradores e curiosos desocupados. A pedido de um fazendeiro, um negro jovem corria sem sair do lugar, girava os braços e saltava acocorado, demonstrando sua aptidão para o trabalho no campo. A moça de pele marrom ao lado de Ruth mostrou os dentes e se virou de um lado para outro. Quando um rapaz pediu que ela levantasse a saia, o leiloeiro interrompeu:

— Vai comprar, filho? Ou só quer dar uma espiada de graça?

O leiloeiro empilhou a papelada, pigarreou e começou sua cantoria.

— Este garoto vai lhe render um bom *dinheiro*! Quero dizer G-R-A-N-A: *Muita grana!* Este garoto sabe plantar, roçar, colher e debulhar. Ele vem da fazenda Anderson, então sabe tudo sobre o arroz tipo Gold da Carolina.

Ruth nada sentia. Ao contrário do inferno, este dia teria um fim.

Depois que o escravo do campo e a mulata jovem foram vendidos, o assistente do leiloeiro empurrou Ruth e Martine para cima do bloco. Ainda que Ruth tivesse *pertencido* aos Forniers, aos Evans e a Jehu, eles não tinham realmente sido seus *donos*. Ela havia sido Ruth ou Mammy Ruth, o que não era o mesmo que *pertencer* a alguém. Agora estava sendo reduzida.

A poucos metros de Ruth e sua filha, um fazendeiro entrou na Exchange House. Pouco antes, ele verificou um manifesto, registrando uma escritura; talvez tivesse uma carta para pôr no correio. Não as notou. Se Ruth o chamasse, talvez ele se assustasse ou se aborrecesse antes de continuar com seus afazeres. Ruth, Jehu, sua amada Martine: como haviam existido? Se não aos olhos dos homens, teriam dividido um pequeno e, despretensioso espaço no coração de *Le Bon Dieu*?

O leiloeiro continuou:

— Cavalheiros, peço-lhes toda a atenção. Tenho uma criada doméstica à venda! Cerca de 20 anos, em perfeita saúde, uma aia e criada doméstica experiente, obediente e trabalhadora. Cavalheiros: ela não sabe ler uma palavra subversiva sequer em qualquer língua! Nunca ficou doente na vida e tem uma filha de 5 anos ao seu lado. A criança está bem nutrida, não tem feridas nem cicatrizes, e sua mãe é uma reprodutora comprovada. Uma ou as duas; quanto pela dupla? Duzentos e cinquenta dólares; muito bem, senhor, 250 para começar. O Sr. Smalls deu um lance de 250. Realmente, cavalheiros, ela é uma barganha. Duzentos e cinquenta? Vejam esses olhos, examinem seus membros retos. Posso dizer 260? Imaginem esta jovem *limpando* seu quarto.

Uma onda de risadas maliciosas.

— O senhor! Duzentos e sessenta, eu tenho 260. Ouvi 275? Cavalheiros, essa rapariga vale 500 dólares, se é que já tive alguma assim à venda! Agora! Duzentos e oitenta para a melhor aia do Low Country? Pensem em como suas caras esposas irão agradecer por seus serviços!

Sua ênfase na última palavra reavivou as risadas maliciosas, que alguns cristãos consideraram de gosto duvidoso.

— Devo então vendê-las por 280 dólares? Trezentos. Obrigado, senhor. Tenho 300...

Um caipira deu um passo à frente.

— Ela é um dos demônios do Vesey. O marido dela foi enforcado na terça passada. Essa vadia estava deitada do lado dele conspirando para cortar a garganta dos brancos! Ela, ele e o Satã Vesey. O senhor acha que minha esposa iria me agradecer por deixar nossos bebês inocentes, brancos como a neve, no regaço dessa víbora?

Atrás da multidão, chegaram alguns cavaleiros animados. Mais interessados na cordialidade do que no leilão, um deles esvaziou o cantil; outro ficou sobre a sela por precaução.

O leiloeiro falou asperamente com o caipira.

— Senhor! Queira dar licença! Eu tenho 300...

— O diabo que você tem! — gritou o homem que dera o maior lance. — Não tinha dito que ela foi do bando do Vesey!

— Senhor, leiloei quarenta escravos leais involuntariamente envolvidos naquele caso maldito. Todos foram cuidadosamente investigados e se comprovaram ignorantes da conspiração de Vesey. Deixados quietos, sem agitação, nossos negros são felizes e respeitosos. Esta mulher serviu às mais finas famílias de Savannah e Charleston. Ela não é nenhum Judas! Nenhuma mulher estava envolvida na trama de Vesey. Como poderiam estar? As mulheres não são os vasos mais frágeis?

O homem que dera o lance de 300 dólares virou-se e foi embora. Um dos cavaleiros recém-chegados desmontou para tirar uma pedrinha da bota enquanto seus amigos o aconselhavam.

Já tendo enfrentado o "fator negativo Vesey" antes, o leiloeiro franziu os lábios.

— Mulher, vire-se e tire a blusa.

Ruth tirou a blusa com a leveza de uma brisa. Os escravos à sua frente baixaram os olhos.

— Estão vendo alguma cicatriz nas costas dela? — perguntou o leiloeiro. — Ela foi açoitada? Não! E vou lhes dizer por quê. Porque o homem dela era um rebelde, mas essa mulher conhece o seu lugar! Vire-se.

Os rapazes deram risadinhas. Alguém deu uma gargalhada.

— Esta rapariga pode não ser clara o bastante para o comércio extravagante, mas cavalheiros sofisticados já me disseram que o negrume não é visto no escuro. Eu tive 300 dólares. Começarei novamente. Quem dá 250 por essa jovem negra e a pequena ao seu lado. Duzentos e cinquenta? Ouvi 250?

— Eu dô 40 pela cria — gritou o caipira intrometido. — Minha cozinheira perdeu a dela e detesto a manha que tá fazendo por causa disso.

— Tenho 40, 40. O senhor lá atrás. Vai dar 45? Então vai por 40. Vendida para o número 16. Senhor, meu assistente, o Sr. Mullen, vai pegar seu dinheiro e providenciar a nota de venda.

A mão de Ruth estava completamente amortecida, então ela não sentiu a mão de Martine sendo puxada. Não ouviu o choro da filha. Não a viu ir embora. Ruth tinha uma conduta: o que ela não tocava, não ouvia, não via nem sentia, não existia.

Um instante de escuridão, morta por alguns segundos, seu coração rachado para sempre, isso foi tudo.

— Já é meio-dia, Sr. Smithers! Vim comprar um cavalo. Quando é que vêm os malditos cavalos? — berrou um homem branco.

— Paciência, Jack. Vou vender os negros, depois os cavalos.

— Mas que droga! Que droga! — O Coronel Jack desmontou e foi até a quadra. — Smithers, seu grande filho da... Ruth! Meu Deus, é você! Mas que diabos está acontecendo?

— Martine — sussurrou Ruth.

— Ora, por minha vida. Por minha vida. A Frances está sabendo?

Ruth fez que não.

Jack abriu sua carteira e dedilhou o dinheiro.

— Smithers, como está o meu crédito?

— Jack...

— Quanto eu lhe devo?

— Você ainda não acertou aquele cavalo baio, lembra? Pernas dianteiras brancas. Nem aquele potro preto que você comprou em dezembro. Jack, você sabe e eu sei que você roubou aquele potro.

Jack fincou um dedo no próprio peito.

— Roubar um potro? Smithers, você está chamando Jack Ravanel de ladrão de cavalos?

Os amigos de Jack riram e o sujeito que segurava o cavalo de Jack disse:

— Que um raio me parta se você for, Jack. Que um raio me parta.

Depois de idas e vindas, ficou determinado que o crédito de Jack era inaceitável até os pagamentos anteriores serem feitos ou a menos que se penhorassem alguns arrozais, caso em que o crédito seria reinstituído de bom grado, não com prazer, por Smithers e Filhos, leiloeiros de escravos, cavalos e mercadorias em geral.

— A Frances me mataria — disse Jack.

Ruth pensava em quantas palavras deviam existir e por que havia tantas.

O Coronel Jack fez súplicas e deu garantias aos seus colegas cavaleiros. Invocou Frances.

Normalmente, os 217 dólares que Jack juntou não comprariam uma jovem escrava reprodutora, mas a mulher estava manchada, o mercado, abarrotado, o leiloeiro queria seguir em frente e a criança já havia sido vendida separadamente.

Setenta anos atrás, o bisavô de Jack Ravanel, Nathaniel, aplicara seus lucros no comércio de peles de cervo em terras de índigo junto ao rio Ashley. O avô de Jack, Josiah, tinha 18 anos quando morreu num duelo, e seu irmão William plantou arroz nas terras dos Ravanels e construiu uma casa de cipreste com formato irregular numa colina do outro lado do rio. O arroz tipo Gold da Carolina era leve, transportável e de longa durabilidade. Os comissários de Napoleão e Wellington despejavam dinheiro no Low Country, onde fazendeiros novos-ricos douravam suas carruagens e demoliam as prosaicas casas de fazenda de seus avôs para construírem "casas-grandes" ao estilo colonial Georgiano. Os Ravanels se contentavam com sua antiga e disforme casa de cipreste entre a estrada e o rio, localizada numa encosta do penhasco e a salvo das tempestades. Enquanto Jack farreava com seus amigos cavaleiros na cidade, Frances preferia ficar onde, como ela dizia, podia ouvir os pássaros cantando. Os cômodos de uso da família eram alegres com seus bibelôs, e penduradas nas paredes da sala de jantar havia colchas dos índios creeks em cores vívidas de vermelho, verde e laranja. Embora houvesse 18 escravos em tempo integral e meio turno lidando nos campos de arroz de Jack do outro lado do rio, somente a cozinheira e Mammy Ruth moravam na casa. Os cavalariços e jóqueis de Jack dormiam no anexo de um estábulo de 12 baias.

O coronel Jack não era um fazendeiro entusiasmado nem cuidadoso e tratava seus escravos como antes tratara seus milicianos brancos. Em consequência, eles trabalhavam direito sob o olhar atento de Jack, mas cuidavam de suas hortas, caçavam e pescavam quando seu senhor estava fora. Os amigos de Jack recomendaram capatazes, mas um era muito negligente, o seguinte, muito rígido, e nenhum durou mais que um ou dois meses.

Como Jack estava frequentemente fora, comprando cavalos, Frances e a filha Penny serviam de companhia uma à outra.

Quando Jack chegou com Ruth na garupa, seus olhos estavam contraídos de dor de cabeça e Ruth estava cinza como água suja. Seu sorriso abatido era terrível.

— Nós compramos outra criada — disse Jack. — Eu sei, eu sei que não devia, mas como podia deixar Ruth ser vendida?

— Vendida? Como assim? Onde...? É claro que você não podia ter deixado, Jack querido. Entre, Ruth, você está exausta.

Penny, que viera correndo para cumprimentar sua aia e a amiga Martine, pôs o dedo na boca.

— Que bela casa — Ruth conseguiu dizer.

— É uma velha ruína, mas é um lar. — Quando Frances lançou um olhar inquisidor para o marido, o cenho franzido de Jack advertiu-a a não perguntar sobre Martine.

Atônita, Ruth se sentou em um balanço na varanda da frente até Penny dar um jeito de sentar no colo de sua Mammy e, depois de muito tempo, Ruth acariciou seus cabelos.

Naquela noite, ajoelhada diante da cama, Penny rezou para que Martine estivesse bem e feliz. Os olhos de Ruth acariciaram a criança de modo tão ardoroso e terno que Frances não suportou olhar.

Pela manhã, Jack saiu rumo a Beaufort, onde uma viúva poderia vender os cavalos deixados pelo marido.

No final da semana, Ruth conseguiu dormir, mas eram cochilos de trinta minutos.

Jack tinha coragem suficiente para encarar projéteis, mas não aquilo. Quando não estava viajando, o coronel ficava na cidade.

Ruth fazia tudo que Frances pedia, mesclando-se ao sombrio vestido marrom e colocando um lenço verde na cabeça. Com frequência, Frances olhava para cima e se perguntava quando Ruth havia entrado no cômodo e fazia quanto tempo estaria lá sentada.

Ruth estava fechada a qualquer comentário e, quando Frances tentava conversar, o sorriso melancólico de Ruth a detinha como um cobertor abafa o fogo. Apenas Penny mencionava Martine, em suas orações na hora de dormir. Embora nenhum adulto fosse falar, teriam notado se alguma noite Penny esquecesse.

A febre costumava ser fatal para os recém-chegados ao Low Country. Brancos e negros ali nascidos — cujos descendentes tivessem conhecido a febre na África — geralmente a contraíam em sua forma mais branda. Todos a contraíam em um momento ou outro, e o que Frances esperava na manhã em que Penny não conseguiu levantar da cama com a testa quente como fogo eram dois ou três dias de sofrimento até que a febre concluísse seu ciclo.

Ruth a tratou com chá de casca de quinino e uma decocção de folhas de rabanete e depois de três dias Penny começou a melhorar. No dia seguinte, quando Frances pensou que a filha fosse sair da cama, Penny reclamou de dor de cabeça e a febre voltou. Ao cair da tarde, a criança estava tão fraca que precisava ser carregada até o penico.

Frances mandou chamar Jack e o médico.

— A febre é especialmente perigosa para as crianças — disse o médico, falando o que todos os pais do Low Country sabiam.

Penny ficou acamada ardendo em febre. Sua mãe, Ruth e Jack se revezavam em turnos, banhando-a com panos frios.

Após uma longa noite com a filha, Jack encontrou Ruth com a expressão vaga, sentada na cozinha, e explodiu:

— Uma mulher na flor da juventude não pode desistir. Frances precisa de você, Ruth.

Os olhos de Ruth estavam turvos e melancólicos.

— Maldição! — Jack sussurrou seu grito. — Penny precisa de você.

Ruth deu seu tão conhecido e terrível sorriso.

— Ah, Coroné Jack. São tantos que precisa de mim.

Os pais de Penny e Ruth ficaram ao lado da menina dia e noite, e, se não foram suas orações que curaram a criança, algo o fez, pois, quando chegou dezembro, uma pálida Senhorita Penny Ravanel aproveitou um Natal tranquilo e um novo cavalo de balanço que ela chamou de Gabby.

Jack voltou à cidade para as corridas, nas quais a égua Valentine de Langston Butler derrotou o cavalo favorito e Butler levou o treinador de Valentine para o salão do clube, onde James Petigru fez um brinde em sua homenagem.

— Os crioulos entendem mais de cavalos que nós porque eles têm uma natureza animal.

Hercules não foi um sucesso social. Um negro, mesmo sendo o jóquei treinador do cavalo, deixava os senhores inquietos. Então o Senhor Butler mandou o criado de volta para o estábulo.

Jack retornou à fazenda para a época do plantio e andava se sentindo oprimido na casa. Disse a Frances que se sentia como uma "teta a mais por aqui".

— Se você ficasse "por aqui" mais tempo, talvez se tornasse um apêndice mais necessário.

Frances e Jack caíram na gargalhada.

Ele se aninhou ao pescoço da mulher.

— Nossa casa nunca esteve tão melancólica. Será por causa de Ruth?

— Não faz um ano que ela veio para nós. Faz mais do que eu peço e nunca reclama. Penny a adora. Nossa filha lê para Ruth todas as noites.

— Sim, mas...

— Nossos amigos enforcaram o marido dela e venderam sua filha.

Jack deu de ombros.

— Vesey teria matado todos os brancos de Charleston. Teria matado Penny e você.

— Martine?

— *Madame*, aquilo foi uma pena, mas sempre foi assim. — Ele ofereceu um copo de xerez a Frances, mas ela o recusou, assim como recusou o marido.

Fortes chuvas de primavera fizeram o Ashley transbordar. Diques se romperam e portões de madeira foram levados pelas águas. Jack se exauriu de tanto trabalhar até ouvir que um garanhão da Virgínia era seis segundos mais veloz que Valentine em grande distância. Continuou com os reparos por mais três dias. O trabalho por fazer quando Jack partiu continuaria da mesma forma.

Penny não deixava Ruth em paz.

— Ruth, está vendo aqueles patos? Por que eles voam em V? Ruth, se Gabby fosse um cavalo de verdade, que velocidade alcançaria? Eu *sei* que ele não é um cavalo de verdade, sua boba!

Como sua mãe lia para ela quando ela era pequena, antes de fazer suas orações, Penny lia para a negra silenciosa ao lado de sua cama.

O fazendeiro Meanwell, pai da pequena Margery e de seu irmão Tommy, foi um homem rico por muitos anos. Ele tinha uma grande propriedade, bons campos de trigo, rebanhos de ovelhas e muito dinheiro. Mas a sorte o abandonou e ele ficou pobre. Ele precisou arranjar dinheiro emprestado para pagar o aluguel e o salário dos criados que trabalhavam em sua fazenda.

As coisas foram de mal a pior para o coitado do fazendeiro. Quando chegou a hora de pagar os empréstimos que devia, não teve condições de fazê-lo e foi forçado a vender a fazenda, mas isso não lhe deu dinheiro suficiente, então ele ficou numa situação ainda pior.

Ele foi para outra aldeia e levou a mulher e os dois filhos pequenos. Embora seguro e longe dos agiotas e usurpadores, os problemas que precisou enfrentar foram demasiados para o homem arruinado. Ele adoeceu e ficou tão preocupado com a mulher e os filhos que foi piorando e morreu em poucos dias. Sua mulher não suportou a perda do marido, a quem amava profundamente. Ela também adoeceu e em três dias estava morta.

Então, Margery e Tommy ficaram sozinhos no mundo, sem pai nem mãe para amá-los e cuidar deles. Os pais foram colocados em um túmulo; e agora parecia não haver ninguém além do Pai dos órfãos, que reside no céu, para ter pena das crianças sem lar e cuidar delas.

Penny se aninhou mais na cama.

— Mammy, como é que Deus deixa essas coisas acontecerem?

Ruth não conseguiu falar por alguns minutos.

— É só um livro, docim. As pessoa bota todo tipo de coisa que nunca aconteceu nos livro.

— Mas *podem* acontecer, não é?

Como alguém que recita um poema meio esquecido, Ruth sussurrou:

— Ocê é tão bonita, fia... Eles têm de vê o quanto ocê é bonita... Eles vão amá ocê assim como eu amo.

Após um profundo silêncio, Penny fechou o livro de modo determinado.

— Me dê um beijo, Mammy. Me deseje bons sonhos.

Embora Frances investigasse, Martine não havia sido vendida para ninguém da alta sociedade. Tudo indicava que o comprador de Martine era um granjeiro do interior sem ligações com os círculos afins ao Low Country.

As inquirições de Frances deram fruto num meio-dia de agosto quando os pássaros canoros ofegavam e nenhuma sombra era bastante funda. O suor pingava na carta de uma prima de terceiro grau, ou talvez de quarto, da parte de sua mãe, que enviava as mais afetuosas lembranças e esperava visitá-la caso eles algum dia resolvessem sair de sua tediosa granja no interior para a grande e impiedosa cidade de que ela tanto ouvira falar. O suor borrou a tinta e Frances colocou a carta na mesa de ratã ao lado de sua xícara de chá. Antes que Frances pudesse tomar qualquer decisão, Ruth chegou à varanda.

— Penny tá tirano um cochilo.

Frances encarou sua criada com determinação e pegou a carta.

O olhar de Ruth se fixou ao papel dobrado como se fosse a promessa de Cristo moribundo.

— Martine...?

Ruth obteve a resposta na fisionomia de Frances Ravanel.

— Ah, eu sabia, sinhá. Eu sabia que a minha Martine tinha morrido. Num tem bebê que viva muito sem sua mama. Os bebê muito apressado vorta pro céu. Só suas mama consegue mantê eles aqui.

Quando Frances se levantou para abraçá-la, Ruth ergueu a mão.

— Não, sinhá — disse ela. — Num tô careceno de nada. Num quero nada.

— Ruth, eu sinto...

— Sim, sinhá. Eu fico muito grata. Acho que nós duas sente.

As largas varandas hospitaleiras da antiga casa da fazenda ofereceram pesar e um calor abafado pelo resto daquele verão.

Em uma manhã, tão cedo que Frances ainda estava de roupão, começou um grande rebuliço. Eram patrulheiros, devolvendo o jóquei fugitivo de Jack, Ham, e esperando uma bebida e a recompensa de 50 dólares. Uma Frances aborrecida foi buscar ambos os prêmios. Após o segundo conhaque, às gargalhadas e com simpatia, eles se ofereceram para acorrentar o fugitivo. Talvez devessem mandá-lo buscar açúcar?

— Não creio que seja necessário.

Os patrulheiros saíram cavalgando sob o sol inclemente.

— Por que, Ham? — perguntou Frances. — Nós não o tratamos de maneira justa?

— Acho que sim.

— Então, por quê? Droga! Me responda!

— É o Sinhô Butler, que tá vendeno minha Martha pro sul. Sem dizê pra onde ela tá ino.

Dois meses antes, Ham havia juntado os trapos com uma escrava doméstica da fazenda Broughton.

— O sinhô disse que a Martha é "petulante" e entonce vai se embora. Pode fazê o que quisé comigo, sinhá. Pode me dá chibatada ou me vendê ou quarqué coisa. Tô com o coração partido e quero morrê.

Frances perdeu a paciência.

— Como se atreve a pensar que é o único com o coração partido!

Jack comprou quatro cavalos Tennessee e depois os vendeu, conseguindo um bom lucro. Ele nem sabia por que perdia tempo com arroz. Não era fazendeiro de fato. Sim, ele iria até a plantação no dia seguinte bem cedo. Sim, contrataria um bom capataz. Sim, ele sabia que alguns portões ainda precisavam de conserto. Sim, falaria com Langston sobre a mulher do Ham.

— Vou falar com ele. Isso não vai mudar sua decisão, mas vou falar com ele.

— Talvez você possa comprar a Martha.

— Langston vai querer mais do que ela vale. Mais do que ela vai pegar com o especulador de escravos. Não precisamos de mais problemas com escravos — retrucou o coronel, impaciente.

— É verdade, Jack, mas, quando encontrar seu grande cavalo, você vai querer um jóquei para montá-lo.

Jack comprou Martha e Ham prometeu que venceria a próxima corrida, com certeza. Jack podia apostar.

Ruth estava sempre sorrindo. Ela era pele e osso e os seios haviam murchado e sumido. Caminhava como se caminhar doesse, mas sorria todo o tempo. Dizia as coisas mais animadoras numa voz tão morta quanto a morte pode ser. A senhora e a criada habitavam a mesma casa como estranhas. Elas arquitetavam esquemas que impediam o encontro. Certo dia, Frances perdeu a paciência.

— Ruth, você precisa comer. Precisa recuperar as forças. Penny precisa da sua força.

— Se não o quê, sinhá? Vai me mandá buscá açúcar? Sinhá, eu tô com muita gente do otro lado. Tô sozinha — disse Ruth com seu medonho sorriso animado.

Jack estava em algum lugar no norte da Geórgia quando a febre de Penny voltou.

— Ela tem a grande vantagem da juventude — comentou o médico. E em seguida: — Muito incomum.

Ham levou Frances à fazenda Broughton, onde ela encontrou Dolly assistindo aos doentes na enfermaria. Frances foi direto ao assunto.

— Mammy Ruth quer morrer.

— *Le Bon Dieu* qué a Mammy Ruth?

— Eu acho... eu acho que teremos de perguntar a Ele.

— Não, sinhá — retrucou Dolly, impaciente. — Nós pregunta pros esprito e eles pregunta pra *Le Bon Dieu*. Eles interfere pur nós.

Frances achou que Dolly queria dizer "intercedem", mas ficou em dúvida.

— Você pode...?

— Sô uma boa cristã, sinhá — interrompeu Dolly com veemência. — Eu num faço exorcismo.

— Minha Penny... eu... — Como se outro ser, algum espírito, falasse através de sua voz, Frances disse: — Se Ruth morrer, minha filha também morre. Eu sei disso.

Por fim, Dolly suspirou e disse que faria o possível.

Ham levou a mulher até a cidade para fazer algumas compras e empréstimos e eles só voltaram ao anoitecer. Com um saco de aniagem debaixo do braço, contendo protuberâncias misteriosas de cheiro forte, Dolly perguntou a Frances:

— A Sinhá qué ajudá?

Aquela mulher de sorriso falhado dava calafrios na alma protestante de Frances Ravanel.

— Eu preciso de arguém pra ajudá.

— Ah... por que não Ham? Um... um dos seus.

— Ham? — Ela dispensou o homem. — O que Ham qué é poção de amô. É só isso que ele qué. Fazê a muié dele bancá a boba.

Depois que a mulher nada boba de Ham, Martha, fechou a porta atrás das duas mulheres, Frances, que às vezes tomava uma dose de xerez no Natal, encheu um copo até a borda com o uísque escuro e adocicado que o Coronel Jack trazia de Kentucky.

O segundo copo tapou seus ouvidos aos sons muito estranhos que vinham do outro lado da porta, sobre os quais, como cristã, ela não queria pensar, assim como queria abstrair-se dos cânticos e das múltiplas vozes. Ela foi para o quarto de Penny e adormeceu na cadeira ao lado da cama da filha.

O sol da manhã tingiu de rosa a bruma do rio e um raio encontrou a janela da antiga casa de fazenda. Frances acordou de repente e tocou a testa fria de Penny. Os olhos azuis da menina se abriram.

— Mamãe? Água.

Frances serviu água da jarra que estava na mesa de cabeceira e ajudou Penny a beber.

— Eu tive uns sonhos muito estranhos... — contou Penny. — Mas não consigo me lembrar.

Uma lágrima correu pelo rosto de Frances.

Ela ajudou a filha a vestir uma camisola limpa.

— Humm — Penny deu uma risadinha. — Estou cheirando mal!

Frances abriu as cortinas, deixando entrar a brisa que vinha do rio.

— Estou tão grata — disse.

Penny fez uma careta.

— Como a senhora está grata por isso?

— Você logo vai tomar um banho.

Frances levou um bule de chá para cima e bateu na porta de Ruth. Ouviu um ruído lá dentro. Um resmungo. Som de passos.

A camisa de Dolly estava para fora da saia e suas tranças, desfeitas. Seu rosto estava relaxado, como se ela tivesse passado a noite fazendo amor. Atrás dela, o quarto estava escuro, com cortinas fechadas. Havia coisas estranhas penduradas nos candeeiros da parede e Dolly cheirava a ervas fortes, almiscaradas. Frances não conseguiu distinguir se era uma ou se eram duas mulheres que estavam deitadas na cama de Ruth.

— Vai sê otro dia, num é? — anunciou Dolly com a pergunta retórica. — Sinhá, pode pedi pro Ham me levá pra casa? Tô cansada demais da conta pra caminhá.

— E Ruth?

— Ah, a Ruth só precisa se despedi. Nós num pode dexá eles ir embora sem se despedi. Esse chá é pra mim?

Dolly pegou o chá e fechou a porta.

Frances levou Penny para a varanda, onde a cozinheira serviu mingau de aveia, que a menina comeu como se fosse a melhor coisa que tinha provado na vida.

Elas ficaram contemplando a manhã por uma ou duas horas e nada lhes passou despercebido, nem por um minuto.

Ham prendeu a carroça para levar Dolly em casa.

Ruth saiu da casa esfregando os olhos como se tivesse tido o mais profundo e feliz dos sonos.

— Olá, Sinhazinha Penny. Como vai?

— Estou me sentindo muito fraca.

— Eu tamém tô fraca, mas agora já posso cuidá de vosmecê.

— Ruth, você vai tomar café?

Ruth assentiu.

— E a Sinhazinha Penny?

— Eu não aguento comer mais nem um pouquinho — anunciou Penny, orgulhosa.

Mas a criança ficou sentada com elas enquanto Ruth comia e as barcas carregadas de arroz subiam o rio até a usina de beneficiamento. Pássaros canoros entrecortavam os cânticos solenes dos barqueiros.

— É tudo tão corriqueiro — disse Frances.

— Tem corriquero e corriquero — retrucou Ruth, servindo-se de outra panqueca de milho.

— O que...?

— Durante toda minha vida, os esprito ficô preguntano pur eu, mas eu sempre corri deles. Num sô africana, fui batizada na Igreja Católica de São João Batista.

— Eu não sabia...

— Eu nunca gostei do Gullah Jack, mas a Dolly foi buscá o Jack pra falá com eu. Jack num me queria lá mandano nos otro esprito. Eu tive de ficá pur aqui mais um tempo.

— Então agradeça a Deus por Jack.

— O Gullah Jack num é mió esprito que era home. — Ruth puxou o fôlego. — Acho que eu vô vivê o tempo que as criança precisá de mim. As aia faz o que tem de sê feito.

Os preços mais altos do arroz encheram as carteiras dos bons fazendeiros e dos maus também. Jack comprou três cavalos, um seguido do outro, e pagou bem por eles. Contudo, apesar dos grandes esforços de Ham, todos chegaram em segundo lugar quando era importante chegar em primeiro.

Jack tentou comprar Hercules, que havia treinado alguns dos cavalos que venceram os dele e, para isso, passou horas escutando as reminiscências do velho Middleton Butler sobre sua viagem com a delegação da Carolina do Sul à convenção constitucional.

— Tenho a honra de ser o patriota que manteve a escravatura na constituição dos Estados Unidos — afirmava Middleton. — Os ianques precisavam dos votos da Carolina do Sul. O Tom Jefferson, altivo e tão orgulhoso de sua cultura, John Adams e a megera da mulher dele; ah, sim, todos respeitaram o humilde plantador de arroz da fazenda Broughton. — Middleton deu uma gargalhada e tossiu até ficar corado.

Invariavelmente, Langston tirava as esperanças de Jack.

— O tio nunca vai vender o Hercules, nem eu — declarou ele.

— Isso nós veremos, não é? — retrucava Jack, animadamente.

Enquanto Jack bajulava Middleton, Ruth e Penny visitavam os estábulos, onde Hercules flertava com Ruth.

— Ruth, acho que nós ia se dá bem — disse Hercules.

— Eu tive meu home. Nunca mais vô querê otro — respondeu ela.

Não foi tanto pelo que ela disse, mas o modo como foi dito. Hercules se levantou, assobiou e, apesar de continuar flertando, já não tinha a mesma intenção.

Frances Ravanel deu à luz um filho, um bebê agitado, cheio de cólicas, que berrava pelo seio materno, mesmo depois de estar alimentado.

— Bebê Andrew, ocê vai sê um home terríve — dizia Ruth —, mas as muié vai te adorá.

Middleton morreu sem sucumbir às bajulações de Jack. Embora seu herdeiro vendesse duzentos escravos para satisfazer aos credores de seu tio, Hercules não estava entre eles. Dois meses depois, Langston se casou com Elizabeth Kershaw, que, como única herdeira de William R. Kershaw, era tão rica quanto sem graça. Elizabeth apresentou um herdeiro dez meses após as núpcias. Os negros deram muita importância ao fato de que o primogênito nasceu segurando o cordão umbilical: um presságio poderoso, apesar de ambíguo.

As coisas se desenrolaram como de costume para as famílias dos fazendeiros, sua labutas e seus entusiasmos ditados pelas safras, tempestades e pelos caprichos de mercados distantes.

Aos 7 anos, Penny teve outro acesso de febre, que veio e se foi depois de deixar seus pais apavorados.

Estavam em meados de agosto e ninguém se lembrava de um verão tão chuvoso. Langston Butler apareceu e sentou-se com Jack na varanda. Ficaram conversando por uma hora.

— Do que se tratava? — Frances quis saber.

— Nosso campo lá embaixo junto ao rio, aquele onde o bisavô cultivava índigo. Langston veio dizer que a "querida Elizabeth o quer". Pelo jeito, Elizabeth tem essa ideia maluca de fazer piqueniques com Langston nas margens do rio. — Jack bufou. — Venha viver comigo, ser meu amor, e de todos os prazeres provaremos; todos os prazeres que os vales, as colinas, os pomares e os campos, os bosques ou as montanhas íngremes revelarem...

— Obrigada, Jack. O que Langston realmente quer?

— Na verdade, as ambições de Langston são bem limitadas. Ele está apenas cobiçando "o que é adjacente". Eu já vendi mais terras do que deveria. Gostaria que você dirigisse nossos negócios. Você é mais sensata que eu.

— Jack, você me deixa muito feliz.

— Nunca consegui entender o que você viu num soldado gasto e louco por cavalos como eu.

— Qualquer coisa que você possa ser, Jack, *gasto* não é a palavra que eu usaria.

Dizer que um homem era um cavaleiro ruim no Low Country era o mesmo que declará-lo como homem inferior. Ladrões iam para a cadeia, ladrões de cavalo, para a forca. Havia corridas de cavalos em encruzilhadas, feiras de animais, celebrações políticas e patrióticas: em qualquer lugar onde apostadores se reunissem. As maiores e mais grandiosas corridas aconteciam no Hipódromo Washington de Charleston durante a Semana das Corridas, que atraía os melhores cavalos, jóqueis, seus donos e especuladores do sul, do oeste e até mesmo do reino ianque. Os jornais de Nova York anunciavam "excursões para damas e cavalheiros" com passagem em velozes e modernas embarcações, acomodações luxuosas em Charleston e preciosos ingressos que davam acesso à tribuna especial do Jóquei Clube para as disputas mais importantes.

As apostas eram generosas, e os prêmios, estupendos. Esperava-se que a Valentine de Langston Butler repetisse a vitória da última temporada.

Naquele outono, Jack estava bebendo no clube úmido e tristonho da pista de corridas de Knoxville. Apesar da chuva copiosa que caía, a corrida tinha acontecido como estava previsto, e o cavalo no qual Jack apostara caiu, deixando seu jóquei negro aleijado. O cavalo foi sacrificado com um tiro antes mesmo que o jóquei (que foi culpado pelo acidente) fosse arrastado para fora da pista. Um Jack Ravanel mal-humorado ficou sentado num banco olhando para a garoa pela vidraça respingada da janela em cujo parapeito largo estavam seu charuto e seu copo de uísque. A chuva açoitava a sede do clube e o mau cheiro de um fogo fumacento na lareira se misturava ao das roupas úmidas de lã.

Jack estava cheio de dívidas, e a safra de arroz daquele ano tinha sido pior que a do ano anterior. Ele girava o líquido escuro dentro do copo como se alguma sabedoria pudesse se manifestar de seus vapores. Cavalos, cavalos, cavalos.

Em uma mesa logo atrás dele, dois homens da região confidenciavam:

— Eu tinha lhe falado do Red Stick.

— É, acho que tinha. — Um sussurro muito baixo. — Minha nossa. Seis quilômetros em oito minutos.

— Junior disse que o Andy vai vender.

— Ah, vai. Pode apostar. Um cavalo daqueles.

— E eu sou o primo do Junior, não sou? E não fomos criados juntos lá em Mutton Creek? Não tem muita gente sabendo do Red Stick. Andy faz suas jogadas por baixo dos panos.

Como que alertado pela presença de Jack, o outro disse:

— Fale mais baixo, Henry. Aqui não é o lugar nem a hora.

Dois dias depois, o Coronel Jack Ravanel estava cavalgando por uma alameda entre campos de algodão florescente. Chegou ao topo da colina acima de uma casa de tijolos de dois andares, mais uma casa de fazenda que a mansão de um aristocrata sulista. Depois que um garoto pegou seu cavalo, Jack foi recebido no vestíbulo por uma negra rechonchuda.

— Eu sô a Hanna, sinhô. Pode me dizê o que o traz aqui ou quem é o Sinhô?

— Coronel Jack Ravanel. Servi com o general.

— Ah, ele vai gostá de vê vosmecê. O Generá Jackson sempre tem tempo pro seus véio sordado.

Jack não precisou esperar muito. Jackson era um homem baixo e magro com uma cabeça grande demais para o corpo, que havia — como ele dizia — sido "chutada de um lado para o outro". O general carregava duas balas como lembrança de duelos e, ainda não fazia dois anos, vencera a eleição para a presidência dos Estados Unidos, mas foi trapaceado e não assumiu. Nunca reclamou.

— Muito bem, Coronel... Coronel Jack Ravanel. Que bom. Que bom. O que o traz aqui, saindo daquele antro de perversão da Carolina?

— Sou um homem regenerado, general.

— Você fez "o juramento"?

— Estou regenerado, general, não morto.

— Então precisa experimentar meu uísque. Venha ao meu gabinete.

Naquela pequena sala, Jackson apresentou Jack ao Sr. Harmon, de Nova York, e ao Sr. Fitzhugh, da Virgínia: seus "conselheiros". O uísque de Jackson era tão espetacular quanto a conversa era contida. A espada de ouro na mesa de Jackson fora concedida pela Assembleia Legislativa do Tennessee aos seus maiores generais de milícia.

Os conselheiros de Jackson ansiavam por fazer seu trabalho; seus rostos resplandeciam de necessidade.

— General, há muitos cavalos de raça às margens do Cumberland. Imagino que o senhor seja dono da maioria — disse Jack.

— Tenho uns poucos que não passam de pangarés. — Jackson mostrou os dentes num sorriso e se virou para o nova-iorquino. — Conhece cavalos, Sr. Harmon?

Impaciente, o ianque franziu os lábios.

— Que pena. Coronel Ravanel, se veio para ver os cavalos, eu preferiria mostrá-los pessoalmente, mas não posso deixar estes cavalheiros esperando. Se não se importa...

Hannah mandou um garoto buscar o capataz Ira Walton, que chegou apressado, envolto numa nuvem de poeira e irritado por ser afastado da colheita do algodão.

Enquanto cavalgavam até os estábulos, Walton perguntou a Jack como ele poderia conseguir uma colheita com negros que não tinham respeito por brancos.

— Não se pode mimar os negros — disse ele. — A colheita do General Jackson deve ser embarcada na hora. Nada de mimos. — Os olhos de Walton passaram por cada tarefa inacabada e cada mínimo desvio do que pareceu a Jack uma das plantações mais organizadas e movimentadas que ele já vira. Já nos estábulos, o capataz gritou: — Dunwoodie! Saia já daí, seu pilantra! — Um negro que botava ferraduras em um cavalo não olhou para cima, mas um mulato saiu do estábulo, protegendo os olhos do sol.

— Em que posso servi-lo, Sinhô Walton?

As palavras do homem eram respeitosas, mas algo no tom...

— Mostre nossos cavalos ao Coronel Ravanel — falou o capataz asperamente. — Estou muito ocupado agora.

— Ora, é claro que tá, capataz. Num sei como a prantação ia acontècê sem vosmecê.

Um rosto branco sério, um rosto negro sorridente; o homem branco praguejou e virou as rédeas do cavalo, esporeando-o em direção ao trabalho.

— A colheta precisa de toda atenção — disse Dunwoodie de modo solene.

— Um capataz prudente é uma pérola inestimável — retrucou Jack do mesmo modo solene.

— Mas então, Sinhô Coroné Ravanel, Pru que veio aqui? O que devo le mostrá?

— Eu gostaria de ver o Red Stick.

Dunwoodie deu um assobio baixinho.

— Aquele ali.

— Acredito que seja veloz.

— Ah, é, sinhô. Ele é veloz.

— Mas...

— Num tem nenhum "mas". O Red Stick é o puro-sangue mais veloz que eu já vi. E o generá num fica com cavalo lento.

— Mas... — incentivou Jack.

Um sorriso lento.

— Tarvez vosmecê veja por conta própia. Tarvez não. Ele tá no pasto de trás com os castrado.

Cantando, os trabalhadores ceifavam o feno e depositavam-no em montes no campo ao lado de um prado com belos cavalos.

— Como estão felizes — disse Jack.

— O Red Stick arrelia o Bertrand e o Bertrand corre atrás dele; entonce o Red Stick dexa ele quase arcançá, quase. O Bertrand cai no truque toda vez.

Alguns cavalos são tão lindos que chegam a ser sagazes. O sol cintilava no lombo de Red Stick.

Andorinhas precipitavam-se sobre os insetos desalojados pelos ceifadores de feno. Um trabalhador iniciava um chamado e os outros respondiam, um dueto tão lastimoso e antigo quanto o trabalho deles.

Então o cavalo virou a cabeça, bufou e partiu para cima dos homens que o observavam da cerca. Ele vinha com a intensidade de um furacão, os cascos batendo e a crina tremulando até Jack perceber que o cavalo não iria parar, então empertigou-se para saltar e salvar sua vida quando Red Stick desceu sobre as ancas e parou. Pó, esterco e touceiras de capim voaram no rosto de Jack, que espirrou e se encontrou olhando para dois olhos castanhos translúcidos a centímetros dos seus: "Quem é você?"

Red Stick era um ruão de crina, cauda e machinhos pretos. Pescoço longo, equilíbrio perfeito, cauda alta, ancas delicadas, patas fortes, narinas se expandindo e olhos muito inteligentes.

— Ele tá cumprimentano — explicou Dunwoodie.

— Oi. — Jack acariciou o grande focinho marrom-avermelhado, e o cavalo bufou, meneou a cabeça, sacudiu o corpo e, dando coices, foi correndo ao encontro dos outros. Jack ficou impressionado. Seu coração batia como o de um garoto, e ele mal conseguia suportar.

— Seis quilômetros em oito minutos.

— Eu mermu já contei.

— Correndo do Bertrand.

— Passando do Trifle.

— Mas em nome de Deus, por que o general quer vendê-lo?

O mulato fez uma careta.

— Ele num qué.

— Então?

— O Generá Jackson tá muito ocupado pruque ele qué sê presidente. Num tá com tempo pra cavalo. — Dunwoodie sorriu. O coronel Jack engoliu em seco e o suor brotou nas axilas.

— Red Stick num aceita cavalero nem carroça. — Dunwoodie bufou. — Carroça! Pode até atrelá os rojão do Sinhô Congreve nele.

O coronel Jack Ravanel sussurrou.

— Ele vai render um bom troco.

Dunwoodie deu um sorriso irônico.

— Ah, isso vai. Com certeza.

A sós, depois que os políticos partiram, o General Jackson serviu mais de seu "agradabilíssimo" uísque para Jack, mas não para si mesmo.

— Ah, coronel. Então o senhor o viu. Sou o vendedor mais relutante do Tennessee. Aquele cavalo vai fazer a reputação de um homem. No entanto, se eu for residir em Washington, minha querida Rachel é da opinião de que um chefe do executivo não pode estar ligado a corridas de cavalos. Com isso, não tenho nenhuma intenção de difamá-las. Adoro o esporte dos reis desde que era um jovem advogado em início de carreira. Para agradar Rachel, vou vender o Red Stick. Mas não para qualquer um. Aquele cavalo deve ir para um homem que eu chame de amigo.

Quando Jackson deu seu preço, Jack se contraiu.

— Coronel, não é que o Red Stick poderá vencer as corridas, ele *vai* vencer. É o animal mais veloz do sul.

— Sim, o preço faz jus a isso. De onde eu venho, algumas fazendas podem valer tanto.

— Bem, se o senhor não está interessado... Espero que nos dê a honra de sua presença para o jantar. Temos uma cozinheira excelente. — Jackson se levantou para oferecer a mão.

— O senhor aceita uma nota promissória? Terei seu dinheiro antes do fim do mês.

— É claro que aceito sua promissória, coronel. Servimos juntos.

Uma semana e dois dias depois, Jack Ravanel desembarcou de um coche no pátio da fazenda.

— Ele á arisco, Ham. — Jack amarrou as rédeas no poste. — Comece a conhecê-lo escovando-o. Aqui mesmo. Depois que ele se acostumar com você, leve-o para o estábulo.

Jack se espreguiçou. Que dia lindo! Jack Ravanel não era um simples produtor de arroz que ganhava a vida dirigindo escravos pela lama. Como um homem pode fazer bem um trabalho que despreza? Cavalos — não havia nada de pequeno, insignificante ou cruel com eles. Quando um bom cavalo vinha galopando pela pista, era como se ele próprio, Jack Ravanel, estivesse no corpo do animal, se esforçando, contente e magnífico!

Sua volta para casa fora atrasada pelas negociações com Langston Butler, para Jack o único conhecido que já era um homem condenado.

— Um balde d'água e uma amostra de aveia. Somente uma amostra, veja bem. Deixe que ele se acostume com você. Não faça movimentos bruscos.

Frances apareceu na varanda.

— Oi, Jack. Eu esperava você ontem.

— Negócios na cidade.

Ele subiu as escadas. Sentiu o gosto da reserva dela no beijo.

— Eu já vi aquele cavalo antes?

— Era do General Jackson. O general não teria vendido, mas...

— Sei. Penelope ficou doente outra vez, mas a febre cedeu ontem e o apetite voltou. Mammy está lhe dando doses de quinino. Remédio amargo, mas necessário, acho.

— E Andrew?

— É irrequieto. Bem seu filho, Jack.

— Sem nada da sua natureza dócil.

— Muito pouco — ela evitou o abraço dele —, mas é adorável.

— Como o papai dele — pavoneou-se Jack.

Ela riu.

— Sim, acho que sim. — Ela protegeu os olhos do sol e suspirou. — Seu novo cavalo é magnífico.

— Quando chegar a temporada das corridas, ele vai ganhar o que me fez gastar.

Frances ergueu uma sobrancelha inquisidora, que ele fingiu não notar. Na sala de estar, Mammy ajudava Andrew a construir um castelo com seus blocos de letras do alfabeto. Penny correu para os braços do pai e Andrew, não querendo ficar atrás, derrubou sua construção para abraçar as pernas de Jack.

Frances olhou para o marido de modo estranho.

— Eles também são lindos, sabe?

— Eu sei que são. Acredite, eu sei. — Jack apertou Penny até ela rir. — Mammy, como vai indo?

— Sinhô Jack, quando é que vosmecê vai ficá em casa, tomá conta dos negócio?

— Meu negócio está onde eu largo meu chapéu. Eu *estava* fazendo negócios.

— Hum! Vamo, criançada. Hora da sesta.

— Ah, Mammy, por favor! — choramingou Penny.

— Leve Andrew para a cama, Mammy — disse Frances. — Penny pode ficar mais um pouco. — Ela levantou o dedo para a menina. — Só desta vez!

Embora se achasse claramente velha demais para tal tarefa, Penny pegou os blocos esparramados e os arrumou para escrever C-A-V-A-L-O.

— Filho de peixe... — Jack riu.

— Enquanto você estava fora, querido, o Sr. Bell, nosso agenciador do arroz, entregou a conta.

— Que nós pagaremos assim que a safra for vendida.

— Bell disse que incluiu nossa safra na nota e que nosso saldo está negativo.

— Frances, querida, fiquei dois dias falando de negócios com Langston Butler e, devo confessar, agora não tenho cabeça para isso.

— Jack, sinto muito, mas talvez seja hora de vender a Langston as terras para que esposa dele possa fazer seus piqueniques. Nossas dívidas...

— Você é incrível! — disse Jack. — Prevê cada um dos meus passos!

Um meio sorriso.

— Langston?

— Está assinado, selado e registrado.

— Então você vai acertar com o Sr. Bell.

Ele acenou descuidadamente.

— Depois da temporada das corridas terei o maior prazer de indenizar o Sr. Bell.

— Mas, Jack, se você já vendeu... — Frances não escondeu totalmente sua contrariedade. — Jack, você não fez isso! Aquele lote é nosso melhor pedaço de terra. Onde seus cavalos vão pastar?

— O avô de Red Stick, Sir Archy, rendeu 70 mil dólares em honorários de cobertura. Ele vai nos comprar o pasto de volta.

A voz embargada.

— Quanto... quanto você...

— Minha querida, nossa casa é responsabilidade sua. Nos negócios, eu preciso ter liberdade de agir como achar melhor.

— Jack, você não...

Jack Ravanel fugiu da esposa atormentada e foi para a biblioteca, onde pôs de lado uma pilha de contas para pegar o decantador. O uísque desceu de forma suave, mas atingiu seu esôfago como uma bomba. A mão de Jack tremia.

Em sua mesa, ele manuseou os papéis como um cachorro arrasta as patas na terra. Red Stick renderia milhares de dólares! Ele era um cavaleiro, nunca pretendera ser um fazendeiro. Lama. Negros. Calor. Mosquitos. Mortalidade obscura, feia, entediante.

Esvaziou o copo em quatro grandes goles e encheu um segundo. Ouviu o tilintar de arreios e o comentário distraído de Frances: "Segure-se bem, querida". O "Ei!" alarmado de sua mulher seguido pelo som de ferraduras o impulsionaram até a janela com o coração nas botas.

Houve quem disse que Jack estava embriagado ao chegar ao desastre. Com certeza, ficou muito bêbado logo depois e assim permaneceu durante o funeral de Frances. Ninguém podia chegar perto dele, e Cathecarte Puryear, que foi até a casa dos Ravanels para cuidar de tudo, sofreu escoriações ao ser jogado escada abaixo. Quando Penny deu o último suspiro três semanas depois (e dada a gravidade de seus ferimentos, foi uma misericórdia), seu irmãozinho e sua aia representaram a família Ravanel no funeral.

— Talvez Jack esteja doente — disse a Sra. Puryear.

— Ele está tão farto da vida quanto a vida está farta dele — falou Cathecarte (cujas escoriações tinham ficado magnificamente roxas). — O homem foi um idiota ao comprar aquele maldito animal e ainda mais idiota ao deixar sua mulher conduzi-lo.

— Eu não me importaria tanto se fosse Jack que tivesse morrido — declarou Eleanor. — Teria atraído isso para si mesmo.

— Ele devia dar um tiro naquele maldito cavalo — opinou Cathecarte.

Muitas das pessoas proeminentes de Charleston tinham a mesma opinião, e certa história — que podia ser apócrifa — fez com que mais de um par de ombros bem-vestidos estremecesse.

Pelo jeito, William Bee estava na sala de registros da Exchange House quando Jack apareceu pedindo os contratos dos Ravanels, inclusive aquele relativo ao lote de índigo que ele recentemente prometera a Langston Butler.

Em uma conversa, Jack cogitou se William tinha planos para a Semana das Corridas.

Da forma mais educada possível, William Bee observou que alguns poderiam achar que três meses era um período de luto curiosamente breve.

Os olhos de Jack estavam vermelhos como ferimentos a bala.

— Luto? — perguntou ele, intrigado. — Você não sabia?

— O quê?

— Red Stick não sofreu um arranhão sequer.

Tal piada consolidou o repúdio que a respeitável Charleston criou por Jack, mas divertiu os frequentadores das corridas.

Alguns disseram que Jack deveria ter dado um tiro naquele cavalo. Mas Mammy sabia que ele não poderia suportar mais uma perda.

Cathecarte Puryear chamou Red Stick de "cavalo do diabo", mas o apelido não pegou.

Eleanor Puryear observou que o domicílio dos Ravanels agora se resumia a Jack, seu pequeno Andrew e uma jovem aia negra muito graciosa.

Apesar de muitos acharem a sugestão de Eleanor repugnante, outros imaginavam todo tipo de ocorrências, que se revelariam, "meus caros", a seu tempo. "Tudo a seu tempo!"

Camaradas animados e cavalheiros dúbios eram atraídos para a casa da cidade do Coronel Jack, onde bebiam, falavam de cavalos e eram mais desbocados que em casa. Uma vez, uma única vez, um rapaz gritou:

— Negra, me traga um copo d'água!

Ao que Ruth lhe informou:

— Eu sô a aia do pequeno Andrew. Se quisé arguma vadia pra tê em quem mandá, é mió trazê com vosmecê.

Nenhuma vadia apareceu. Embora os camaradas bebessem, jogassem e xingassem na casa do Coronel Jack, divertiam-se com suas vadias em outro lugar. Alguns faziam piadas sobre Mammy, e outros piscavam ou lançavam olhares maliciosos para ela, mas nunca quando ou onde Jack pudesse ver.

Dois dias depois do enterro de Frances Ravanel, Langston Butler levou seus lavradores de arroz para o lote de índigo. Esperou um mês após o enterro de Penelope para perguntar a Jack qual era seu preço pelo resto que ele possuía na margem oeste do rio.

— Você não está satisfeito, Langston? — perguntou Jack.

— Coronel, eu não lhe pedi para comprar aquela besta violenta. Nem discuti com a Sra. Ravanel. Eu admirava Frances e certamente não sugeri que ela e sua filha se arriscassem com um cavalo que ela não poderia controlar. Eu soube que seus credores estão impacientes e desejo comprar parte de sua propriedade. Também farei uma oferta pelo seu cavalo. Red Stick não é páreo para Valentine, mas eu não tenho nenhum histórico infeliz com o... — Langston fez uma pausa para saborear a expressão de Cathecarte — ... cavalo do diabo.

Os olhos cansados de Jack se estreitaram. Ele pegou seu cantil de uísque, abriu-o e bebeu dele. Sem oferecer a Langston, voltou a fechá-lo e disse:

— Na pista Washington, 6 quilômetros. Aposto 3 mil que o Red Stick vence a droga do seu cavalo puxador de carroça.

— Cinco mil. Contra o resto dos seus arrozais.

— Imagino que possa confiar na sua palavra.

— Se necessário, meu padrinho vai lhe garantir isso.

Nem a fazenda nem a casa da cidade dos Ravanels tinham ar suficiente para o pesar de Mammy. O pequeno Andrew não parava de perguntar quando sua mãe iria voltar. Ele não entendia que ela se fora para sempre. Chorava quando Mammy estava fora de vista e Dolly preparava poções para que ele conseguisse dormir. Mammy não dormia melhor que a criança, mas não tomava nada.

A Semana de Corridas daquele inverno foi notável por sua escassez de escândalos, o que decepcionou as grandes damas de

Charleston, que invejavam as mulheres da sociedade de Savannah pela animada reprovação à conduta pecaminosa de certo francês rico. Em Charleston, infelizmente, embora os rapazes bebessem até cair e fossem atrás de mocinhas em quartos indecentes, nenhum dos malfeitores era proeminente.

Constance Venable Fisher pronunciou a sentença de morte do escândalo:

— Mas ninguém os *conhece.*

O único assunto *interessante* era a disputa entre o Red Stick do Coronel Jack e a Valentine de Langston Butler por uma enorme soma sob custódia do respeitado advogado James Petigru. Jack era popular entre os jovens cavalheiros, Langston tinha a aprovação dos pais destes. As famílias ficaram num clima de tensão pela rivalidade e milhares de dólares apostados.

Os dois cavalos eram famosos. Red Stick era oriundo do garanhão do recém-eleito Presidente Jackson, e Valentine, da famosa Lady Lightfoot. Por acaso, os cavalos eram primos distantes.

Pouquíssimos fazendeiros ficaram em suas terras preparando a plantação, mas a maioria deles e todas as pessoas ilustres estavam na cidade. Até o fim da manhã, as farras da noite anterior já tinham sido contadas por damas nas salas de Charleston, com gestos de reprovação. Às quartas e sextas-feiras, toda a cidade estava no Hipódromo Washington antes do meio-dia.

Mammy não conseguia saber como havia gostado de Charleston em algum momento. Andando por qualquer rua antiga, ela era assaltada pela visão de um marco azul. O som do serrote de um carpinteiro a deixava com os olhos marejados. Tantos rostos da igreja da Cow Alley. Aquela igreja era um lote vazio agora, e aqueles rostos familiares passavam apressados sem cumprimentar. Os negros que ainda iam à igreja sentavam-se na galeria da St. Philip, atrás dos mulatos. Mammy não ia. Não podia. O mercado era o pior. Aquela forma rápida baixando a cabeça para entrar numa banca... quem...? Uma risada de pura diversão? Atrás das pernas daquela feirante, quem...?

Os Butlers estavam na cidade, mas não em casa. Na fazenda Broughton, Hercules preparava Valentine para sua grande corrida enquanto Dolly acrescentava ervas e poções à ração.

A casa dos Ravanels ficou calma até o meio-dia, quando Jack se levantou e Ham lhe fez a barba. Acompanhado por uma nuvem de loção pós-barba e o azedume do uísque da noite anterior, o Coronel Jack e Ham seguiram para a pista de corridas, onde um primo de confiança, com suas pistolas, havia passado a noite do lado de fora do estábulo de Red Stick.

Jack dirigiu os exercícios, a alimentação e o treinamento de Red Stick, deixando-o preparado para o melhor desempenho possível. Ham provou cada balde da ração de Red Stick e um segundo primo Ravanel assistiu ao cavalo enquanto pastava no prado atrás da pista.

Na banca do *saloon* de Bonner, Jack bebia com amigos até alta madrugada, quando eles iam se recompor na casa de Miss Polly, onde Jack gastava generosamente, mas nunca subia com uma mulher.

Geralmente, os sobreviventes da noite acabavam na casa de Jack para saudar o amanhecer na varanda. Quando duas mulheres de Miss Polly os acompanharam, foram rechaçadas. Enquanto os companheiros de Jack se queixavam, Mammy dizia:

— Seu filho pequeno tá aqui, Sinhô Jack. O bebê Andrew num precisa de vê tudo isso.

Andrew se agarrava às pernas da aia. Quando o pôs de volta na cama, ela murmurou:

— As muié sempre vai tomá conta d'ocê, benzim. Num precisa ficá assustado com nada.

Chegando o dia da corrida, os jóqueis levavam puros-sangues adornados empinando pela Meeting Street e Mammy observava da varanda com Andrew no colo. Estava friozinho e ela usava um xale nos ombros.

— Menino, acho que ocê vai sê famoso com os cavalo um dia. Eles tem tudo pra fazê as coisa certa pra vosmecê.

— Mamãe?

— Sim, criança. Sua mama tá oiano pur ocê. Tarvez ocê num consegue vê ela, mas ela tá oiano.

Uma lágrima correu pela face de Mammy.

— Seu papá apostô tudo naquele mardito Red Stick. Tudo o que ele tem e provavemente o que num tem. Tarvez sua mamãe teje oiano pelo Coroné Jack tamém. Tô rezano pra que ela teje.

Pontualmente ao meio-dia, os organizadores retiraram os espectadores da pista. Havia uma cerca tripla na linha de partida e *saloons* bem posicionados faziam bom dinheiro. Na linha de chegada, os fazendeiros tomavam champanhe ou ponche de rum, enquanto os agentes de apostas tentavam vender as zebras.

— Um para dois em Orbit.

— Quatro para um no Fancy Foot do Sr. Sully!

Seis cavalos se alinharam para a primeira corrida de 1,5 quilômetro e quatro para a corrida seguinte. Somente Red Stick e Valentine correriam na quarta e última às cinco horas.

No salão do clube, depois das corridas, Wade Hampton pagou sua aposta e ofereceu um brinde.

— A Red Stick e Old Hickory.* Podemos ter perdido um magnífico criador de cavalos, mas ganhamos um grande presidente.

— Ao General Jackson!

— Ao Red Stick! Saúde!

Como havia embolsado 300 dólares na corrida, Cathecarte Puryear perdoou Jack.

— O Red Stick redimiu-se completamente — disse ele, entusiasmado.

Langston Butler mandou Hercules buscar açúcar.

O sol de inverno se pôs e o clube do hipódromo foi iluminado por lampiões, onde Jack pagou várias rodadas de bebida. Em-

* Old Hickory (velha nogueira) era o apelido de Andrew Jackson, sétimo presidente dos EUA. (*N. da T.*)

bora ele nunca tivesse dito o preço pago pelo cavalo, supunha-se que Red Stick agora valia mais que o dobro do valor pelo qual foi comprado.

Na escuridão que se aproximava, os jóqueis escovaram o pelo de suas montarias e os levaram para casa em silêncio pela Meeting Street. As crinas estavam desgrenhadas e as fitas foram rasgadas ou perdidas; suas pernas estavam enfaixadas e doloridas.

Ham puxou a manga de seu senhor.

— Sinhô Jack. Eu escovei bem o Red. Vosmecê qué que eu dexe ele no estáblo ou leve pra casa?

— Encilhe-o. Uma cavalgada vai me ajudar a clarear as ideias.

— Sinhô Jack, eu levo o Red pra casa eu mermu, acomodo ele. Drumo no estáblo do lado.

— Ham, você está me dizendo o que fazer com o meu cavalo? Pare com isso, senão daqui a pouco serão os negros que vão dizer aos brancos o que devem fazer.

Todos riram da ideia absurda de Jack. Para suavizar o que havia dito, Jack bateu no ombro do jóquei e lhe deu uma moeda de ouro de 5 dólares.

— Você cavalgou bem hoje. Ainda quer fugir?

Ham, que fizera a corrida de sua vida, olhou para baixo e arrastou o pé no chão, o que deixou a situação ainda mais cômica.

— Vá para casa. Se a patrulha o detiver hoje, diga que você é o cara que montou no Red Stick, levando-o para a glória.

Jack pagou uma última rodada antes de conduzir o exausto Red Stick pela Meeting Street até em casa.

Mammy estava na sala de estar costurando quando a chave de Jack arranhou a placa da fechadura. Ele entrou tropeçando, atirou o chapéu num banco e sorriu.

— Eu sobe o que vosmecê e aquele cavalo fez.

— Não vai me dar os parabéns?

— Andrew já fez suas oração e foi drumi. Acho que eu tamém já posso ir.

— Langston Butler ficou furioso.

— Nós pede pra amá nossos inimigo. Arguns são mais difício de amá que otro.

— Lembrei a Langston que foi o empréstimo dele que comprou o Red Stick. — Jack levou seu cantil aos lábios, mas de lá não saiu nada. Com um olho espremido, ele inspecionou o frasco, tampou novamente e o atirou ao lado do chapéu. Cambaleando, foi até o aparador para servir um copo e, depois de ponderar, serviu outro para Ruth.

Surpresa, ela disse:

— Sinhô Jack, vosmecê sabe que eu num bebo.

— Só esta vez. Para comemorar nossa vitória sobre o Butler.

Ela recusou com veemência.

— Sinhô Jack, eu num fiz nada pur isso. Foi o seu cavalo que derrotô o cavalo dele. Eu num tenho nenhum cavalo. Num quero nenhum cavalo.

Ele largou os copos e sentou-se ao lado dela, perto demais.

— Ruth, eu tenho me sentido tão só desde que Frances morreu.

— Imagino.

Ele pôs um braço sobre os ombros dela.

— Ruth, você também perdeu seu marido.

Ela contraiu os ombros e se levantou.

— Sinhô Jack, num sô mais a Sinhá Jehu Glen. Nem Ruth sô mais. Sô a Mammy! Fui Mammy pra Sinhazinha Penny e sô pro Sinhozinho Andrew. É isso que eu sô!

Ele se pôs de pé, trôpego.

— Ruth, você... você é uma moça graciosa. A cidade inteira acha que você é minha amante.

Ela recuou em direção ao aparador.

— Mas num sô.

— Será que vou precisar lembrá-la de quem... de quem é o seu senhor?

Ele segurou os seios dela.

— Um pêssego — disse ele. — Um delicioso pêssego negro. Eu *vou* possuir você. — Ele puxou a blusa dela e os seios ficaram à mostra. — Minha nossa, que garota bonita.

— Sinhô Jack... *SINHÔ JACK!*

Ele imobilizou a cabeça dela para poder beijá-la.

— Estou tão só...

Ela lhe golpeou o crânio com o pesado decantador de cristal; ele oscilou e foi andando para trás até cair sobre um sofá namoradeira, que tombou fazendo barulho. O Senhor Jack Ravanel ficou esparramado no chão com a perna esquerda pendurada no sofá caído. Com a ponta do dedo, Mammy recolheu uma gota de sangue do cristal cintilante do decantador e automaticamente pôs o dedo na boca.

Então, o grito assustado. Andrew havia acordado e seu choro estava virando um uivo.

— Filho de peixe... — observou Mammy.

Naquela noite, ela sonhou com um cesto de mandioca.

Três jovens amigos de Jack apareceram no sábado de manhã, mas Mammy os informou, pela porta fechada, que "o Sinhô Jack num vai vê ninguém. Num tá em forma de sê visto".

Eles fizeram suas deduções, riram e soltaram piadas, mas foram embora.

Os amigos de longa data que chegaram para dar os parabéns a Jack foram repelidos com a mesma informação.

Mancando, Jack entrou na cozinha às três e meia da tarde. Tomou longos goles de água da jarra, cobriu a boca, olhou desesperadamente em torno e vomitou na pia seca.

Mammy levou Andrew para o quarto enquanto a cozinheira limpava a sujeira.

— Num se preocupa, docim. Seu papá num se machucô, só bebeu demais.

— Eu sei — disse a criança.

Mammy encontrou o Coronel Jack na penumbra do salão ao lado de uma jarra d'água e com um copo de uísque.

Ele fez menção de se levantar, mas se contentou em dar um sorriso lamentável.

— Mammy...

— Sim, vosmecê fez o que acha que fez e num vai mais fazê. No que me toca, eu fui chamada pra ir embora. Num sei pruque fui chamada, mas fui. Vosmecê vai me escrevê um passe pra eu sê comprada pur arguém que num vai fazê o que vosmecê fez e que vai fazê de novo da próxima vez que bebê.

O coronel Jack disse mais do que gostaria, mas cada palavra caía de seus lábios com um baque. Ele não queria perdê-la, mas já havia perdido.

Conexões vantajosas

— COMO LOUISA teria adorado este dia! — balbuciou Antonia Sevier.

Solange, que raramente se surpreendia com as ideias originais de Antonia, sentiu suas defesas cederem.

— Ela ficaria feliz em ver o marido se casar com outra mulher?

— Ah, fique quieta. Como vou prender essa gola se você não para de se debater feito um peixe? É claro que Louisa ficaria contente. Você vai fazer o querido Pierre dela tão feliz.

— Louisa não era muito ciumenta?

— Ora, é claro que era! Mas isso quando estava *viva* e podia fazer *algo* a respeito! — Antonia deu um passo para trás para ter uma visão melhor e pôs um dedo no queixo. Puxou uma manga. — Você devia ter posto o tule azul. Eu prefiro o tule azul.

— Que seja, cara Antonia, mas não pus.

Antonia mostrou a língua.

— Precisamos usar o que temos à mão: uma viúva de 30... é... de mais de 30, um tanto grávida, mas que está tirando o maior proveito disso.

Apesar de crer que "de mais de 40" chegaria mais perto da realidade, como era esperado, Antonia bateu palmas.

— Você realmente *está* tirando o melhor proveito, minha querida. Não devemos nos apressar? Devem estar todos esperando.

— Deixe que esperem. Estão se deliciando com o *escândalo*. — Solange suspirou de forma teatral. — Querida amiga, se apenas os amigos verdadeiros fossem ao meu casamento, estaríamos eu, Pierre, as meninas... e você, cara Antonia.

Antonia Sevier, cuja posição privilegiada dentro de escândalo havia aberto as melhores portas de Savannah, objetou.

— Solange, querida, você tem tantas conexões vantajosas.

— *Sans doute*, esse foi o motivo para que tanta gente se oferecesse para ajudar depois que o pobre Wesley morreu. Se não fosse pelos poucos dólares que eu escondi de seus credores, minhas filhas e eu teríamos ficado na miséria.

Pauline, a mais velha das meninas, entrou feito um furacão no quarto.

— Mamãe! Não consigo encontrar meus brincos.

— Então — informou-lhe a mãe — terá de ir sem eles.

— Mamãe! Um dos operários imundos do Jameson roubou meus brincos. Nossa casa está destruída! Eu não vou sem os brincos!

— Como preferir.

— Mamãe! É o dia do seu casamento! — Ela olhou para a barriga ligeiramente protuberante de sua mãe. — Ou eu deveria dizer do *nosso* casamento?

Com a fisionomia inexpressiva, Solange deu um tapa na filha.

— Vá procurar suas joias. — Ligeiramente mais calma, acrescentou: — Você tem orelhas tão bonitas, querida. Precisa realçá-las.

Esfregando a bochecha, Pauline saiu e, pouco depois, podia-se ouvi-la lá embaixo.

— Eulalie, se você tirou meus brincos do lugar, eu vou te beliscar até você gritar.

— Ah, crianças — murmurou Antonia. — Que bênção. A minha filhinha...

Pauline estava certa: a mansão inacabada que ela conhecera havia mudado a ponto de estar irreconhecível. A sala de estar agora era um depósito de madeira, e as aberturas das janelas cobertas com lona forneciam luz sem uma vista. Um terço da escadaria em curva estava montada com o auxílio de balaustradas envernizadas, o terço seguinte estava sem verniz, e as balaustradas e o corrimão do terço superior ainda não haviam sido instalados. O Sr. Jameson prometera que a reforma estaria terminada *antes* do casamento. Ah, bem. Os construtores são os homens mais enganadores que existem.

Antonia invejava a censura maternal de Solange e suspirou dramaticamente.

— Nossa Mammy faz todas as vontades da pequena Antoinette! Mas fazer o quê? Minha filha é tão *apegada* à criatura!

Solange sugeriu que a culpa podia ser da administração de sua amiga.

— As aias fornecem o afeto para o qual as mães não têm tempo ou dom. Eu não gosto das minhas filhas e suponho que não vá gostar — ela deu um tapinha na barriga — da bebê Ellen. Os homens são muito mais divertidos que as consequências de suas atenções.

A Sra. Sevier deu uma batidinha no braço da amiga.

— Tsk!

— Como está o meu rosto? — Solange virou o rosto de um lado para outro.

— Você está uma bela noiva.

— A prática, minha cara, leva à perfeição. — Ela chamou: — Eulalie, Pauline. Será que sua mãe vai virar uma mulher honesta sem vocês?

Pierre Robillard era conservador por natureza e hábito. Podia-se acertar o relógio por ele. Pela manhã, ele chegava ao L'Ancien Régime às nove horas em ponto, onde lia os jornais tomando café e fumando o primeiro charuto do dia. Se algum acaso atrasasse seus jornais, ele relia os velhos. Depois que os negócios do mundo haviam se reduzido a papel impresso, Pierre examinava sua correspondência comercial e a contabilidade até o meio-dia. O almoço era entre meio-dia e duas da tarde, o jantar, às sete. Embora muitos savanianos não se sentassem à mesa antes das nove da noite, a essa altura Pierre Robillard já estava na cama.

Então por que esse modelo de previsibilidade estava na frente da Igreja de São João Batista, cercado de irlandeses tagarelas e segurando um enorme buquê de flor de laranjeira? De fato, Pierre Robillard não sabia como acabara ali nem quem se tornara. Pierre Romeu? Ele servira com o muito lamentado Napoleão Bonaparte no primeiro comando do imperador! Flor de laranjeira?

— O sinhô vai ficá bem — sussurrou Nehemiah.

Como ele, um viúvo maduro abençoadamente livre da perturbação doméstica, com uma renda satisfatória e tantos amigos, fora se enredar nas teias do desejo?

Pierre Romeu? Prisioneiro do amor? Minha nossa...

Os O'Haras, suas esposas, seus filhos e netos cercavam o noivo enquanto os amigos de Pierre, aqueles (ou os netos daqueles) que no passado rastejavam para conseguir convites para os bailes dos Robillards, escondiam-se dentro das carruagens que se enfileiravam na Drayton Street. Pierre sentiu uma grande vontade de dar um chute em cada um daqueles veículos envernizados. Que moleque ele se tornara!

Solange Evans tinha reacendido um fogo que Pierre havia muito considerava morto. Louisa — e como ele amara a querida Louisa — sujeitava-se aos seus brandos desejos matrimoniais; Solange havia atiçado decididamente desejos não matrimoniais a uma chama que o consumia, Pierre corava ao pensar nisso, às vezes duas vezes numa noite. Mesmo nesta ocasião sagrada e muito pública, Pierre Robillard sentiu uma agitação inconveniente em regiões profanas. O protestante Pierre Robillard havia até concordado em se casar numa igreja romana e criar seus filhos como católicos. Impensável, pensou Pierre com um largo sorriso.

— O sinhô vai ficá bem — repetiu Nehemiah. Tão resplandecente na casaca descartada de seu senhor quanto Pierre estava desalinhado em sua nova, a fisionomia solene de Nehemiah insistia na dignidade da ocasião.

Escreveu o profeta: "Aprendei a fazer o bem; procurai o que é justo, socorrei os oprimidos. Fazei justiça aos órfãos, defendei as viúvas."

Pierre levou algum tempo para fazer isso.

Wesley Evans morreu logo após o falecimento de Louisa e Clara, quando Pierre não podia ajudar ninguém. No funeral de Wesley, quando Solange lhe pediu para comprar de volta a R & E Comércio de Algodão, o Pierre enlutado garantiu à viúva que estava contente com o negócio de importação, no qual Nehemiah fazia todo o trabalho. Solange não pareceu apreciar aquela piadinha.

Então, assim que Pierre saiu do luto, Philippe morreu e, para consternação de Pierre, seu primo o nomeara testamenteiro.

Embora Philippe tivesse apresentado sua noiva índia à sociedade de Savannah, não conseguira talhar um lugar para ela, e agora havia menos espaço para uma princesa indígena exótica do que antes. Haviam descoberto ouro no norte da Geórgia e os colonos foram para as terras muscogees, que se tornaram cidades, condados e fazendas. A princesa indígena, que fora recebida com desinteresse e curiosidade, tornou-se desinteressante e esquisita.

Mesmo assim, Savannah era uma cidade mais amigável que Charleston e, se a noiva de Philippe tivesse sido mais agradável, poderia ter feito amigos. Seu bebê natimorto teria sido visto com simpatia e a riqueza de Philippe, desculpado sua característica anticonvencional. Que pena! Osanalgi era tímida e, depois que seus familiares indígenas saíram da Geórgia, ela se fechou na mansão peculiar e melancólica de Philippe. Aqueles que iam visitá-la nunca a encontravam em casa.

A defesa dos índios feita por Philippe constrangia os que lucravam com as remoções e, depois do Tratado de Indian Springs, a legislatura nunca mais pediu a opinião dele. Philippe passou a se dedicar à catalogação de sua coleção de artefatos muscogees e a se corresponder com o Instituto Columbia para a Promoção das Artes e Ciências de Washington, D.C. para que lhes desse uma sede permanente.

Osanalgi poderia ter sido vista com mais frequência se alguém estivesse realmente interessado em vê-la. O cocheiro de Philippe a levava para a floresta de pinheiros nos limites da cidade e a buscava ao anoitecer. Caçadores do mercado da desabitada Fig Island a confundiram com uma escrava fugitiva e ficaram decepcionados quando sua prisioneira não lhes rendeu recompensa.

Em março, os savanianos apareceram para dar as boas-vindas ao Marquês de Lafayette, o idoso herói revolucionário. A banda de Jasper Greens fez uma entusiasmada homenagem à *Marselhesa* e Philippe presenteou o marquês com um tacape da red stick, uma facção dos muscogees. Osanalgi não estava presente e, se estivesse, não teria prevenido a friagem que Philippe pegou e ocasionaria seu falecimento duas semanas depois e a súbita imersão de Pierre nos negócios do primo. Apesar de ter comparecido ao enterro do marido, Osanalgi estava coberta por véus, e correram boatos de que, num ritual de luto pagão, ela havia dado cortes nas faces. Pierre providenciou o velório e o enterro. A recepção (à qual a viúva não compareceu) foi na casa de Pierre Robillard.

Pierre, Nehemiah e o Sr. Haversham passaram semanas destrinchando a situação do patrimônio. As escrituras de fazendas na Normandia e títulos do governo de várias quantias foram encontrados nas gavetas e pastas mais improváveis. Uma mala nunca aberta desde a chegada de Philippe a Savannah, décadas antes, continha um claro direito de posse de uma fazenda na Martinica no valor de 50 mil dólares. O secretário do Instituto Columbia estava interessado na coleção de Philippe se — e apenas se — estivesse adequadamente catalogada: "Temos um grande número — melhor dizendo, uma superabundância — de artefatos indígenas não catalogados."

Pierre não soube do desaparecimento de Osanalgi até se passar uma semana e, ao descobri-lo, a primeira reação do testamenteiro foi mais de aborrecimento que de aflição. O cocheiro muscogee sabia mais do que dizia, mas nenhuma ameaça nem promessa o convenceu a revelar o paradeiro de Osa. Certa manhã, seis semanas após a morte do marido, Osanalgi reapareceu com um recém-nascido nos braços. A dedicação de Osanalgi ao seu bebê era ardorosa e obstinada.

Pierre não sabia que ela estava esperando um filho, porém, apesar de suas reservas, ele tratou o pequeno Senhor Philippe Robillard como filho e herdeiro de seu primo.

Tudo de ruim deve ter um fim, e, numa tarde de inverno, Pierre e Nehemiah acabaram por consolidar o patrimônio de Philippe num fundo a ser administrado pelo banco do Sr. Haversham e os dois saíram empolgados da tenebrosa casa de Osanalgi com a sensação de dever cumprido. Pierre esfregou as mãos. Em breve seria Natal.

Dessa forma, impelido pelos mais cordiais motivos cristãos, Pierre dispensou Nehemiah para ir andando sozinho para casa e, como passaria perto da residência da viúva de seu antigo sócio, poderia fazer-lhe uma visita. Era muito tarde para o almoço e muito cedo para o jantar, portanto Pierre não abusaria da hospitalidade da Sra. Evans; afinal, passara alguns bons anos na R & E. Alguns ótimos anos, de fato.

Sua anfitriã o recebeu numa casa que estava inacabada havia uma década. A família vivia na parte acabada — no salão e na sala de estar, onde ripas expostas surgiam dos painéis sem verniz para um teto de gesso amarelado. A escadaria de lindo formato estava sem as balaustradas e dava para um segundo andar cujas condições Pierre só podia imaginar.

A imensa lareira não estava acesa, e as filhas de Solange permaneciam com seus casacos baratos. (O importador Pierre tinha olho clínico para tecidos.) Ele sentou-se numa cadeira cujos barrotes estavam arrematados com tiras de couro, pelas quais a encantadora viúva se desculpou.

— Vendi os móveis bons — confessou ela. — Nós acampamos num Versailles inacabado. Eu nunca deveria ter deixado Wesley começar a construí-lo.

Apesar daquele cômodo desolador, a conversa prosseguiu sem delongas até Pierre pronunciar aquele lugar-comum dos mais convencionais com o mais convencional dos suspiros.

— Os caminhos de Deus são insondáveis, cara Sra. Evans. Devemos aceitar o que não podemos entender.

— Mas por que é assim?

— *Madame?*

— Meu marido escorrega num pedaço de algodão e fratura o pescoço. Sua Louisa e sua querida Clara, que sobreviveram a muitas temporadas de febre, inesperadamente sucumbem. Que nada possamos fazer em relação a essas tragédias é indiscutível. O que é repugnante é o fato de termos de aceitá-las como parte de algum desígnio divino.

Pierre ficou boquiaberto: essa mulher era uma livre-pensadora? O desconforto do visitante não conteve a excursão da Sra. Evans pelo não convencional quando ela culpou seu Querido Falecido por sua atual penúria.

— Que o negócio do algodão estava sobrecarregado era evidente para qualquer pessoa. Sem dúvida, o senhor havia escapado dessa armadilha. Mas Wesley ignorou a lógica — ela fez *lógica* parecer um mau temperamento brandindo o açoite. — Mas ele continuou. A persistência no mau julgamento sempre piora as coisas!

— Mamãe — advertiu Pauline. — Por favor.

— Eu confiava em Wesley! Eu não sabia!

Pierre tentou perdoar a todos, a ela e a ele.

— Como a senhora poderia, uma mulher...

— Ah! Quem disse que a capacidade de gerar crianças obstrui o intelecto?

O intelecto de Pierre estava totalmente arrebatado. Ele deu suas desculpas e na saída deixou discretamente uma moeda de 20 dólares debaixo da empoeirada pilha de cartões de visita.

A meio quarteirão, uma Solange sem casaco o alcançou.

— Senhor, creio que esqueceu isto.

— *Madame?*

Ela colocou a moeda de ouro na mão dele. Uma mulher ponderada, e ele sabia que a Sra. Evans era uma delas, poderia alimentar a família por um mês!

— Mas...

Ela acalmou os ânimos.

— Caro Pierre. O senhor não tentou fazer nada de errado. O senhor tem bom coração. Mas precisa ficar atento ao modo como sua generosidade pode ser interpretada pelos mexeriqueiros.

Como se constatou mais tarde (que ironia, pensou Pierre), para evitar deleitar a sociedade, eles a escandalizaram. Na vez seguinte em que Pierre visitou a viúva, Nehemiah o acompanhou levando uma pesada cesta de provisões, costume que passou a se repetir a cada duas semanas. Quando o tempo esquentou e eles puderam se sentar do lado de fora, as visitas de Pierre tornaram-se mais prazer que dever, e certa tarde ele fez a visita sem a companhia de Nehemiah (apesar das objeções desse sujeito influente). Pouco tempo depois, as visitas passaram a ser mais tarde, bem mais tarde, depois que as filhas de Solange já estavam na cama.

Ele já não se considerava capaz de arrebatamento algum. Achava que seus dedos e lábios nunca mais percorreriam os contornos perfumados da pele de uma mulher. Aquela prazerosa sensação impensada de se jogar na luz!

Solange poderia ter chorado ou acusado seu sedutor, mas não o fez. Espreguiçou-se voluptuosamente.

— Eu havia me esquecido de como o prazer pode ser. Obrigada, querido, doce Pierre.

Foi quando Pierre Robillard, que já estava bem velho para renunciar ao amor, ouviu bem alto sua convocação, como um badalo golpeando um sino.

Ele contratou operários para terminar a Casa Rosa e incumbiu Thomas Sully, cujo retrato que fizera de Lafayette era amplamente admirado, para registrar a imagem de Solange.

Três meses de absorta felicidade, somente maculada pelo desdém de Pauline. (Eulalie, a segunda filha, era muito pequena para fazer julgamentos.) Os quatros faziam passeios dominicais e piqueniques em Fig Island. Sem se importar com a discrição, Pierre, Solange e as crianças visitavam as fazendas dos amigos como uma família. Um dia, o Padre John apareceu no L'Ancien Régime para perguntar sobre as intenções de Pierre.

— Intenções? — retrucou o confuso Pierre.

— Não posso dar a absolvição à Sra. Evans se ela pretende continuar em pecado.

— Pecado? — Nunca ocorrera a Pierre que o amor *fosse* um pecado.

Quando Solange lhe disse que ele seria pai outra vez, Pierre ficou encantado. Sua vida estava se abrindo como uma flor na primavera.

— Case-se comigo — pediu ele.

— Não — respondeu ela.

Pierre ficou mudo de espanto. Boquiaberto. Seu rosto foi de rosado a encarnado.

— Mas...

Solange riu alegremente e beijou-lhe a testa.

— É claro que eu me casarei com você, Pierre querido. Você é o homem mais gentil, mais divertido do mundo.

— Hummm. Eu achava que fosse pela minha força, minha presença dominadora, meu serviço com Napoleão. Minha força bruta...?

Ela riu como uma mocinha.

Savannah adorava o abastado e afável Pierre, porém, quando ficou impossível ignorar a gravidez de Solange, os mexericos ressuscitaram as lembranças do primeiro casamento dela e o duelo que pôs fim nele. A Sra. Haversham apelidou Solange de Viúva Francesa e, apesar (ou talvez por causa) de certa aranha letal, o nome pegou. Quando uma solteirona proeminente, bem-nascida, dolorosamente feia, reclamou: "Essa mulher enterrou dois maridos e vai fisgar um terceiro agora?", seu comentário foi repetido por toda a cidade.

Apesar de Pierre ignorar alegremente tais comentários, Solange não os deixava passar e, é claro, Nehemiah ouvia cada parte que os brancos sussurravam, assim como os segredos que eles não contavam, mas que todas as criadas domésticas de Savannah sabiam.

Um Pierre constrangido e ressentido foi falar com Solange.

— Minha querida — começou ele —, parece que andam fazendo comentários ofensivos.

— Não se atreva a se ofender. Estou farta de "campos de honra".

— Ai de mim, não. Quer dizer, eu não iria. Quer dizer, iria, mas...

Ela o calou tocando os lábios dele com a ponta do dedo.

— Pierre, quando foi a última vez que a mulher do Philippe interagiu com a sociedade?

— Eu não saberia dizer. Embora meu primo a tenha apresentado, a coitada não... ela... era torturante. Pobre do meu querido primo Philippe. Ele acreditava que os índios tinham lições a dar ao homem civilizado!

— De certa forma nós duas somos parecidas.

— Vocês? Vocês duas? — Pierre continuou como se Solange não tivesse falado nada. — O patrimônio dela está em boas mãos e nada lhe falta. Ela adora o filho. Nas manhãs de domingo, quando todos estão na igreja, ela passeia com o pequeno Philippe pela cidade. Osa, a criança e aquele cocheiro. Eles não retribuem os cumprimentos de ninguém.

As feições graves e as maçãs do rosto proeminentes do menino aludiam à sua mãe. Os olhos azuis, tão frios quanto um céu invernal, eram herança do pai.

— Philippe é uma criança bonita — observou Pierre. — Meu dever... temo não ter cumprido todo o meu dever para com ele nem para com a mãe.

— Você terá sua chance. Pierre, quero que Osa me entregue a você no altar.

— Osa? — Ele imaginou as línguas agitadas da escandalizada sociedade de Savannah. Quase conseguia ouvir o zumbido dos mexericos. Felizmente, a fisionomia de Pierre era perfeitamente moldada para um sorriso brincalhão. — Que generosidade da sua parte, minha querida.

— E aqueles irlandeses com quem você às vezes faz negócios?

— Os O'Haras? O irmão mais moço deles veio da Irlanda. Parece que Gerald O'Hara é ainda mais astuto que seus irmãos.

— Convide-os. Esposas, irmãos, filhos... todo o conjunto feniano e sua cambada.

O sorriso de Pierre se alargou.

— Mas, Solange, meu bem, toda a alta sociedade, ora, ficará *escandalizada.*

O sorriso de Solange era tão contido e travesso quanto o dele bem-humorado.

— Essa, meu bendito futuro marido, é minha intenção!

No entanto, na manhã das núpcias, com as flores primaveris florescendo e alegrando o ar, cercado por fenianos tagarelas enquanto seus pares se escondiam nas carruagens, Pierre Robillard questionou se eles tinham sido sábios de afrontar pessoas que não costumavam ser afrontadas. Um sorriso vago, corajoso, que dizia "prefiro estar aqui a estar em qualquer outro lugar", não saía de seus lábios.

— O senhor deve ser o noivo sortudo. Que tenha filhos e que seus filhos lhe deem netos.

— Obrigado.

— Gerald O'Hara, senhor. Antes comerciante na empresa dos meus irmãos, mas desde ontem à noite, às quatro e trinta e sete, não muito antes que este abençoado... este muito abençoado... sol decidisse se levantar, tornei-me fazendeiro.

Aturdido, Pierre não conseguiu deixar de perguntar:

— Tão cedo?

— Não, senhor. Tão tarde! Na hora que o galo estava cacarejando e que a bebida amortecia as faculdades mentais do jogador.

Gerald O'Hara, o novíssimo fazendeiro, era uns 15 centímetros mais baixo que Pierre e lembrava a ave que ele acabara de mencionar. Seu rosto largo e feliz era desprovido de malícia e muito corado com a convicção de que o mundo, ao seu tempo, compartilharia sua alegria, que Pierre, apesar dos pensamentos sombrios (talvez porque ele estivesse cansado delas), perguntou:

— Então foi dormir, Sr. O'Hara?

— Não, senhor. Primeiro porque eu não dormiria (porque estava jogando cartas), depois porque não me atreveria (porque estava ganhando) e em terceiro lugar porque não deveria, pois um cavalheiro, tendo sacrificado o conteúdo de sua carteira, depositou na mesa a escritura de uma fazenda no interior e estava me incitando a apostar contra ela. Eu tinha um *full house*, uma trinca de noves e um par de valetes, e acho que ele tinha uma sequência, mas em cartas, o senhor sabe, a gente pode se enganar.

Pierre, que não jogava cartas por dinheiro desde seus tempos de soldado de Napoleão, concordou.

O irmão de Gerald, James, interveio.

— Rapaz, hoje é o dia do casamento do Sr. Robillard. Pelas barbas de Nosso Senhor! Não aborreça o homem com suas novidades.

Nenhum dos convidados mais *finos* de Pierre havia saído das carruagens. Muito bem então. Talvez ele fosse se casar sem eles.

— Tive um pouco de dificuldade com o sotaque do seu irmão, James, mas gostei muito da sua história — disse Pierre.

— São apenas 80 acres — continuou o Gerald de olhos vermelhos como se nenhuma objeção tivesse sido feita. — Sendo irlandês, senhor, eu sempre sonhei em ter uma terrinha. Nada muito grande, veja bem. Uma terra de onde nenhum rei ou nobre pudesse me expulsar nem aos meus.

Gerald descreveu a escritura com detalhes de agrimensor.

— ... e trezentos do carvalho-branco no canto até o rio Flint, o "rio pederneira". Não é um grande nome? Duro como pederneira, mas suave como água. Mal posso esperar para vê-lo.

— Rio Flint...

— Fica lá em cima, ao norte, senhor. A loteria das terras cherokees. Algumas foram adquiridas por colonizadores honestos, já outras... pelo que sei, foi o caso aqui... por especuladores que não buscavam uma propriedade, apenas o lucro que poderiam tirar dela.

— Sr. Robillard, eu venho de um país onde os homens disputam alguns metros quadrados de terra que não produz nada melhor que batatas. Essas terras indígenas nunca viram um arado! Vão produzir qualquer coisa.

— Vou chamá-la de Tara. O nome daquela colina grandiosa, sede dos altos reis irlandeses.

Conquistado pela cordialidade do pequeno homem, Pierre segurou novamente a mão de Gerald.

— Senhor, eu lhe dou meus parabéns. É bom tornar-se rei!

O rosto do irlandês vibrava de bom humor.

— Fé, nada mais. Para si próprio, a honra: que o máximo que se deseja para hoje seja o mínimo que se receba.

Desembarcando da menosprezada carruagem de seu pai, o filho de Philippe caiu e machucou o tornozelo, soltando um uivo que alegraria qualquer selvagem.

Como sempre, o menino usava calça curta, camisa e um chapéu de feltro. Sua mãe usava uma faixa de contas vermelha e verde na testa e um colar de garras de algum tipo de animal por cima do que devia ser o mesmo vestido que usara naquele fatídico baile de Natal há alguns anos.

Pierre apressou-se até ela, estendendo a mão.

— Osa! Osa! Que bom você... Tão bom...

Nehemiah pegou a criança, que o deixou surdo com seus berros, enquanto a carruagem da noiva entrava na rua e as da elite expeliam seu conteúdo.

Ao se aproximarem do entrevero, Antonia Sevier perguntou a Solange:

— Você parece tão distante, querida. Arrependida?

— Nós fazemos o que precisa ser feito.

— É claro, mas...

— Pierre é honrado. Talvez até demais. Ele não tem nem um osso desviado em seu corpo.

— Mas...?

— Cara amiga, não há nenhum "mas". Não tenho qualquer reserva. Seremos felizes juntos, minha Casa Rosa será finalizada, minhas queridas filhas — a filha mais moça sorriu, a mais velha mostrou repugnância pelos comentários que mais pareciam ruídos vindos de um ser como sua mãe — irão aproveitar as vantagens que um pai e uma mãe oferecem. Seremos felizes. Está me ouvindo, Pauline? *Seremos* felizes.

Furiosa, Pauline ficou olhando para as mãos enluvadas.

Antonia ficou sem fôlego.

— O Sr. Haversham, a Sra. Lennox, o velho Birdy Prentis... ora, *todo mundo* está aqui.

— Minha cara Antonia — retrucou a amiga. — É claro que está. Savannah veio reabilitar a decaída.

Um radiante Padre John cumprimentou os noivos enquanto Nehemiah prendia os braços da criança ainda aos prantos. O jovem Senhor Philippe ofegou, mas parou de uivar.

A viúva de seu primo, Osa, deu um sorriso titubeante para Pierre, mas os olhos dele não conseguiam se desviar da noiva. Pierre se curvou para beijar sua mão pequena e seus olhos inebriados encontraram o olhar divertido de Solange.

— Vamos entrar? — sugeriu Solange.

Os noivos foram seguidos pelo jovem prefeito de Savannah, William Thorne Williams, pelos Havershams e por outros dignitários, os quais, pela conversa insistente, demonstraram que nem a ocasião nem a Igreja de São João Batista eram mais importantes que eles. Depois dos que eles, na intimidade, chamavam de "os esnobes" entraram, os O'Haras sentaram-se nos três últimos bancos.

Osa desempenhou seu modesto dever de maneira louvável enquanto seu filho batia na portinhola, que Nehemiah providencialmente trancara.

A Sra. Haversham murmurou ao ouvido da Sra. Sevier:

— Esse menino é mais selvagem que a mãe.

— Ele é extraordinariamente lindo quando está parado — sussurrou a Sra. Sevier.

— E quando isso acontece?

O sacramento do matrimônio seguiu seu curso costumeiro e, ao fim, Pierre Robillard beijou a noiva com tanto entusiasmo que, numa ambientação menos formal, poderia ter arrancado aplausos.

Pierre segurou o braço de Solange como se a noiva fosse a própria vida, e o casal foi à frente da procissão rumo a uma bela manhã e à bem-aventurança matrimonial.

Quando o grupo apareceu, os cocheiros pararam de fofocar e se dirigiram apressadamente para os veículos de seus senhores.

De braços cruzados, uma negra vestida de forma modesta aguardava aos pés da escadaria.

— Ora... — Solange ficou boquiaberta.

— Bom dia, sinhá — cumprimentou Mammy. — Eu le desejo toda felicidade.

— Mas, Ruth... — começou Pierre.

— Mammy! Mammy! Mammy! — Pauline passou correndo pelo casal, gritando, e Eulalie, que nunca vira aquela mulher, caiu no choro. O padre John perguntou:

— Deseja algo, cara mulher?

— Vortá — respondeu Mammy. — O Sinhô Pierre e a Sinhá Solange tão precisano de sua Mammy agora.

Aglomerados atrás deles no corredor, pescoços importantes se esticaram e perguntas impacientes foram jogadas no ar.

Abraçando uma Pauline chorosa e falando para as costas da menina, Mammy declarou:

— O que eu tô quereno é vortá pra casa.

O dom da profecia

— A POBRE criança num tem uma teta pra sugá, nem uma mama pra amá ela. Óia só pra vosmecê, Sinhazinha Ellen Robillard. Toda enrugadinha e com a cabeça amassada onde o dotô pinçô. Num teve jeito do seu papá querê uma partera. Pros rico, é tempos moderno agora. O própio Sinhô Pierre contratô um "mé-di-co" de primera. Aquele home estudô pra sê dotô pru tantos ano que nem sei. O que chega prum home que nunca teve bebê nem nunca pegô um ao nascê sê mió que quarqué partera nega que já teve bebê e ficô anos a fio pegano eles ao nascê. O dotô estudô sobre os bebê... inté já teve na Filadérfia!

"Sinhazinha Ellen, vosmecê ainda tava pensano se devia vi ao mundo ou não, só ali aproveitano seu tempim bom de bebê, mas o home dotô tava impaciente. Tarvez otros bebê tivesse precisano dele ou tarvez ele tivesse otros lugá importante pra ir. Bom, entonce ele pegô vosmecê com aquelas pinça cintilante e sua mama sangrô feito um porco no matadoro. Docim, já vi sangue que chega, num quero vê mais."

A Casa Rosa estremeceu com o grito estridente de um velho.

Mammy balançava a pequena Ellen, acalmando-a, aquietando-a.

— O Nehemiah tá procurano uma ama-seca e logo, logo vosmecê vai tá mamano e vai ficá quentinha. A Sinhá Solange segurô vosmecê uma vez antes de ir se juntá com os esprito. Sua mama tá sorrino pra vosmecê, bebê Ellen. Eu tô veno!

"Seu papá num sabe o que fazê. Ele encontrô o amô quando nem pensava mais nisso, e agora o amô dele foi levado embora. O Sinhô Pierre tá chorano e pensano. Ele já perdeu uma muié e fia antes da Sinhá Solange. Agora ela tamém se foi e o Sinhô Pierre tá pensano que num tem muita razão pra vivê quando vivê dói tanto. Às vez, sinhazinha, só existe o sofrimento e mais nada."

O médico passou apressado pela mulher e o bebê. Parou, talvez para dizer algo ou examinar a criança uma última vez, mas praguejou e desceu ruidosamente a bela escadaria de Jehu.

Embora se esperasse que Mammy usasse as escadas dos fundos como os outros criados, em algumas manhãs, antes que os patrões acordassem, ela visitava aquelas escadas para tocar o corrimão de mogno que ela vira Jehu fazer. Aquela madeira era escorregadia como água e curva como um convite.

No colo dela, a bebê Ellen estava leve e pesada. Sua respiração era tranquila e forte.

— Bebê, eu acho que a Sinhá Solange foi minha mama tamém. Eu conheci ela toda a minha vida e acho que se num fosse pru ela, eu num taria aqui segurano vosmecê hoje. Eu num me alembro de quase nada da minha mama de verdade. Às vez, tão baxinho que inté parece que tá num quarto bem longe, eu oiço ela dizeno *"Ki kote pitit-la?"* que é uma brincadera que nós fazia. *"Ki kote pitit-la?"*... qué dizê "Onde tá a criança?". Minha mãe nunca veio pra mim como Martine, Gullah Jack ou a Sinhazinha Penny nem os otro esprito, mas às vez ela fala. Imagino que minha mama de verdade me ama, mas ela num vem. Meu Jehu, ele... ele tamém num vem. Os esprito tão ocupado fazeno as coisa dos esprito. Eles fica em quarto separado e vem e vai. Tarvez a Sinhá Solange tamém vem argum dia. Mas tarvez não. Tarvez ela teje ocupada cuidano da Martine.

Ela reacomodou o bebê no colo.

— Sua mama era boa quando se alembrava de sê e nunca ia me vendê se eu num queria sê vendida. Acho que ela me amava lá do jeito dela. Sinhazinha Ellen, escutano a Mammy falá bobage...

Mammy estava com os ouvidos atentos para Nehemiah e a ama-seca. O bebê dera uma única mamada antes que os seios de sua mãe ficassem frios.

Mammy estava exausta.

— Todo mundo que vosmecê ama vai morrê, criança. Todo mundo. Se *Le Bon Dieu* sorri pra vosmecê em particulá, vosmecê morre antes de todo mundo. Essa é a verdade, fia. Todo mundo sabe, mas ninguém qué ovi, pruque ovi num faz nada ficá mió. Sabê de argumas coisa só dexa as coisa pió. Num é como se morrê fosse arguma novidade que ninguém nunca oviu falá.

— Às vez eu vejo coisa. Num queria, num pedi, até queria num vê. Vê essas coisa nunca me fez nenhum bem. Antes de vosmecê nascê eu vi a Sinhá Solange como se tivesse com uma nuve em vorta, ela tava borrada, num tava nítida como nós tudo. Eu devia dizê pra ela "Sinhá Solange, vosmecê num vai durá muito nesse mundo"? Cumé que isso ia ajudá em arguma coisa? Cumé que isso ia miorá os úrtimo dia da Sinhá Solange? Tarvez ela merma subesse, mas num dizia pra ela merma. Às vez, as pessoa sabe. Tarvez ela tivesse pronta pra se ir.

Chorando sem parar, Pierre saiu do quarto de sua mulher. Olhou para o colo de Ruth como se a filha fosse uma estranha indesejável.

— Mammy...

— Sinhô Pierre.

— Eu...

— Nós vai senti demais a farta dela. Hoje a Sinhá Solange tá no reino de Deus.

— Oh, meu Deus! — gemeu o homem de modo angustiante.

Mammy tocou a moleira pulsante no alto da cabeça do bebê.

— Como é que sabê quando as pessoa que a gente ama vai morrê pode ajudá? Nós sabe que elas vai e sabe que o sofrimento é pió que morrê junto. Num se precisa sabê quando. Depois que a gente se vai, fica com os esprito e os esprito num tá sofreno. A Martine num tá sofreno. A Martine num tá...

Mammy se curvou para beijar a bebê Ellen.

— Nós tem de fazê como se num fosse verdade, é, como se nós fosse vivê muito e sê feliz, como se amanhã fosse tá ensolarado e nunca mais fosse tê furacão. Os furacão é coisa do passado! Vosmecê vai sê feliz, Sinhazinha Ellen, vai sê convidada pros baile, piquenique e tudo que é festa. As pessoa vê vosmecê sendo feliz e pensa: "Tarvez eu teje errado. Tarvez a Sinhazinha Ellen sabe de arguma coisa que eu num sei. Tarvez os meu ente querido num vai se deitá debaxo do chão frio. Tarvez os meu ente querido seje os primero desde Jesus a vivê tanto quanto ele quisé." Sinhazinha, vosmecê tem de fazê de conta. Os que faz de conta são bem recebido em tudo que é lugá. Tem de fazê de conta pra passá de um dia pro otro. — Mammy enxugou os olhos. — Nós depende do fazê de conta.

A vida do bebê pulsava sob sua mão.

— Acho que depois de hoje eu vô ficá fazeno de conta otra vez, mas não hoje. Num tô podeno fazê de conta no dia de hoje.

As lágrimas de Mammy caíram na coberta do bebê.

— Sinhazinha, o mundo num começô na merma hora que vosmecê. Ele já tava aqui fazia argum tempo. Sê a Sinhá Ellen Robillard vai sê um pobrema? Vosmecê tem duas irmã maió e elas vai mandá em vosmecê como se vosmecê fosse uma das boneca delas. Elas vai fazê isso com a merma certeza que vosmecê tá aqui deitada. O Sinhô Pierre, vosmecê viu o jeito que ele oiô pra vosmecê? Cada vez que ele óia pra vosmecê, ele num vê a muié que ele amava. Ele vai aprendê a amá vosmecê, é craro que vai, mas lá no fundo sempre vai tê um canto escuro pra onde sua mama se foi e vosmecê, não.

"O pessoá de Savannah vai se alembrá que vosmecê matô sua mama. É prováve que nunca vai dizê isso na sua cara, mas vai oiá pra vosmecê e se alembrá da sua mama, sempre tão elegante e bonita, e entonce vai pensá que a bebê Ellen de meno de 3 quilo num é boa troca pela Sinhá Solange. Não, eles num vai dizê assim direto, mas vai tá pensano. Inté aqueles que conheceu sua mãe, se fô embora, vai tá pensano que vosmecê matô ela. Não, num é justo! Os pastô é que se preocupa com justiça.

"Num é justo eles pensá que uma criancinha matô sua mama, mas eles vai pensá, eles num consegue controlá isso; e quando vosmecê pudé oiá nos oio deles e vê eles curpano vosmecê pru argo, vosmecê vai preguntá 'O que foi que eu fiz?' e logo vai sabê a resposta. Tarvez fique pensano: 'ora, num é verdade. Eu nunca fiz isso.' Provavemente, vosmecê vai corcoveá e ir contra. Tarvez vosmecê responda, mas os óio deles num muda, e depois de um tempo, vosmecê pode começá a pensá, 'tarvez eu num tive a intenção, mas fui eu que fiz isso', e vosmecê pode até aceitá essa mentira. Num pode controlá. Tarvez nenhum de nós pode. Nós vem pro mundo do jeito que ele é e tem de fazê o mió que pode desse mundo."

A criança ficou agitada e arrotou, mas não acordou. A porta da frente se abriu sem fazer barulho. Nehemiah e uma jovem subiram as escadas de Jehu.

— Se *Le Bon Dieu* e os esprito quisé, nós encontra arguma felicidade nesta Terra. Vosmecê num tem mãe, mas tem uma Mammy. Além disso, docim, acho que eu consegui uma fia pra mim — disse Mammy.

A vida dos padres, mártires e de outros santos importantes

As paixões não se aquietam sendo aliviadas: qualquer coisa que a elas se permita não passa de uma incitação para que avancem, e, sem demora, sua tirania fica incontrolável.

REVERENDO ALBAN BUTLER

ELLEN ROBILLARD ERA uma criança quieta em uma casa igualmente quieta. Sua primeira palavra foi "mam", que, segundo Mammy, era a tentativa de Ellen dizer "mamãe", pela imensa falta que a criança sentia da mãe. Ninguém conseguia identificar um sinal de afeição na criança por uma mãe morta, cujo lugar fora usurpado por sua criada negra.

A irmã mais velha de Ellen, Pauline, estava obcecada com a ideia de casamento e via a criança, quando a via, como uma distração. Mammy culpava a conduta imperfeita de Pauline pelo calibre de seus pretendentes: os segundos filhos de fazendeiros ricos ou os primogênitos dos malsucedidos. Não fosse a cartola esverdeada, a casaca antiquada e as botas curtas de Carey Benchley, seria possível confundir a voz aguda do homem com a de uma mulher nervosa.

Tendo sido "salvo" num culto protestante, Carey expressava a moralidade convencional como se ele mesmo a houvesse inventado.

Pauline estava noiva e se tornaria a Sra. Carey Benchley.

Sua irmã mais moça, Eulalie, tinha compostura, mas era sonhadora. Quando Mammy pegou Eulalie lendo um romance — *Oliver Twist*, do Sr. Dickens — advertiu-a de que nenhum cavalheiro da Geórgia se casaria com uma moça que tivesse mais miolos que ele.

Pauline não poderia se casar com Carey até seu padrasto emergir do profundo pesar em que se encontrava, mas Ellen já estava andando e falando quando o alfaiate de Pierre entregou seu terceiro terno preto. Um ano depois, quando Ellen começou a ler, Nehemiah discretamente trocou o traje preto de luto de seu senhor por um roxo ligeiramente mais alegre. Pierre não fez objeção. Na verdade, talvez nem tivesse notado. Pouco depois, o Sr. Carey Benchley e a Srta. Pauline Robillard casavam-se na nova Igreja Batista da Chippewa Square. Enquanto o banco da família estava quase vazio, o restante da igreja estava lotado com os amigos de Pierre, gratos por ele estar engajado nas atividades rotineiras. Antonia Sevier, de roxo pelo marido, que havia falecido 18 meses antes, estava particularmente amável. Na recepção do City Hotel, Pierre ficou decepcionado com o ponche sem álcool e não permaneceu muito tempo, como a Sra. Sevier esperava.

No sábado seguinte, embora chegassem à Casa Rosa sem ser convidadas, a Sra. Sevier e sua filha, Antoinette, foram recebidas. A Sra. Sevier disse a Pierre que crianças de origem e posição social semelhante deviam ser amigas. Apesar dessa iniciativa indelicada, as meninas realmente gostaram uma da outra, embora Antoinette fosse tão vivaz e desrespeitosa quanto Ellen era calma e obediente. Na terceira visita das Seviers, enquanto as meninas admiravam as bonecas francesas de porcelana de Ellen, Antoinette anunciou que estava com sede e mandou Mammy buscar água. Mammy respondeu que qualquer criança saudável poderia descer as escadas, ir até o poço e içar o balde. Naquela noite, Antoinette informou sua mãe de que Pierre Robillard possuía uma negra insolente. Decidida que o Caro Pierre deveria ter o melhor serviço, a Sra. Sevier o informou, que sem uma senhora para discipliná-los, seus criados estavam se achando mais do que eram.

Pierre deixou isso passar, mas Nehemiah e Mammy não; e, apesar de a Sra. Sevier fazer tudo o que podia, a flor que ela pensou que daria um fruto delicioso definhou. Geralmente, Pierre estava fora quando a Sra. Sevier fazia suas visitas e seu cartão (com o canto dobrado para indicar entrega *em mãos*) sumia entre a pilha de cartões. Sua carta sincera e muito elaborada — será que ela cometera alguma falta? — não obteve resposta.

Nas manhãs dos dias de semana, a aia de Ellen e a de Antoinette levavam as crianças à Reynolds Square. Numa dessas manhãs, a Sra. Sevier se levantou mais cedo do que era de costume para ir à praça e perguntar a Mammy o que, *exatamente*, estava acontecendo.

Infelizmente, Mammy não sabia, estava completamente *desinformada* sobre as intenções e afetos de seu senhor. No domingo seguinte, a engenhosa Sra. Sevier foi à Igreja Presbiteriana da South Broad Street e, ao término daquele culto chatíssimo, interceptou Pierre, quando então aquele viúvo afável, ligeiramente perplexo, descobriu uma imprevista intenção de acompanhar a encantadora viúva à recepção do prefeito ao Governador Lumpkin no sábado seguinte. Na semana intermediária, apesar do desagrado devido a certas contas vencidas, a costureira de Antonia entregou-lhe um novo vestido com mangas de balão. Para realçar, Antonia comprou um chapéu de plumas de garçota.

Quando a carruagem não apareceu na hora marcada, Antonia pressupôs um pequeno mal-entendido e foi para a recepção, onde disse ao Prefeito Gordon que seu acompanhante fora detido por assuntos de negócios, ficando sentada durante as três horas da recepção sem ele.

Dali em diante, ela passou a ignorar o atônito Pierre, que até então achava que Antonia havia cancelado o compromisso. Ele não ouvira isso dos lábios de Nehemiah? Pierre nunca conseguiu entender os olhares furiosos e o silêncio sugestivo que Antonia Sevier lhe dirigia.

Seis meses depois, Antonia Sevier se casou com o Sr. Angus Wilson, e Pierre enviou uma jarra de prata muito bonita, presente este nunca agradecido.

O dia 30 de janeiro de 1835 foi significativo para a nação e para a Casa Rosa, mas por diferentes razões. Nessa data, em Washington, D.C., um pintor de paredes desempregado, um certo Richard Lawrence, fracassou em sua tentativa de assassinar o Presidente Jackson e em Savannah, Geórgia, a pequena Ellen Robillard tirou da estante o livro do Reverendo Butler *A vida dos padres, mártires e outros santos importantes*. Aquele livro teria mais influência sobre a criança que o tiro errado do assassino teve sobre Jackson. *A vida dos santos* tornou-se "o livro da Srta. Ellen". Ela o carregava de um lado para o outro como se fosse sua boneca favorita, ponderando sobre as histórias e figuras chocantes. A jovem Srta. Ellen falava sobre Santa Teresa, Santa Ágata e Santa Margarete como se fossem pessoas reais que moravam do outro lado da cidade.

Quando Ellen perguntou se sua mãe Solange poderia um dia ser reconhecida como santa, Mammy respondeu:

— Craro que sim, amô. Sua mama foi a mió das santa que já existiu.

Apesar de nunca falar nada contra o livro da Srta. Ellen, Mammy não o via com bons olhos. Todas aquelas figuras de santos flechados, a ponto de serem esquartejados ou deixados para os lobos... qualquer um que soubesse a quantidade de sangue que pode sair de um simples corpo humano não poderia ter feito aqueles desenhos, era o que Mammy pensava. De qualquer maneira, aqueles santos não pareciam pessoas flechadas ou a ponto de terem as cabeças decepadas; davam a impressão de estarem embriagados de uísque ou talvez já a meio caminho do céu. Em toda sua vida, o único homem que Mammy tinha visto que se parecia com os santos da Senhorita Ellen fora Denmark Vesey.

Desejar *morrer pela fé* era tolice, mas não uma *tolice corriqueira*. Era uma dessas *tolices honradas* que as mães enalteciam ao mesmo tempo que rezavam para que seus filhos não as cometessem.

Mammy advertia Ellen:

— Num dianta nada sê pobre e boa. Uma cara alegre consegue quarqué coisa que vosmecê precisa consegui.

Ellen Robillard tornou-se uma santa em espera. Por conta própria, sem consultar o pai, ela procurou o Padre Michael para o curso de crisma. Embora o bom padre estivesse ocupado com uma inundação de imigrantes irlandeses e a obra de uma bela igreja nova, a ansiedade infantil de Ellen para explorar sua fé revigorou a dele e, a menos que fosse chamado para o leito de um doente ou moribundo, o Padre Michael ficava disponível para aquela garotinha sincera às segundas e quintas, após o jantar. Pierre mandava pôr uma boa mesa, e duas noites por semana o padre jantava na Casa Rosa.

Se Pierre alguma vez se arrependeu da promessa feita a Solange de criar a filha deles na fé católica, nunca disse nada, e o Padre Michael era tão culto e amável que Pierre aguardava animado suas visitas regulares.

A comunidade francesa de Savannah havia diminuído e o Frère Jacques era novamente a Taberna do Gunn e tinha uma clientela irlandesa. Os compatriotas de Pierre falavam com o sotaque lânguido do Low Country. Conforme a influência francesa diminuía e a riqueza algodoeira crescia, o apetite de Savannah pelas sedas, modas e vinhos franceses também crescia. E, sob a gerência do hábil Nehemiah, o L'Ancien Régime de Pierre progredia.

Quando o Padre Michael contou a Pierre que sua filha podia ter uma vocação, seu pai riu:

— Oh, a Mammy não vai gostar disso. Ela acha que todas as moças estão incompletas até se casarem com um jovem cavalheiro.

— Mammy...?

— Ela cuida de nosso lar, não sabia? Me dá ordens como se *eu* fosse seu escravo. Quando eu hesito, Nehemiah vem para uma "pequena conversa" e eu logo entro na linha novamente.

— Mas... o senhor é o patrão aqui.

— É, sou — disse Pierre de forma complacente.

Quando Antoinette deu um risinho abafado ante o convite de Ellen para frequentar as aulas de crisma, a amizade delas acabou.

Antoinette fez amizade com Philippe Robillard, que fora criado pela mãe, como diziam, "feito um índio selvagem". (Quando Pierre foi oferecer conselhos e ajuda, a viúva de seu primo bateu a porta em sua cara.) O jovem Philippe não frequentava a igreja.

— Pelo jeito, o *Shabat* não passa de um dia como os outros para o rapaz — comentou uma grande dama, torcendo o nariz.

O sem graça Franklin Ward começou a cortejar Eulalie.

Como o Sr. e a Sra. Carey Benchley iam à cidade para o mercado de sábado e ficavam na Casa Rosa, o casal sempre estava presente quando Franklin fazia suas visitas. Como o Sr. Ward era um millerita, os Benchleys batistas se divertiam expondo o sincero rapaz a deboches humilhantes. O pai e o tio de Franklin Ward tinham sido médicos, e Franklin pendia para aquela vocação até ser influenciado pela previsão do Reverendo William Miller de que Cristo retornaria em carne e osso entre março de 1843 e outubro de 1844 — datas projetadas a partir de cálculos meticulosos baseados em certas profecias do Livro de Daniel. Carey Benchley nunca ouvira falar de nada tão ridículo e, se durante a semana lhe ocorresse alguma pergunta engraçada, era quase certo que a faria no domingo:

— Se Jesus vier novamente — perguntou o marido de Pauline —, quem será seu cocheiro? Quem será sua cozinheira?

Outra vez, Carey deu risadas:

— Por que você está cortejando Eulalie se está tudo acabado de qualquer jeito? — perguntou, repetindo com satisfação: — Acabado.

Embora Franklin Ward reproduzisse as ideias do Reverendo Miller e fornecesse ensaios confirmadores de teólogos proeminentes, Carey e Pauline adoravam se divertir com as piadas à custa do pretendente de Eulalie.

Ellen escutava mais atentamente. Sem dúvida, parecia plausível que Cristo devesse levar a um fim aquele mundo corrupto e profano.

Franklin Ward explicava que eles estavam passando por uma "época de espera".

Onze meses antes da primeira data prevista para o mundo acabar, Ellen pôs de lado seu catecismo e *A vida dos santos*. Ela inventou motivos para que o Padre Michael não fosse mais convidado para suas aulas e os jantares que o bom padre e Pierre tanto apreciavam. Quando o padre perguntou a Ellen quando ela gostaria de ser confirmada em sua fé, a jovem foi bastante vaga.

Mammy não precisou do relato da lavadeira para saber o que tinha acontecido.

— Fia — começou ela —, vosmecê num tá animada como era.

— Ficar animada com o quê? Minha vida é mesquinha, medíocre e tediosa. Não tenho amigas...

— Nenhuma?

— Você não conta — acrescentou ela, relutante, pois Ellen sempre era verdadeira. — Você é mais que uma amiga.

— Vosmecê tá mudano, só isso. Docim, agora ocê é uma moça crescida.

— Eu queria ser uma "mulher crescida".

Mammy sorriu.

— Bão, home é que vosmecê num vai sê. Ocê tá com o Chico e toda lua o Chico vai le visitá.

Mammy entregou a Ellen guardanapos macios de algodão.

— Prende eles nas carcinha e troca toda vez que precisá. Dexa eles naquele barde tapado do lado da porta dos fundo. Dexa o barde tapado. Seu pai num qué sabê disso.

Ellen fez uma careta.

— Ah, Mammy! Preciso mesmo?

— Sim, fia. Acho que sim.

Ela se lamentou.

— Estou tão suja!

Mammy não sorriu.

— Vosmecê num tá suja, fia. O que tá aconteceno era pra acontecê. Aconteceu pra sua mama, aconteceu pra eu. Ocê vai se acostumá.

— Estou tão suja — sussurrou ela.

Um ou dois meses depois, Antoinette Sevier reapareceu. Magrela e pálida, ela sabia que não podia ser desrespeitosa com Mammy, mas era mesmo assim.

As duas garotas reataram a amizade como se não tivesse havido uma ruptura, e os amigos de Antoinette tornaram-se os de Ellen. Bailes, piqueniques, corridas de cavalos e passeios de barco preenchiam seus dias. Muitas vezes, Ellen ficava na casa de Antoinette e não demorou para que Mammy ficasse sem saber se deveria ou não colocar um lugar para ela à mesa. Ellen aceitava as advertências e repreensões de Mammy com a cabeça inclinada para o lado como se estivesse avaliando propostas novas e ambíguas.

Ao voltar do mercado em uma manhã de sábado, Mammy pulou para a calçada quando a carruagem de Philippe Robillard passou ruidosamente. A Srta. Antoinette Sevier estava esparramada no colo de Philippe e os dois davam risadas.

Crianças. Quando Mammy visualizou como eles estavam, imaginou o que pensavam, com o que se importavam — tudo pareceu tão remoto e etéreo quanto as nuvens redondas lá em cima. Com sua cesta de feira enfiada embaixo do braço, Mammy seguiu para casa, onde Nehemiah tomava o café da manhã.

Nehemiah não queria saber.

— Nenhum nego já ganhô alguma coisa com a desgraça dos branco.

— Aquela Sinhazinha Antoinette, ela anda pur aí sem companhante — insistiu Mammy.

Nehemiah tomou uma colherada cautelosa de mingau.

— Num é da nossa conta. Pra nós num importa de jeito nenhum.

— Aonde qué que aquela menina vá, num vai sozinha — previu Mammy, descontente.

Mammy culpou Antoinette pelas mudanças desagradáveis na aparência e no comportamento de Ellen. A postura da Srta. Ellen ficou curvada e a menina que sempre tinha sido meticulosa e caprichosa tornou-se espalhafatosa e nada comedida. As respostas atenciosas a que Mammy estava acostumada tornaram-se murmúrios vagos e nada informativos. A criança que aprendera a ter uma conduta invejável a abandonara.

Em uma noite quente de verão, de olhos arregalados e coração acelerado, Mammy acordou assustada de um sonho. Ela foi até o quarto bagunçado da Senhorita Ellen e sentou-se na cama vazia até o relógio lá de baixo bater três vezes e uma carruagem parar na frente da casa. Silêncio. O cocheiro estalou seu chicote e ela seguiu seu caminho. Chave na porta e passos comedidos subindo as escadas de Jehu. A garota empurrou a porta e entrou rapidamente.

— Bom dia — disse Mammy.

Pela janela, a luz da lua lançou um retalho claro na parede do outro lado. Pega por essa luz, a Srta. Ellen limpou a boca e ajeitou a gola da blusa.

— Eu...

— Num me venha com mentira, sinhazinha!

Ellen chutou o sapato para um canto, e ele bateu na parede. Em seguida fez o mesmo com o outro pé.

— Me diga, Mammy. Você acha que o mundo vai acabar? Antoinette diz que não, mas Philippe acredita que vai. Nós humanos temos feito tantas maldades. O mundo não ficaria melhor sem nós?

— *Le Bon Dieu*...

— Fale inglês, Mammy. Você quer dizer Deus. Ele não está nem aí para nós.

— Deus vê o que nós faz e o que Deus num vê, sua mama vê.

— Desculpe. Acho que eu não me lembro dessa senhora.

— Sinhazinha Ellen...

— Mammy, se você se atrever a interferir, eu vou...

— O que vosmecê vai fazê comigo, sinhazinha? O que vosmecê vai fazê que já num foi feito pió antes?

— Mammy... eu simplesmente não sei. Eu não *sei* mais.

Rígida, Mammy se pôs de pé. Seus joelhos estavam incomodando.

— Tome cuidado, sinhazinha. Vosmecê num é tão ruim quanto qué sê. Vosmecê num tem isso pur dentro.

Nehemiah não queria contar a Pierre.

— O que o Sinhô Pierre vai fazê?

— Ele pode falá com ela.

Nehemiah assentiu.

— O que isso vai adiantá? — pigarreou. — Se ela fosse de cor, a gente podia fazê alguma coisa. Garota de cor a gente podia pendurá uns sino na cintura dela pra pegá ela escapulino ou podia acorrentá os tornozelo pra ela num podê corrê.

— Ou mandá ela buscá açúcar — sugeriu Mammy.

— Mas num podemo. Essa garota vai pro demônio, mas vai do seu jeito e na sua hora. E, Mammy, num tem uma coisa nesse mundo que ocê ou eu possamo fazê.

Eles não contaram a Pierre.

Quando o Franklin de Eulalie vinha visitar, Pierre ficava com eles no salão abaixo do retrato de Solange até os Benchleys descerem, quando então Pierre escapava para sua sesta do *Shabat*. Durante o jantar, Pierre tomava uma garrafa de vinho tinto e Nehemiah o ajudava a subir. Quando velhos amigos o visitavam, Pierre os recebia de forma amistosa, mas meia hora depois se desculpava e se retirava para seus aposentos. A firmeza de Pierre Robillard enfraquecera e, se aquele cavalheiro amável e distraído notava as mudanças de sua filha, nada comentava.

Não faltavam pretendentes respeitáveis para Ellen. Robert Wilson, de olhar sonhador, era filho de um capitão de navio a vapor.

Mammy encontrou Robert nos degraus da entrada da casa no alvorecer de uma manhã, esperando a Srta. Ellen sair. E Gerald O'Hara não parava de fazer visitas, levando flores, balas e todo tipo de presentinhos. É verdade que ele era irlandês, mas um irlandês respeitável!

Respeitável era o que Philippe Robillard não era. Ele era uma desgraça.

Não era culpa dele, pois Philippe não contara com uma aia para criá-lo e tinha dinheiro demais para dar errado. Antes que ele saísse das calças curtas, sua mãe parou de levá-lo à Igreja de São João Batista. Outros paroquianos, que não gostavam dos chutes e ataques de raiva do garoto, ficaram contentes de vê-lo pelas costas. Aos 15 anos, o jovem Philippe já havia passado por cinco tutores, incluindo um ianque de Boston.

O mercado de Savannah ficava alegremente escandalizado com o jovem senhor. Quando não havia novos ultrajes a deplorar, eles lembravam os antigos: como o jovem Sr. Philippe andou num bom cavalo até levá-lo à morte ou como ele havia insultado uma freira e "aquele patife mandô o Charles pra casa de correção pra sê açoitado pruque Charles num tirô os arranhado das bota dele. O couro arranha, num foi Charles que arranhô, cumé que ia tirá os arranhado?"

Como criada chefe da casa Robillard, Mammy esperava deferência e pequenas cortesias.

— Uma bela tartaruga-verde. Eu sei como o Sinhô Robillard gosta de tartaruga, entonce eu separei essa especiá, Mammy.

Mammy não esperava impertinência, mas, certa manhã, Mammy Antigone (cujos patrões brancos moravam no lado pobre da Jackson Square) a confrontou.

— Sua Sinhazinha Ellen, Mammy Ruth, ela tá andano de um jeito urtrajante com aquele garoto Philippe. Urtrajante! A sinhazinha tá escandalizano ocê!

— Ocê que é um perigo pra família Robillard — retrucou Mammy. Mas a resposta ríspida não conseguia ocultar a verdade.

Quando criança, a Srta. Ellen desdenhava de Philippe, mas agora não mais.

Mammy Antigone tocou o braço de Mammy Ruth.

— Ocê fez tudo que podia fazê, garota. Que Deus le abençoe.

Mammy se desvencilhou daquela mão como se fosse de uma cobra. A Mammy Antigone sentindo pena da Mammy Ruth! Como se atrevia!

A Srta. Eulalie ainda estava de rolos nos cabelos quando Mammy entrou repentinamente em seu quarto.

— Ovi falá mal da Sinhazinha Ellen — anunciou ela. — O pessoá tá falano!

Eulalie deu um sorriso sonhador.

— Philippe e minha irmã estão muito apaixonados. Todo mundo comenta.

— *Todo mundo?*

— É tão *romântico.*

— A gente só qué o que num tem. Caso tivesse, a gente num ia querê.

Uma mulher cega poderia ter visto que aquilo seria um problema. O mau humor da Srta. Ellen, sua indiferença para com os passatempos prediletos, seu ar superior, astucioso, como se ela tivesse um segredo que ninguém mais fosse inteligente ou bom o bastante para saber. Como muitas antes dela, a Srta. Ellen achava que havia inventado o amor. Ela parecia carregar um cartaz que dizia "estou apaixonada".

Os jovens acham que o amor é tão simples como o nascer do sol e óbvio como o nariz que têm no rosto. Esperam se mesclar aos olhos de seu amado.

Mammy sabia que o amor nunca é simples nem óbvio e pode representar um mundo de mágoas. A Sinhazinha Ellen estava com 15 anos. Madura o suficiente para se apaixonar. O problema era a pessoa por quem ela estava apaixonada. Poderia ser qualquer um, menos o primo Philippe! Depois de uma noite em que os espíritos não pararam de tagarelar, Mammy foi ao quarto de Ellen e a sacudiu para acordá-la.

— O que vosmecê tá pretendeno com aquele moço? Vosmecê tá escandalizano a família Robillard.

Apesar de estar com os olhos vermelhos e descabelada, Ellen se levantou, vestiu o roupão, sentou-se à penteadeira e passou pó na face.

— Vô tê de contá pro Sinhô Pierre, docim. Vosmecê num me dexô escôia.

Tão de leve que quase não deu para notar, Ellen deu de ombros.

Mammy aguardou até o Sinhô Pierre fazer sua *toilette*, barbear-se e tomar o desjejum de ovo escalfado com uma pequena xícara de café amargo de chicória. Quando Mammy lhe contou sua história, a raiva, o sofrimento e a preocupação que passaram pela fisionomia de Pierre a lembraram do padrinho que ele fora anos atrás. Porém, o lampejo foi fugaz e a fisionomia se suavizou nas rugas suaves de um homem de idade.

— Os jovens são assim mesmo. Não há nada que se possa fazer.

— O sinhô num vai fazê nada?

O dar de ombros de Pierre foi mais desanimado que o de sua filha e não mais proveitoso.

O dia 12 de março era a data mais próxima em que a medonha previsão do Reverendo Miller poderia se realizar, e a juventude de Savannah prometeu celebrar.

— Com tão pouco tempo que nos sobra para viver, não deveríamos vivê-lo? — sugeriu Antoinette Sevier. Mammy teve vontade de lavar a boca da menina com sabão.

Quando Mammy ficava de tocaia na porta dos fundos, Ellen escapulia pela janela. Quando Mammy esperava no estábulo, o amado da Srta. Ellen ia à porta da frente. Mammy corria até a rua a tempo de ver a Srta. Ellen e Philippe a cavalo, o cabelo dela solto, os braços envoltos nele enquanto o garanhão galopava pela rua.

Mammy compreendia que uma garota como Ellen poderia sacrificar a si mesma, sua virgindade e sua reputação por um canalha, desde que esse canalha fosse lindo e estivesse perfeitamente vivo naquele momento. Compreender aquilo não significava que ela deixaria que isso acontecesse.

À meia-noite do dia 10 de março, Mammy bateu na porta de Nehemiah.

— Pega o coche — mandou ela. — Rápido. É a Sinhazinha Ellen e aquele moço. A Sinhazinha Eulalie sabe o que eles tão aprontano. Num é segredo pra Sinhazinha Eulalie.

— Eu num vô fazê nada disso — respondeu Nehemiah. — Isso é coisa dos branco. Num temo nada a vê com isso.

— Ocê num vem e eu vô contá pros esprito que ocê tá fazeno coisa errada.

— Num acredito nesses esprito africano — disse Nehemiah. Em seguida ele se vestiu e atrelou a carruagem.

A Taberna do Farnum havia sido uma respeitável casa de fazenda vinte anos atrás. O lampião vermelho na janela estava pálido sob a luz fria do luar. Abrigada debaixo de carvalhos sem poda, sua ampla varanda tinha uma fileira de barris descoloridos na frente. Cavalos extraordinariamente bonitos dormitavam amarrados na trave habitual. A Taberna do Farnum era o lugar onde a turma espalhafatosa ia brincar.

— Vá pelos fundo — ordenou Mammy. — Me leve até os fundo.

— Eu num vô esperá pur ocê — sussurrou Nehemiah.

— Vai sim. Eu vô buscá a Sinhazinha Ellen. A gente precisa que ocê leve nós pra casa.

— Num tô veno ela.

— Craro que não. A Sinhazinha Ellen tá lá dentro! — No pátio, os sulcos das rodas careciam de sombras e profundidade sob a luz fraca. Diante da porta dos fundos, Mammy puxou a saia e murmurou uma oração. Havia muitas maneiras de aquilo dar errado.

Abrindo o trinco, ela se esgueirou para dentro de uma cozinha imunda. De braços cruzados, um mulato com uma cicatriz no rosto cochilava encostado numa pia deplorável, na qual se empilhavam canecas de cerveja por lavar. Os olhos dele se abriram.

— Quem é ocê?

— Mammy Robillard. Vim buscá a Sinhazinha Ellen.

O homem ergueu as mãos como se estivesse tentando aparar um golpe.

Por trás da porta, ela ouviu risadas masculinas. Mammy colocou a blusa engomada para dentro da saia e ajeitou seu turbante xadrez vermelho.

— Que *Le Bon Dieu* me proteje — rezou ela.

Lampiões iluminavam paredes de gesso manchadas. Velas desencontradas de vários tamanhos enfileiravam-se de forma irregular numa mesa comprida. O ar abafado tinha cheiro de fumaça de tabaco e uísque. Se como alguns batistas afirmavam, a Taberna do Farnum era a sala de Satã, Satã necessitava de uma nova governanta.

Jovens senhores em vários estágios de embriaguez sentavam-se ao longo da mesa. Mammy Ruth os conhecia desde que eram crianças.

Era de esperar que ela tivesse ficado surpresa ao ver o homem que a presidia, mas não ficou. Em vez disso, ficou triste.

Philippe Robillard sentava-se ao lado do Coronel Jack e a Sinhazinha Ellen estava agarrada ao jovem como se fosse uma segunda pele. Com a cartola inclinada para o lado e a camisa de babados aberta até o umbigo, Philippe era o retrato de uma bela ruína. Na testa branca, a Sinhazinha Ellen usava uma coroa de delicadas camélias cor-de-rosa: uma grinalda de noiva. Os olhos da sinhazinha estavam embotados. Os jovens persistem por muito tempo e até muito tarde, até que aquilo que fora brilhante e esperançoso morra no pôr do sol e no primeiro copo.

— Vá buscar uma caneca para nós, rapariga! — Na penumbra, o Coronel Jack não a reconheceu. — Esses negros de Savannah são mais lentos que o jorro do meu mijo.

— Eram bem rápidos até Philippe bater com a bengala em nosso garçom — objetou o jovem Sr. Billy Obermeier. — Os negros têm limites. Não se pode forçá-los demais.

De modo ausente, mas terno, Philippe deu um tapinha na mão da Sinhazinha Ellen.

— Você vai me casar, Jack? Ou devemos esperar até que beba o resto do meu vinho?

O Coronel Jack Ravanel sorriu.

— Casar você, Philippe? Hoje? — Ele arrastou a cadeira para trás, levantou-se e deu um sorriso radiante. — Meus queridos...

— Eu não sou seu querido, Jack — objetou o jovem Sr. Fleet.

— Ah, que pena, Jimmy — Jack lhe lançou um olhar malicioso.

— Rapariga, onde estão as drogas das canecas? — reclamou Billy.

Mammy deu um passo em direção à luz.

— Num sô rapariga nenhuma e vosmecês já tão muito bebo. E vosmecê, Sinhozinho Fleet: o que seu pai vai pensá se vê ocê desse jeito?

O Coronel Jack perdeu o fôlego.

— Ruth!

— Agora eu sô Mammy Robillard, Coroné Jack. Eu vim buscá a Sinhazinha Ellen e levá ela pra casa.

Philippe se levantou cambaleante.

— Você se esqueceu de quem é, crioula?

— Vai me batê com a bengala, Sinhô Philippe? Vai me batê inté eu desmaiá? O que a coitada da sua mama vai pensá disso? A Sinhá Osa nunca prejudicô ninguém. O quê que ela vai pensá dessas peripécia sua?

— Ruth... — começou o Coronel Jack.

— Eu sô a Mammy da Sinhá Ellen Robillard. Isso é pra sê o casamento da Sinhazinha Ellen? Onde tão os convidado? Onde tá a famia dela? Onde tá a igreja? E o padre? É vosmecê, Coroné Jack? O sinhô se rependeu, confessô seus pecado e foi ordenado pra modo de podê atá o nó que nenhum home pode desatá? Lovado seje Nosso Sinhô! Sinhazinha Ellen, aqueles santo de vosmecê; o que eles vai tá pensano disso tudo aqui? O que Jesus Cristo tá pensano? Vosmecê acha que ele se pregô na cruz pra que os sinhozinho pudesse bebê e fornicá?

Philippe se desvencilhou do braço de Jack que o detinha.

— Vou resolver isso — disse ele e confrontou Mammy.

Mammy não recuou diante do jovem senhor branco.

— Sinhozinho Fleet — chamou ela, olhando para trás de Philippe. — O que vosmecê vai dizê pro seu pai sobre essa noite? Ele vai se orguiá? E vosmecê, Sinhô Obermeier, três semana depois do seu pai tê se ido pra Recompensa Celestiá dele e da sua mama tá lamentano e sofreno, vosmecê acha que sua mama vai sorri quando ovi falá do que vosmecê fez hoje?

— Eu nunca...

— E tamém nunca disse não. Nunca disse "Num deboche de Deus!". Caso seu pai tivesse aqui hoje, o que o papá Obermeier ia pensá?

A Senhorita Ellen segurou o braço de Philippe. Suas mãozinhas o detiveram.

— Philippe, querido, ela é minha Mammy!

Os vapores do uísque pairavam em torno do jovem senhor como a bruma da manhã.

— Crioula! — gritou ele como se a palavra explicasse tudo que alguém pudesse querer saber sobre ela.

— Sinhô Philippe — disse Mammy baixinho —, eu conheci vosmecê quando usava frarda e vosmecê era uma criança pobremática. Mas era adoráve. Sempre foi adoráve e entendo que agora a Sinhazinha Ellen ama vosmecê. Mas vosmecê já num tá de frarda, é um home! Um dia vai sê home importante; governadô, senadô tarvez. Vai entonce querê que todo mundo fique sabeno disso aqui? — Mammy imitou a fala arrastada de Langston Butler, "Philippe Robillard? Ah... aquele sujeito! Num foi ele que se casô numa taberna?". Vosmecê qué isso? Qué isso pra Sinhazinha Ellen?

A gargalhada do Coronel Jack quebrou o silêncio.

— Meu Deus, como eu amo uma mulher esquentada!

Friamente, Mammy retrucou:

— Sim, sinhô, acho que ama. Pelo meno tenta. Mas tenho que le preguntá, Jack, pra entendê seu coração. — As velas tremularam e estalaram. — O que a Sinhá Frances ia dizê de tudo isso aqui?

A testa de Jack se enrugou e ele engoliu em seco. Passou a manga da camisa sobre os olhos. Levou a garrafa aos lábios e seu pomo de adão subiu e desceu. Ele enxugou a boca e largou a garrafa.

— Acho que já basta por hoje, cavalheiros. O galo não vai demorar a cantar. Philippe, deixe que eu lhe sirva uma última dose antes de ir dormir.

Os jovens senhores ficaram sentados imóveis como estátuas enquanto Ellen tirava a grinalda de flores e a deixava na mesa, dando-lhe um tapinha distraído.

— Está muito tarde, cavalheiros — disse ela e sorriu para Philippe. — Boa noite, meu querido.

A Senhorita Ellen Robillard não disse outra palavra naquela noite e chorou durante todo o caminho até em casa.

Endurecer o coração

O FESTIVAL DOS bolos foi um pandemônio.

Animada, Eulalie Robillard examinou os cartões de visita que os convidados haviam deixado naquela tarde. Alguns eram dos compatriotas *émigré* do Sinhô Pierre — solenes e atenciosos —, outros, dos fregueses do L'Ancien Régime. Jovens solteiros ávidos, inclusive o persistente Gerald O'Hara, foram fazer uma visita naquele único dia em que as grandes casas de Savannah recebiam qualquer um que batesse à porta. O Franklin Ward de Eulalie chegara cedo e ficara até tarde. Exibindo um espírito natalino pouco característico, Carey Benchley não implicou com Franklin — nem uma vez sequer — sobre o fim do mundo.

A bandeja de Nehemiah estava carregada de copos de uísque vazios, xícaras de chá pela metade e cinzeiros abarrotados. Eulalie passou o dedo pelo cartão em relevo de Franklin Ward e Nehemiah fingiu não ouvir seu sussurro.

— Bem me quer, mal me quer, bem me quer...

Seis horas da tarde na fria Savannah, Geórgia, o primeiro dia do novo ano. Do lado de fora das janelas do salão, o acendedor de lampiões iluminava a Oglethorpe Square. Cheirando a perfume, tabaco e uísque, mas vazia de convidados, a sala de estar voltava à rotina familiar. O Senhor Pierre tinha ido dormir. Naquela época, Pierre evitava todos os encontros sociais que não fossem obrigatórios.

A Sinhazinha Ellen fizera o papel da anfitriã enquanto Mammy e Nehemiah buscavam bebidas, chás e as guloseimas tradicionais preparadas pela cozinheira.

Então, quando a campainha tocou, Nehemiah não reprimiu um bocejo.

— Minha nossa! Quem será? — perguntou ele a ninguém em particular.

Eulalie o precedeu até o vestíbulo, onde devolveu os cartões à bandeja. Depois de se olhar rapidamente no espelho, ela ajeitou o cabelo, sentou-se numa cadeira e pegou uma *Godey's Lady's Book*, a revista feminina do momento.

A mesura de Nehemiah ao abrir a porta teria parecido menos perfeita somente para aqueles que chegavam nas horas apropriadas para visitas.

— Boa noite, *madame*. Misericórdia!

O cabelo preto de Osa Robillard estava com tufos espetados. Suas faces talhadas vertiam sangue escuro. Suas órbitas oculares eram chamas ardentes.

— Ora, Sinhá Osa! Pur favô, entre. Posso le oferecê um chá? Tarvez alguma coisa mais forte?

Ela carregava um pacotinho na mão trêmula.

— Queira entrá, sinhá. Pur favô, sente no salão enquanto eu chamo o Sinhô Robillard...

Eulalie baixou a revista e ficou boquiaberta.

— Sinhazinha Eulalie num ia se recolhê? — perguntou Nehemiah.

Ela prontamente o fez.

Nehemiah encontrou o sorriso tranquilizador que se reserva a visitas inesperadas.

— Devo insisti, Sra. Robillard. Entre, pur favô.

Imóvel como as efígies de madeira com que os comerciantes de fumo promoviam seus produtos, Osa Robillard ficou presa entre a última luz fria de uma tarde de inverno e o brilho aconchegante das velas natalinas da Casa Rosa. Nehemiah tentou uma nova tática.

— Vosmecê tem alguma coisa pro Sinhô Pierre?

Ela fez que não.

— Pra...?

— Pra ela.

— Senhora?

— Ela. Aquela moça. A mulher do Philippe.

— Se vosmecê tá pensano na Sinhazinha Ellen, ela num vê seu filho desde que ele foi embora de Savannah. — Nehemiah buscou um lugar-comum. — É raro um amor tranquilo na juventude.

A indígena aguardou imóvel como a morte até Nehemiah pegar seu pacote.

— Tem certeza que num qué entrá? Vosmecê... eu... o Sinhô Pierre... Obrigado, Sinhá Osa. Eu le desejo um feliz e próspero...

Quando a mãe de Philippe se foi, Nehemiah passou o ferrolho na porta, correu o polegar pelo pacote e murmurou:

— Ah, minha nossa. Minha nossa senhora...

... sinto informá-la de que seu filho teve um triste fim. Quando o Sr. Philippe Robillard chegou a Nova Orleans, há alguns meses, familiarizou-se em demasia com atividades que cavalheiros mais velhos e prudentes evitam. Com seus meios consideráveis, o jovem atraiu associados com inclinações semelhantes.

O rapaz me escolheu como seu confessor. Embora tenha feito coisas cruéis, Philippe não tinha um coração ruim. Até hoje acredito que mesmo sabendo o que era aceitável ao seu Criador, teria abraçado essas práticas com a mesma facilidade com que abraçou os pecados de que se ocupou. A mim, tornando-me seu amigo (talvez seu único amigo verdadeiro), Philippe parecia curiosamente inocente — não mais responsável por seus atos que os animais selvagens da floresta. A alma de Philippe estava se virando para a luz, e sua fé permaneceu forte na bondade de Deus. Ele levou um tiro numa briga por causa de um jogo de cartas e, graças a Deus, viveu tempo suficiente para se arrepender dos pecados e receber a absolvição.

Não foi dado a Philippe o tempo de se tornar o homem que poderia ter sido. Rezarei por ele e pela senhora em sua dor.

Seu irmão em Cristo,
Frei Ignace, Catedral de São Luiz, Nova Orleans

O pacote continha quatro das cartas de Ellen Robillard e uma miniatura de seu retrato pintado no ano anterior.

— Eu sabia — disse Mammy Ruth. — Só de oiá práquele menino, eu sabia. O Sinhozinho Philippe era lindo demais pra vivê.

Ela enfiou tudo de volta no pacote e, com pesar no coração, subiu as escadas de Jehu para dar a notícia à Sinhazinha Ellen.

Mammy não falou muito durante aquela longa noite. Às vezes ela abraçava sua menina, às vezes lavava seu rosto. O que Ellen disse naquela noite, seus gritos e as palavras terríveis que pronunciou nunca foram repetidas por Mammy e não serão aqui. A alma de Ellen ali floresceu conforme sua velha alma morria em agonia, recriminações e lágrimas.

Quando a aurora iluminou as folhas da magnólia, que foram do preto ao verde, e um bravo pássaro canoro tentou um hesitante gorjeio, Mammy enxugou o rosto molhado de lágrimas de Ellen.

— Sim, amô, vosmecê pode ficá paralisada, mas ficá assim num é diferente de se deitá e morrê. Sinhá Ellen, nunca endurece seu coração. Tem gente nesse mundo, gente bem aqui em Savannah, Geórgia, que perdeu todo mundo que amava. Eles, mermu eles que perdeu tudo, eles tem de continuá, como se aqueles que eles amava inda tivesse pur aí. Eles precisa aprendê a amá de novo. Eles têm de abri o coração. Nós num sabe... nenhum de nós sabe... quais sofrimento vai nos atropelá. Mas num fomo posto nessa Terra pra fugi das responsabilidade e zombá dos otro. Nós tem de carregá nosso fardo e num passá ele pros otro. Quereno ou não, nós tem de se levantá e segui adiante.

Algum tempo depois, a Srta. Ellen assoou o nariz e abriu as portas da sacada. O suave e perfumado ar do sul entrou no quarto, lavando sua amargura. Um pássaro corajoso tornou-se um coro. A Sinhá Ellen sentou-se à penteadeira e escovou os cabelos.

— Por favor, tire meu vestido cinza — disse ela, beliscando as bochechas pálidas. — Mammy, peça a Nehemiah pegar a carruagem. Vou visitar o Sr. O'Hara.

— Sinhazinha Ellen... visitá um cavalero! A essa hora!

Ellen se virou para segurar o rosto de sua criada.

— Quando eu aceitar o pedido do Sr. O'Hara, ele vai perdoar a inadequação da hora. E, Mammy, você não deve me contestar. Nunca mais.

TERCEIRA PARTE

O rio Flint

Como eu mais o Pork pegamo fogo

NEHEMIAH ME PREGUNTA se eu vô juntá os trapo com ele. Ele diz que o Sinhô Pierre precisa de nós pra cuidá dele. E a Sinhá Ellen, digo eu, quem vai cuidá da Sinhá Ellen, casada com aquele irlandês O'Hara e se meteno lá pra cima no mato, onde tem cobra e jacaré e pele-vermelha e todo tipo de vilania esperano por uma moça fina de Savannah como ela? Nehemiah diz que a Sinhá Ellen tá véia o bastante pra se casá, que tá véia o bastante pra cuidá dela merma. Que o Sinhô Gerald vai cuidá dela. O sinhô Gerald é astuto. Ele ganha nas carta e agora ganhô a Sinhá Ellen. Eu num aprovo jogo de carta; as carta são coisa do diabo e foi elas que matô o Sinhozinho Philippe. Nehemiah diz que o Sinhozinho Philippe agora é pobrema de Satã. E eu digo, quem é ocê pra ficá jurgano ele? E Nehemiah diz, ele quase arruinou a Sinhá Ellen e partiu o coração da mãe dele. E eu digo, Nehemiah, eu achava que ocê era cristão.

Ele diz, da manera que fô, ocê vai ou não juntá os trapo comigo? É, o Nehemiah é um home bão. Faz tanto tempo que ele cuida do negócio do Sinhô Pierre que inté parece que é ele o dono da loja. Mas eu já fui casada e num foi nada de juntá os trapo. Jehu mais eu fômo casado prum padre de verdade na Igreja Cristã Episcopal Africana Metodista em Charleston com *Le Bon Dieu* e todo Seus esprito oiano. Eu casei com Jehu inté a morte nos separá e a morte tamém não separô nós. Jehu mais eu, nós ainda tamo casado perante *Le Bon Dieu* e todos os que já se foi antes. Isso eu num disse pro Nehemiah. Ele num sabe dessas ocorrência e é bem prováve que ia sê insolente. Eu digo pra ele que vô com o Sinhô Gerald e a Sinhá Ellen e aquele garoto metido, o Pork, lá pro interiô e nós vai fazê vida nova lá na fazenda do Sinhô Gerald, onde vamo sê feliz e bençoado. Nehemiah diz que num vai sê diferente lá no interiô do que aqui em Savannah, mas eu digo pra ele que vai, sim. Lá num é um lugá diferente? Num tamo começano tudo de novo? Ocê tá arreliado pruque eu num vô juntá os trapo com ocê.

Entonce ele diz que vai senti saudade deu e que a vida dele nunca vai sê boa quando eu me fô, e eu penso que tarvez se ele diz isso antes quando me pediu, tarvez eu respondia diferente, mas provavemente não.

A Sinhá Ellen nunca mais disse uma só palavra sobre o Sinhô Philippe, nem depois que vortô da visita pro Sinhô Gerald, nem naquela tarde quando ela e o Sinhô Pierre tava na sala e o Sinhô Pierre preguntô pra fia o que ela tava pensano em fazê. A Sinhá Ellen diz que tava pensano em sê frera. A Sinhá Solange era católica e a Sinhazinha Ellen foi criada católica, mas o Sinhô Pierre num é. Ele acha que os católico têm de ficá se curvano pro papa de Roma. Entonce o Sinhô Pierre diz pra Sinhá Ellen que ela num devia de sê frera. Ela num discutiu. Só ficô lá sentada, com cara de triste, mas pareceno tê decidido.

Naquela noite, depois da janta, em que ninguém comeu nada, o Sinhô Gerald foi inté a Casa Rosa e o Nehemiah levô ele pra sala, onde o home sentô numa daquelas cadera arta e reta. Ele tava usano terno preto. A cartola preta no colo.

O Sinhô Pierre vem e entra, Nehemiah pega o decantadô e os copo, e o Sinhô Pierre ofrece uma bebida pro Sinhô Gerald e ele diz, "só um dedo", que é um teste, acho, pruque o Sinhô Gerald é irlandês. O Sinhô Gerald gradece Nehemiah, quereno dizê que ele pode se retirá, o que ele faz, mas ele e eu ficamo do otro lado da porta, escutano.

Eles fala do tempo e dos preço do argodão e fala de quem vai sê o próximo presidente e se o Texas vai sê anexado à União. Entonce o Sinhô Pierre abre a porta da sala de repente, mas eu e o Nehemiah ove ele vino de mansim e sumimo.

A Sinhá Ellen tá no quarto dela com aquele véio livro *A vida dos santo*, que ela tirô do armário, acho. Eu pregunto se ela qué um chá e ela diz não. Eu quero dizê mais coisa, mas ela num qué ovi nada. Entonce eu vô pra cunzinha e eu merma tomo o chá.

Quando a sineta toca na cunzinha, eu mais o Nehemiah vortamo pra sala, onde os dois cavalero tão de pé como se tivesse decidido onde e quando duelá. O Sinhô Gerald tá de cara vermeia e o Sinhô Pierre tá vergado: véio e cansado. Ele pede pra eu ir buscá a Sinhazinha Ellen.

A Sinhazinha Ellen desce as escada do Jehu, bonita e cheia de orguio como uma daquelas rainha francesa indo pra guilhotina. O Sinhô Pierre qué dexá tudo arranjado e acabado e ali na sala com eu mais Nehemiah, como se nós fosse papé de parede, o Sinhô Pierre pregunta pra sinhazinha Ellen se ela qué se casá com Gerald O'Hara. O Sinhô Pierre começa a chamá o Sinhô O'Hara "este irlandês", mas entonce tem compostura e engasga as palavra. A Sinhazinha Ellen, branca feito uma mortaia e com o lábio de baxo tremeno, óia pra bem longe dos cavalero, tarvez pra onde o Sinhozinho Philippe e a Sinhá Solange e os otro esprito tão. A Sinhá Ellen Robillard diz: "Eu vô me casá com o Sinhô Gerald O'Hara."

E isso foi o fim do assunto.

No dia seguinte, a Sinhá Pauline vem pra Casa Rosa num acesso de raiva. Ela sobe as escada inté o quarto da Sinhazinha Ellen e diz pra irmã que ela num pode se casá com nenhum irlandês, pruque isso vai fazê a família Robillard parecê caída pros óio de todo mundo que interessa. Desde que se casô com Carey Benchley, a Sinhá Pauline vai à igreja batista cinco dia pur semana. A Sinhá Pauline pregunta pra irmã como ela vai encontrá o Criadô, casada com um irlandês. A Sinhazinha Ellen é a irmã caçula da Sinhá Pauline, num é muito crescida e num sobrô muita reputação pra ela pur causa de tê andado com o Sinhozinho Philippe, mas ela diz que vai se casá com Gerald O'Hara, agradece a Sinhá Pauline e diz pra ela se preocupá com ela merma em vez de se metê nas coisa dos otro.

A Sinhá Pauline é mais santa que Moisés, mas a Sinhá Ellen lança fogo pelos óio e num ove bobage, entonce a Sinhá Pauline começa a choramingá e dizê que num qué nada além do que é mió pra sua irmã caçula e que ela e o Sinhô Carey vão rezá pur ela todos os dia. A Sinhazinha Ellen diz que toda oração que precisa sê feita, ela merma ia fazê!

A Sinhazinha Eulalie tamém protesta, mas é hipócrita. Ela finge que tá envergonhada pur causa de que sua irmã vai se casá com um irlandês, mas se fô pra dizê a verdade, a Sinhazinha Eulalie mal pode esperá pra vê a Sinhazinha Ellen saí porta afora da Casa Rosa, pra bem longe! Quando os cavalero vier pra Casa Rosa, num vai tê a Sinhazinha Ellen mais pra eles oiá, só a Sinhazinha Eulalie.

O Sinhô Pierre tá jururu. Os amigo dele vêm cos chapéu nas mão. Todo mundo tá andano na ponta dos pé.

A Sinhazinha Antoinette vem inté a Casa Rosa. Ela sorri e tá alegre, mas tá ofegante feito cachorro que fareja um osso novo. Ela diz que é amiga da Sinhazinha Ellen. Diz que é a amiga mais *antiga* da Sinhazinha Ellen. Que elas se conhece desde criança. A Sinhazinha Antoinette tem todo tipo de ideia pro casamento da Sinhazinha Ellen. A Sinhazinha Ellen agradece a visita dela e agradece pur ela tê se ofrecido pra ajudá e agradece inté a Sinhazinha Antoinette entendê que a Sinhazinha Ellen tá dizendo não, brigada. A compostura é uma faca de dois gume.

O Sinhô Pierre fica andano pur aí todo triste pruque vai perdê sua fia predileta e eu tamém. Mas quando chega o dia do casamento, ele é o mermu de sempre. É um belo dia de primavera, o sol tá brilhano e todo mundo tá feliz de vê os jove se casano. Na Igreja de São João, os francês e os amigo do Sinhô Pierre fica do lado da Sinhazinha Ellen e os irlandês do lado do Sinhô Gerald. Eu mais o Pork, a cozinhera e o Big Sam na galeria. Depois, os branco vai pro City Hotel, onde fica bebo e alegre e se esquece de quem é irlandês e quem é francês.

Se as irmã da Sinhazinha Ellen achava que ela tava se rebaxano pur casá com um irlandês, elas tava enganada. O Sinhô Gerald num é francês e num tem compostura, mas é um marido muito mió do que Philippe ia sê. Mais mió jogadô de carta tamém. O Sinhô Philippe bebia uísque e jogava carta pur causa de que é isso que os cavalero do Low Country faz. O Sinhô O'Hara bebe mais de um tiquim quando tá jogano e quase sempre ganha. As carta é mais um negócio pra ele. Num faz muito tempo ele ganhô o Pork, que era considerado o mais cavalero dos cavalero de Savannah. Uns dois ano depois de tê ganhado o Pork, o Sinhô Gerald ganhô uma fazenda no interiô de um especuladô que tinha ganhado a terra na loteria das terra.

Depois de dexá Tara ajeitada e toda bonita, o Sinhô Gerald vem pra Savannah com o Pork e o Big Sam, o capataz da fazenda, pra buscá uma esposa, a mió esposa possíve, que, naturarmente, foi a Sinhazinha Ellen. Minha sinhá era a sortera "mais cobiçada" do Low Country.

De presente de casamento, o Sinhô Pierre Robillard deu pra Sinhá Ellen O'Hara o conjunto francês azul de chá da mama dela mais eu. Acho que eu sô a única muié do mundo que foi presente de casamento duas vez.

Depois do casamento, o Sinhô Gerald vira um turbilhão e a Sinhá Ellen acompanha ele. Quando o Pork arrasta os pé, eles dexa o home pra trás. Eles tá comprano latrina pra fazenda, que num é civilizada. Agora que é uma muié casada, a Sinhá Ellen é prática. Pregunta pra cunzinhera que panela e pote deve comprá e me pregunta sobre o que os bebê precisa tê. Ela fica corada quando me pregunta, entonce eu acho que ela e o Sinhô Gerald tá se dando bem.

Pork diz que Tara tem os carderão grande pra escardá porco e pra fazê melado e purê de maçã, mas num tem panela pequena nem assadera. Tamém num tem tear nem roda de fiá nem pente de cardá.

Num tem erva, pó nem poção. Tá cheio de machado e serra, mas o Sinhô Gerald trincha o assado com a faca do cinto.

Tara precisa de sal, barril e tonel. Tara precisa de ropa de cama, óleo de lampião e lampião. Tara precisa de tudo o que dexa a fazenda civilizada.

A Sinhá Ellen compra argodão e lã e a mió linha e agulha inglesa. O Sinhô Gerald compra pele de bezerro pros arreio e sapato, pele de boi pras rédea e barriguera. Ele compra um parafuso de ferro grande pra prensa de argodão e um arado de três peça que é o primero arado de três peça que já chegô em Savannah. O Sinhô Gerald enxamina as semente de argodão como se nunca tivesse visto uma antes, fica mexeno e cherano e oiano e preguntano e bota a semente na boca e exprimenta antes de escoiê. Ele compra uma égua ruana pra Sinhazinha Ellen e uma sela de andá de lado com rosa estampada nos contorno e um pelego. Ele compra criado pra casa da fazenda. O Big Sam carrega três carroção com os criado e todas as coisa deles e vai se embora pro interiô.

Na manhã depois deles parti, nós diz adeus pra Savannah. Adeus, Arfandêga. Adeus, Igreja de São João Batista. Adeus, Oglethorpe Square. Adeus, Casa Rosa. Adeus, escadaria do Jehu.

O Sinhô Pierre, os Benchleys, a Sinhazinha Eulalie e o Nehemiah foi na estação do trem pra se despedi de nós. A Sinhá Pauline tá informano à irmã como se vesti, como se comportá, como escová os cabelo. A Sinhá Pauline num tem compostura, mas pensa que tem. Ela fica dizeno pra Sinhazinha Ellen como viajá num trem, mas nunca entrô num. O Sinhô Gerald age como se sê levado pro interiô numa máquina a vapô sortano fumaça e bufano fosse a coisa mais naturá do mundo.

Eu sinto chero de uísque no Sinhô Pierre, mas num falo nada. Quando nós tá pronto pra embarcá no trem, o Sinhô Pierre leva o Sinhô Gerald pruma caminhada pela prataforma, pra onde num dá pra nós ovi a cunversa. Imagino que o Sinhô Pierre tá dizeno pro Sinhô Gerald como ele tem de cuidá da fia dele e acho que o Sinhô Gerald promete que vai fazê direitim. Nehemiah me pede pra eu escrevê pra ele. Eu nunca disse pra ele que num sei escrevê nem lê. Eu dô um bejo no Nehemiah como se ele fosse meu marido.

Eu penso em todas as pessoa que conheci e nunca mais vô vê e começo a chorá, e o Sinhô Pierre tá de cara vermeia e esfrega as mão como sempre faz quando num sabe mais o que fazê. É a Sinhazinha Ellen que diz:

— É hora de entrar no trem. Está na hora e a Ferrovia Central da Geórgia não vai esperar.

O trem tem uma locomotiva e um vagão de madera bem na frente, mais um vagão de passagero e depois três vagão de carga vazio. Nós sobe no vagão de passagero e o fiscal do trem faz eu e o Pork sentá bem no banco da frente. A locomotiva tá bufano e estremeceno como se fosse exprudi a quarqué minuto e acho que é pur isso que os de cor vai na frente.

O Sinhô Gerald e a Sinhazinha Ellen nem acabô de se despedi dos Robillard quando um solavanco quase arranca minha cabeça e um apito grita bem arto e entonce um segundo solavanco, que me empurra pra frente e otro que me empurra pro banco e nós rola! Nehemiah e a Sinhá Pauline tão correno do lado do trem. A Sinhá Pauline tem os úrtimo conselho pra irmã dela.

Num demora pra Sinhá Pauline ficá pra trás e o Nehemiah tamém. Adeus, Savannah! Adeus, Bay Street! Adeus, todo mundo!

Nós atravessa o canal e o pântano e vamo andano cada vez mais rápido e eu enteno pru que nós tamo na frente: fumaça preta e as cinza nos encontra antes de encontrá os branco e tem um monte de cinza e arde feito picada de marimbondo!

Eu fico dando tapa ni mim com o lenço pra num me queimá!

Quando o vento vem e sopra de atravessado, a fumaça vai embora. O trem chacoaia e faz a maió argazarra, e eu vejo a boca do Pork se mexeno, mas num consigo ovi uma palavra. O capim do pântano zune. Nós tá ino mais veloz que o cavalo mais veloz! Tamo ino mais rápido que Lúcifer quando ele caiu do Paraíso e se esse trem saí dos trilho nós vai com toda certeza encontrá Lúcifer ou Jesus: um o otro. Entre os tapa que fico dano nas cinza eu fico me agarrano de medo no banco. Meu vestido novo fica com uns furinho preto de queimado!

Antes do mei-dia, o trem chega numa cidade e para. A Sinhá Ellen diz que tamo a meio caminho de onde tamo ino. Meio caminho já é um monte pra mim. O trem num assusta a Sinhá Ellen nem um tantim. O guarda-pó dela tá com furo de queimado e o cabelo todo despenteado, mas a Sinhá Ellen num tá borrecida.

O Sinhô Gerald tá rindo e falante.

— Magnífico — diz ele. — Pelo manto de Cristo! Não é magnífico?!

Ele continua a falá sobre como o mundo mudô, como a ferrovia vai mudá tudo. O Sinhô Gerald diz que as pessoa vai pará de brigá pruque tão mais perto uma das otra e se conhece.

O Sinhô Gerald tá orguioso como se ele mermo tivesse inventado a ferrovia e eu num tenho corage de dizê que às vez nós briga pruque já sabe direitim quem o otro é.

Eu tô com as mão doendo de me agarrá no banco e meus joeio tão bateno. Eu fico feliz de dá as costa praquele trem!

Nós tá em Louisville, que queria sê a capitá da Geórgia, mas num conseguiu. A cidade é quase tão bonita como Savannah. As rua larga, as casa grande, as carruage chique e um monte de fardo de argodão empilhado pra entrá no trem. Do otro lado da rua, na frente da estação, tem esse hotel grande com as coluna branca e a varanda na sombra e o Sinhô Gerald pega a Sinhazinha Ellen e carrega ela pelos degrau, passano pur todas as pessoa na varanda que bate parma. A Sinhá Ellen fica toda envergonhada. O Sinhô Gerald num tem compostura. Compostura num significa nada pros irlandês!

O Pork me acompanha inté o pátio nos fundo do hotel e enquanto ele tá se lavano na bomba eu entro na cunzinha, onde a cunzinhera e as ajudante dela tá fazeno a janta pros branco. A cunzinhera logo me dá um maço de verdura.

Um tempim depois, o Pork tamém entra, fazeno rebuliço como sempre. O Pork é um "criado". Uma vez eu preguntei pro Pork pru que todos os cavalero precisa de um cavalero se eles mermu é um e o Pork ficô todo irritado. Ele me disse que se eu pregunto é pur causa de que nunca vô entendê, que é uma das coisa que os home diz quando num tem nada pra dizê.

Depois que os branco janta, a cunzinha se aquieta e a cunzinhera mais eu vai lá pra fora, onde num tem fogão quente. A cunzinhera diz que tá no hotel desde que era neguinha e que o hotel nunca teve tanto movimento. Os sinhô branco tão rico pur causa do argodão e tão comprano cavalo caro e criado doméstico.

Eu digo pra ela que nós tá indo mais pra cima, mas num sei quanto farta. Ela diz que o pessoá do interiô pragueja e bebe e açoita os criado sem tê razão. Eu digo que nunca vi o Sinhô Gerald segurano um açoite, e ela diz que eu ainda num tô lá em cima. Ela diz que aquele lugá faz todos os sinhô ficá grossero e entonce num sabemo mais quem ele é e o que tá fazeno. Os sinhô lá de cima são pió que servage. O Pork já jantô e tá encheno o cachimbo e diz que conhece o Sinhô Gerald faz muitos ano e só viu ele açoitá um home de cor e que aquele nego merecia. Pork risca um fósfro e eu espirro com o fedor e ele acende o cachimbo e sorta baforada como a locomotiva. O Pork diz que o Sinhô Gerald odeia açoitá um cavalo e se ele num açoita cavalo, pru que vai açoitá um home?

A cunzinhera diz que tem muito sinhô que é mió de bão pro cavalo do que pros nego. Ela conhece um sinhô que veio pra esse hotel faz tempo e chorô feito bebê quando o cavalo dele quebrô a perna e ele teve de dá um tiro no bicho. Bem no dia seguinte ele açoitô um neguinho, que num tinha nem 16 ano, inté o garoto num podê mais pará de pé.

Pork diz que o Sinhô Gerald é um sinhô bão. Que os nego do campo se aproveita dele. Num se aproveita do administradô Wilkerson, não mermu. O Pork é tão presunçoso que eu pregunto quem contratô o administradô e quem manda o administradô comandá a fazenda. A fumaça do cachimbo faz o Pork tossi. Ele conta pra cunzinhera que a fazenda Tara é tão civilizada como Louisville. A cunzinhera bufa e num qué nem sabê.

Naquela noite, eu drumo na cunzinha e o Pork drome no corredô do lado de fora da porta do sinhô e da sinhá. O Pork tava costumado a drumi nos pé da cama do Sinhô Gerald, mas agora isso acabô.

Na manhã seguinte, o Pork fica borrecido pur causa de que o Sinhô Gerald se barbeia em vez de esperá o Pork levá a água quente, o sabão, o pincel e a toaia e a cinta de afiá como ele sempre faz. A Sinhá Ellen tá quieta como sempre, mas sorrino como se tivesse um segredo que ninguém sabe. Nós sai do hotel pra pegá o trem, que é diferente do trem de onte, mas a fumaça é fedorenta e as cinza quente como no otro. Os sinhô num pensa. Quando se pode ir de carroça, de cavalo ou andano sem cinza nos cabelo, pru que pagá um bom dinhero pra se queimá todo?

O trem era rápido que nem um raio, mas nós num chega aonde tava indo, que é Macon, inté a noite. O Pork já teve em Macon antes e sabe tudo de lá.

Hoje o Sinhô Gerald num carregô a Sinhá Ellen pra dentro do hotel. É prováve que a Sinhá Ellen diz arguma coisa pra ele. Hoje o Sinhô Gerald teve compostura.

Pork me pede pra ir inté os estáblo onde o Sinhô Gerald tem os cavalo dele. Eu digo que já vi estáblo pruma vida intera e Pork diz que vai me mostrá uma coisa que eu nunca vi antes. Passano pelos estáblo, nós chega numa casa antiga de pedra com uma casa de madera costruída em cima. As erva daninha do verão passado tá em vorta de tudo e a porta tá fechada com tranca e os painel caino dela. Eu pregunto o que é aquilo e o Pork diz que é um forte. Eu digo que num ligo pra forte nenhum. Ele diz que é um forte pra quando os índio vié. Eu óio em vorta e pregunto, que índio? Pork diz que eles se foi. Tudo afugentado, mas vai mostrá onde eles teve. Nós vai inté um monte que mais parece uma panqueca grande e verde e o Pork diz que é ali que os índio enterra os morto.

Pode sê. O monte tava zunindo feito uma cormeia quando o espinhero-da-virgínia tá floresceno na primavera. Pork num ove o zunido, mas eu, sim. Pork nunca vê a névoa agarrada no monte dos índio na hora do pôr do sol, mas eu, sim. Estremeço e digo pro Pork que já vi índio o bastante e tô com frio. Nós vorta pro hotel. Pork dorme do lado de fora da porta dos O'Haras naquela noite tamém, o que ele num gostô nem um poco.

Num tem mais estrada de ferro pra nós. Num tem mais fedor, fumaça e fogo. Eu digo hurra. Hip hip hurra. O Sinhô Gerald qué eu mais o Pork indo a cavalo enquanto ele mais a Sinhá Ellen vai de carruage, mas digo que nunca vi nenhuma muié de cor andano de cavalo e num é hoje que vô vê. Os cavalo num serve pra nada, só pra matá as pessoa.

O Sinhô Gerald fica de cara vermeia e diz que já basta de criado insolente e onde tá o açoite dele e eu digo que o açoite dele tá no porta-chicote onde quarqué um que tem oio pode vê, entonce o Sinhô Gerald diz que ele mais o Pork vão de cavalo e a Sinhá Ellen mais eu vai na carruage.

Nós vai lado a lado. A Sinhá Ellen conduzino. Ela tinha sido um bebê nos meus braço. Eu fui a primera pessoa a carregá ela. A Sinhá Ellen me conta sobre a terra vermeia. Ela andô estudano. A terra vermeia pode produzi argodão, sim, pode! A Sinhá Ellen tá dizeno que o interiô num é Savannah e como ela tá feliz que nós tamo indo pra Tara. Ela tá dizeno que é preciso contá nossas bênção e eu digo sim, sinhá, sim, sinhá, e como vai sê bão, mas tudo tá mudado entre nós. Agora ela é a sinhá, e eu sô uma aia. Como se ela nunca tivesse tado nos meus braço e eu nunca tivesse trocado as frarda dela. Eu tenho de sorri e gostá pruque é assim que as coisa é.

Nós chega no rio Ocmulgee, onde o barquero conhece o Sinhô Gerald e eles conversa sobre os acontecimento da região. O barquero pede pra comprá o cavalo da carruage, e o Sinhô Gerald pergunta que cavalo vai puxá a carruage e o barquero diz "os nego pode andá", e ri feito um loco. Pork num ri. Eu num rio. O Sinhô Gerald tamém num ri.

Toda aquela manhã foi de subi um monte e descê otro. Os pinhero tudo em vorta. Os pinhero se curva sobre a estrada e num dexa a luz do sol passá. Eu tô com tanto frio que enrolo o xale no pescoço. Eu pregunto pra Sinhá Ellen se tem índio na mata e ela diz pra eu num sê boba e eu digo que num sô boba se tem índio na mata e eles nos tira os escalpo e mata nós. De trecho em trecho, uma trilha entra pra dentro da mata. Arguém mora pur lá, o que num me dexa mió.

Às vez, nós passa pur campo de terra vermeia sem nada curtivado. O Sinhô Gerald fica o tempo todo incomodano nós, "a Sinhá Ellen tá confortáve?" e ela sorri pra ele, diz que tá tudo bem. Nós passa pur uma fumacera tão grossa que me faz espirrá, que é os trabaiadô do campo fazeno queimada com a capina da terra. É os nego ali do interiô que fica oiano pra nós como se num tivesse visto ninguém nunca na vida.

Mei-dia e nós come quejo e pão de fubá, e, quando saímo de novo, o Pork dirige a carruage e a Sinhá Ellen vai a cavalo do lado do Sinhô Gerald. Eles fica pra trás pur um monte de tempo e quando nos arcança de novo a ropa da Sinhá Ellen tá cheia de aguia dos pinhero.

Nós chega numa cidadezinha que eu nunca consegui pegá o nome. Era tosca, mas tinha um hotel pro sinhô e pra sinhá. O dono do hotel é o Sinhô Hitchens. O nome dele tá na entrada. As nega da cunzinha é tudo simpática e deu carne de porco e verdura pra eu mais o Pork comê. Elas fez um monte de pregunta sobre Savannah pruque nunca foi em nenhum lugá civilizado.

Otro dia cansativo viajano morro acima, morro abaxo. As floresta de pinhero vão escasseano e eu vejo uma otra casa de fazenda. O sol tá caino e dexano a água dorada quando a gente atravessa a vau o rio Flint. A estrada sobe um monte e o Sinhô Gerald fica de pé nos estribo apontano e pelo meio das arvre eu vejo um teiado que é de Tara aonde nós tá chegano.

Os campo que nós tá passano é do Sinhô Gerald. As sobra do ano passado foi revirada e os surco do arado tão caprichado e retim. Nós demo a vorta e o sol ficô nas nossas costa e nós tamo trotano no meio dos cedro, arguns bem redondo como eu. O sinhô e a sinhá vão galopano na frente. Pork diz que o Sinhô Gerald sempre galopa quando chega em casa, como se tivesse medo de Tara num tá mais lá.

Uma casa branca grande no arto de uma colina com uma comoção na frente onde os nego tão vino pra cumprimentá o Sinhô Gerald e a esposa. Pork mais eu vai de carruage inté os estáblo nos fundo. Pork grita "Toby!" e esse menino magro de perna comprida vem correno, pega as rédea e pregunta pro Pork como é que o Sinhô Gerald conseguiu uma sinhá pra Tara e que tipo de sinhá ela é, mas eu num sei como é que o Toby sabe que Tara tem uma sinhá.

Pork diz que o que o sinhô faz ou dexa de fazê é só pro criado sabê e num é da conta de nenhum cavalariço ingnorante. Acho que o Pork inda tá magoado pur drumi do lado de fora da porta do sinhô.

Toby diz que tava rezano pela vorta segura de Pork, o que faz o Pork se arrependê do que disse, mas ele num pode se descurpá pruque ele é o criado. Eu exprico que eu sô a Mammy da Sinhá Ellen e que ela é boa e trata todo mundo bem. Toby faz uma mesura desde a cintura bem como os sinhô e diz:

— Bem-vinda a Tara, Mammy.

Toby conta o que aconteceu enquanto Pork tava fora, quais trabaiadô tava fazeno o quê e o que os criado da casa aprontô. Pork num qué sabê de nada. Antes de ir pra Savannah, o Sinhô Gerald fez o Pork de diretô dos criado da casa. O diretô diz pros criado fazê isso, fazê aquilo otro, ir ali, ir acolá, mas o Pork num qué sê diretô. Tá feliz de sê o criado e num qué dirigi nenhum cavalariço nem moça da ordenha nem mucama nem cunzinhera nem copera nem ferradô de cavalo nem cochero. Pork tá feliz que o Sinhô Gerald conseguiu uma esposa pra dirigi os nego. Agora a Sinhá Ellen vai dirigi os criado doméstico e Pork vai vortá a fazê o que ele sabe fazê.

Pork faz cara triste quando Toby conta que os nego foi açoitado enquanto o Sinhô Gerald tava em Savannah. Phillip e Cuffee foi açoitado pruque o Administradô Wilkerson tava bebo e açoitô os garoto sem razão nenhuma.

Pork pregunta o que Toby qué que ele faz sobre isso. O garoto açoitado num pode sê desaçoitado, num é?

Toby diz que num tem descurpa pros garoto sê açoitado.

— Descurpa nenhuma.

Dexo eles tagarelano e entro na casa, que tem a cunzinha dentro. Eu gosto de cunzinha fora, onde num é tão quente no verão e se pega fogo num pega fogo na casa.

A cunzinha de Tara é mais nova que a cunzinha da Casa Rosa, mas num tem panela que chega pra cozinhá direito e a pia tá imunda! As concha, cuié de mexê e os batedô de ovo tudo misturado numa gaveta quando tem gaveta sem nada dos dois lado! Tara tem um desses fogão moderno de ferro, mas parece que nunca foi usado. As panela em cima daquele fogão tá lá faz tanto tempo que enferrujô. A cunzinhera cunzinha no fogo de chão como o pessoá d'antanho.

Acho que vô falá com a cunzinhera. Acho que vô falá com a copera tamém.

No corredô de Tara tem um quartim com um monte de papel empilhado numa mesa antiga e grande como aquela onde o Sinhô Pierre botava as peça de tecido. Tem um decantadô de uísque e uns copo sujo numa pratelera. Tem uma pintura na parede de uma pradaria enevoada que num parece sê de terra vermeia da Geórgia, entonce eu acho que é da Irlanda.

A pintura das trave das cadera tá lascada, tem marca de mão no gesso e tá cheio de teia de aranha onde a luz num arcança. Acho que vô falá com a mucama tamém. As escada são de carvaio dorado e vão direto pro segundo andá sem curva nenhuma. Adeus, Casa Rosa!

Na frente lá fora tá cheio de comemoração; os nego festejano como só eles sabe. O Sinhô Gerald tá em casa! O Sinhô Gerald tá em casa! Hip hip hurra! Num tem nada mais alegre e mais bobo que os nego festejano!

Eu vô pra varanda da frente, que tem banco e caderas de balanço tão gasta que magino que seje ali que o Sinhô Gerald passa a maió parte do tempo.

O Sinhô Gerald tá radiante feito um bobo. A Sinhá Ellen tá preguntano pros neguinho e neguinha quem eles são e quantos ano tem e inté os mais acanhado responde. A Sinhá Ellen bota um no assento da carruage e é craro que num ia funcioná inté todos tá dentro da carruage como se fosse branco indo pra argum lugá.

Uma muié grande com um avental imundo deve sê a cunzinhera. A muié desdentada, tão véia e torta que quase num se aguenta de pé deve sê a mucama. Tara tem só duas criada doméstica, mais o Pork? Agradeço *Le Bon Dieu* que o Big Sam tá trazeno criado pra casa de Tara!

Um home branco vem a galope, jogando poera nos nego. Joga as rédea prum neguim e sarta do cavalo. Ele tira o chapéu pro Sinhô Gerald e faz mesura pra Sinhá Ellen dizeno que tá muito honrado e tal e coisa. O home num fala como o pessoá, fala como ianque. O Adminstradô Wilkerson é comprido e magro como vage frita na banha.

A cara dos nego fica tensa e os neguim sai da carruage. O Sinhô Gerald pregunta como foi as coisa enquanto ele tava fora e num nota as cara tensa, mas a Sinhá Ellen nota. A Sinhá Ellen nota tudo.

O Administradô Wilkerson dá um tapa nas costa do Cuffee dizeno que o garoto "saiu do trilho" enquanto o Sinhô Gerald tava fora, mas que agora é um bom nego e Cuffee se encoie, mas faz que sim e sorri e diz que viu "o erro que fez" e num vai mais fazê, não sinhô, nunca mais.

Lá do fundo da minha cabeça vem uma voz como se tivesse num otro cômodo: "Ocê vira quem faz de conta que é", mas eu num quero ovi essa voz, eu detesto essa voz e fecho os ovido.

A mão dela toca a minha. Ninguém ia sabê o que a Sinhá Ellen tava quereno dizê com isso, mais eu sei.

O administradô fala como se o Sinhô Gerald devia tê ficado na fazenda em vez de ir pra Savannah procurá uma esposa. O administradô num *diz* isso, mas é o que *qué* dizê.

Depois que o Sinhô Gerald ove que nada queimô, nem alagô, nem foi levado pelo vento, nem morreu, ele num liga pro que o administradô diz. O Sinhô Gerald estufa o peito e óia em vorta como se isso fosse onde *Le Bon Dieu* mora, bem ali na fazenda Tara. O Administradô Wilkerson fica falano, contano tudo de grande e pequeno que fez inté o Sinhô Gerald interrompê ele. Essa muié, ele diz pro otro, é a Mammy. Tá com a Sinhá Ellen desde que a Sinhá Ellen nasceu.

A boca do administradô diminui de mei-galope pra caminhada e diz que os nego da Geórgia são "satisfatoriamente leal". Eu num sei de nada disso. O administradô diz como ele dirige *todos* os nego da fazenda Tara. Eu ia repricá, mas a Sinhá Ellen aperta minha mão e diz:

— Obrigada, Sr. Wilkerson. Tenho certeza de que o senhor supervisionaria os criados da casa melhor que eu, mas eles são o dever de sua senhora, e daqui por diante ficarão sob a minha supervisão. Com certeza, o senhor tem o suficiente para supervisionar com nossos trabalhadores do campo.

O administradô num pode fazê nada. A faca da compostura é tão afiada que a pessoa num sente ela entrano.

Como eu mais a Sinhá Ellen leva compostura pru interiô

O INTERIÔ NUM era nada do que a cunzinhera de Louisville disse. A cidade mais perto era Leaksville e tinha duas loja, um ferrero, um curtume, um *saloon*, um descaroçadôr de argodão pra modo de que os fazendero que num tem um podê desencaroçá seu argodão. Leaksville tem uma igreja batista com uma ala pros de cor, uma escola e uma pista de corrida, onde o pessoá vende porco, galinha e mula nos sábado de manhã e corre com os cavalo de tarde. Tem uma estrada de ferro no meio da avenida, mas nunca tem trem. A estrada de ferro foi à falência antes de chegá em Leaksville e tem capim cresceno entre os trilho. Num tem índio servage aqui em cima e os sinhô num é diferente dos sinhô de Savannah. Arguns são mió, otros pió, a maioria mediano. A fazenda Tara fica do lado da dos MacIntoshes, pra quem o Sinhô Gerald num dá nenhuma bola e os Slatterys, que é pura ralé branca e lá pra baxo do rio Flint tem os Wilkes. A fazenda dos Wilkes é a Twelve Oaks. A casa-grande da Twelve Oaks é toda intera. Num tem cômodo anexado nem tirado desde que foi costruída. A casa-grande de Twelve Oaks é toda chique como a Casa Rosa. Tem inté uma escada em curva, mas num é tão fina como a do Jehu.

Os Wilkes vêm da Virgínia, que é mais importante que vi de quarqué otro lugá e eles têm um jardim de rosera e uma escola. O Sinhô John Wilkes sorri e é delicado feito uma brisa de verão, mas na maió parte do tempo fica calado. Como a casa: ele é grande e quieto e tem dinhero demais inté pra falá disso. Ele num masca tabaco nem cospe. Os cavalo dele inté pode sartá uma cerca se ele pedi, mas gerarmente ele num pede. Ele fala tão baxim que os otro sinhô baxa a voz. Quando conta uma piada tá fazeno um favô pra todo mundo.

O Sinhô John tem mais compostura que todo mundo, sem contá a Sinhá Ellen. Os otro fazendero respeita o Sinhô John e qué sabê como ele faz as coisa. Inté o Sinhô Gerald pregunta, apesá de que quase sempre ele faz o que ia fazê de todo jeito. A Sinhá Eleanor Wilkes é bonita, mas é nervosa. Foi a Sinhá Eleanor que expricô a compostura do interiô. Aqui, diz a Sinhá Eleanor, é "vital", quereno dizê, eu acho, que a Sinhá Eleanor fica se descurpano pur causa do interiô quando vai pra Boston ou Nova York.

A Twelve Oaks tem um cômodo pra livro e nada mais lá dentro!

O Sinhozinho Ashley Wilkes já tem quase tanta compostura quanto o pai dele. O Sinhozinho Ashley vai com o Sinhô John pras venda de argodão, pra pista de corrida, pros churrasco e pra Assembreia Legislativa, mas o sinhozinho num tá bem ali. O Sinhozinho Ashley é mais como um esprito que um garoto! Quando os otro menino tão caçano, pescano, andano a cavalo ou brigano, Ashley Wilkes tá lendo os livro dele. Ele encontra tudo que precisa naqueles livro dele!

Assim que a Sinhá Ellen chega em Tara, o pessoá do interiô vai visitá pra conhecê a esposa que o Sinhô Gerald pegô em Savannah. O Pork serve uísque e eu sirvo chá, água fria ou refresco de sassafrás, mas ninguém passa da varanda, que é onde se recebe as visita. A Sinhá Ellen num permite que ninguém pise dentro da casa de Tara. O Sinhô Gerald se irritô. Acho que foi a primera briga de marido e muié que os dois teve e foi pra discuti se o pessoá ia entrá na casa da Sinhá Ellen antes dela dexá pronta ou se Tara inda é a casa do Sinhô Gerald, aonde o pessoá vai a quarqué hora que eles qué e num limpa as bota. É craro que a Sinhá Ellen acaba fazeno do jeito dela.

A fazenda é o encanto do Sinhô Gerald. Ele leva a Sinhá Ellen pra mostrá tudo pra ela. Mostra os campo vermeio esperano pra sê prantado e mostra pra ela a prensa de argodão e exprica como o novo parafuso que ele comprô em Savannah é mió que o véio, e o Sinhô Gerald pragueja pruque o Big Sam inda num chegô, apesá do Sam num podê tê chegado mermo pruque nós veio no trem e o Big Sam tá vindo com as carroça. O Sinhô Gerald se descurpa pur praguejá.

O Sinhô Gerald mostra pra Sinhá Ellen os establo das vaca e dos cavalo e a leiteria. Ele se gaba da primavera de Tara, que é "a mais doce desse lado de Limerick", que é na Irlanda. A Sinhá Ellen diz:

— Que maravilha!

— O senhor fez tanta coisa em tão pouco tempo.

E o Sinhô Gerald se estufa feito um daqueles balão de bexiga de porco que as criança sopra na época do Natal.

As janta são de canjica, verdura assada e carne de porco gorda. A Sinhá Ellen num diz nada, mas num dexa isso passá.

A Sinhá Ellen mostra interesse quando o Sinhô Gerald leva ela pro pequeno escritório do corredô. Ele aponta pras pilha de papel, chamano elas de "os registro da fazenda". Posso vê que as mão da Sinhá Ellen fica coçano para pegá aqueles registro.

As bota pesada do administradô vêm vino pelo corredô e ele entra no escritório sem nem pedi licença. Afora tirá o chapéu, ele nem toma conhecimento da Sinhá Ellen.

O administradô fez os trabaiadô abri um campo na mata do lado da fazenda Tarleton, e quase todos os toco de tronco foi arrancado e queimado. Ele fez os trabaiadô encilhá os cavalo pro prantio, e o Sinhô Gerald comprô um arado novo de três peça? Cumé que os trabaiadô ingnorante vão entendê o arado novo?

O Sinhô Gerald ri e diz que se ele consegue entendê, quarqué um vai consegui. O administradô morde o lábio e pregunta o que o arado véio tinha de errado e o Sinhô Gerald dexa de sê tão simpático como antes e diz como todos nós tem de fazê mudança pra tê mais produção de argodão e pra dexá o capim baxo, que ele viu verdejano em arguns campo que num tava lá antes dele ir pra Savannah. O Sinhô Gerald num fala que o administradô devia tê capinado o terreno, mas é o que qué dizê. O Sinhô Gerald gosta de se ri e fazê de conta que é bobo e fica de cara vermeia sobre o que num importa nem um poco, mas quando as coisa importa e o Sinhô Gerald fica com aquele jeito irlandês nos óio, é mió saí da frente.

O administradô Wilkerson diz que tá capinano o terreno e que a capina inda num cabô. Diz que um trabaiadô, o Profeta, tá muito doente pra trabaiá, entonce ele pediu a Dilcey emprestada da Twelve Oaks. Dilcey deu umas poção pro Profeta e entoce ele vai trabaiá amanhã. O administradô pegô o Phillip robano presunto do fumero. O Phillip força uma tauba e bota de vorta depois de saí, entonce num dá pra dizê quanto tempo faz que anda robano, é prováve que desde antes do Sinhô Gerald ir pra Savannah. O administradô ia tê açoitado o Phillip, mas agora o Sinhô Gerald tá em casa.

O Sinhô Gerald num qué açoitá ninguém e a Sinhá Ellen tá oiano pra ele como se é mió ele num querê memo. O Sinhô Gerald pregunta pru que o Phillip tá robando do fumero se ele tem o bastante pra comê.

O administradô fica nervoso e diz que tudo que é nego é ladrão. Que pur natureza num consegue se controlá.

Tô achano que o administradô corta as ração pra modo de vendê o que os nego devia comê. Tudo que é administradô é ladrão. Simpresmente num consegue se controlá.

Pode sê que o Sinhô Gerald tamém pense isso pruque ele manda o administradô consertá a tauba do fumero e se encarregá do Phillip, que num é muito esperto, mas é bom vaquero. As vaca obedece feito cachorro quando o Phillip chama.

O administradô Wilkerson diz que tem de discuti umas conta com o Sinhô Gerald, quereno dizê que é pra Sinhá Ellen mais eu saí. O Sinhô Gerald pigarrea e diz pra ele que daqui pra diante é a Sinhá Ellen que vai fazê as conta de Tara.

A Sinhá Ellen sorri e diz pro administradô trazê as conta e recibo pra ela daqui por diante.

O administradô num faz gosto disso.

A Sinhá Ellen diz que tá contente de tirá parte do fardo do Sr. O'Hara e que o administradô Wilkerson vai achá fácil trabaiá com ela, o que todos nós sabe que num vai sê.

Entonce a Sinhá Ellen, que é a Sinhá de Tara, e o administradô num tem mais nada pra dizê daqui pra frente.

A Sinhá Ellen num tá mentino sobre carregá parte do fardo. Durante três dia ela mais eu faz uma vistoria de cima abaxo na casa, xeretano nos canto e fenda que os rato conhece mió que as mucama de Tara.

Depois de duas semana e um dia o Big Sam chega em Tara com os criado. A Sinhá Ellen dá uma boa oiada neles, pregunta se tão bem e vê se arguém tá com dor de dente. Ela leva eles pras cabana caiada na senzala, onde eles vão morá e exprica que eles recebe a ração todo os dia, menos domingo, pruque essa eles ganha no sábado de noite. O carroção de Tara vai pra Igreja Batista de Leaksville nos domingo às nove hora e quando eles vortá já pode cuidá das suas horta e coisa e tal. A Sinhá Ellen diz que "a Mammy vai respondê as pregunta docês" e vai se embora.

Os nego de Savannah tão arredio. As estrada são esburacada, eles num gosta de drumi no relento, num gosta da comida e num gosta do interiô, que num é civilizado. "Onde tá o nosso mercado?", eles pregunta. Os de cor têm de tê uma igreja e um mercado. Eles tão com medo dos índio, das cobra e dos urso. Eu digo que num vi nenhum. Eles diz que isso num é Savannah e eu digo que quarqué bobo pode vê isso. Duas muié veio vendida separada dos marido e eu digo que num se pode fazê nada sobre isso. Se ocê quisé, consegue otro marido. Uma mocinha começa a chorá, entonce eu pregunto como essa bobage vai fazê as coisa mió. Num vai desfazê o que tá feito. Eles devia tá feliz de tá em Tara, onde o Sinhô Gerald num gosta de açoite e a Sinhá Ellen tem bão coração. Eles têm o que comê e num trabaia nos domingo, a menos que seje época de prantá ou de coiê. E o Sinhô Gerald compra nego, mas nunca vendeu nenhum.

Eu pregunto se arguém tem fio vendido pro sul. Duas muié tem. Eu digo que nenhuma criança é vendida pro sul aqui em Tara. Eu digo mais uma coisa: num tem nenhum home branco se enfiano na senzala depois que escurece pra ir atrás docês ou das suas fia. A Sinhá Ellen é católica e os católico num premite essas coisa. Foi isso que eu disse pra eles. Eu disse a verdade.

A esfregação que nós fez num tinha fim! A Sinhá Ellen mais eu mais as mucama Teena e Belle começa no sótão, onde num tinha nada, só as sobra das telha de madera. Depois vamo pro quarto do sinhô e da sinhá, de onde tiramo toda a mobía antes de esfregá as parede, que é de madera pintada, não de papel como na Casa Rosa. As garota bate aquele tapete de trapo por uma hora pra tirá a sujera e a Sinhá Ellen lava as janela ela mermo. O quarto tem as porta francesa que dão pruma sacada de onde se pode vê todo o gramado de Tara inté o rio. A Sinhá Ellen diz:

— Ah, Mammy! É tão lindo!

Eu fico feliz de vê ela feliz.

Otros quarto tinha sido usado pelos sinhô que tava de visita e num foi embora pra casa depois que Ceres convida eles pra ficá. Nós encontra umas carça de coro fedorenta debaxo dum ropero, uma meia suada no meio da poera debaxo da cama e um palito de oro numa fenda entre as tauba. O Sinhô Gerald diz:

— Minha nossa, o Hugh Calvert estava procurando esse palito. Bêbado feito um lorde estava o Hugh. Bêbado feito um lorde.

O sorriso da Sinhá Ellen mata o dele.

Nem mobía nem tapete nem nada no quarto do meio, só serrage de pinho aninhada nos canto desde a costrução da casa de Tara.

— Isso vai dar um belo quarto de bebê — diz a Sinhá Ellen.

O Cuffee pintô o estáblo dos cavalo, entonce a Sinhá Ellen tira o Cuffee do campo onde ele tá rancano toco de arvre. Cuffee fica bem feliz de mudá um poco, mas o administradô faz um arvoroço com o Sinhô Gerald sobre a Sinhá Ellen tá se intrometeno com os trabaiadô e o Sinhô Gerald fala pra ele que a esposa precisa mandá e o administradô continua recramano, mas o Sinhô Gerald para de escutá.

A Sinhá Ellen instrui o Cuffee a mexê o leite taiado pra fazê a pintura e ele pregunta onde tá a cor e ela troxe os pigmento de Savannah: azul, verde, cinza e vermeio. Ela qué azul-celeste no quarto do bebê com mordura francesa cinza e se o Cuffee consegue fazê direito onde as visita num vê, ele vai podê pintá lá embaxo depois que tivé limpo. Ela num decidiu todos cômodo, mas o vestíbu vai sê amarelo-claro.

O Sinhô Gerald fica andano a cavalo pelos campo e supervisonano seu administradô e visitano os vizinho, e de noitinha vai inté a Twelve Oaks pra ficá na varanda com o Sinhô John e bebê uísque. O Sinhô Gerald estica as perna e ele mais o Sinhô John conversa sobre que cavalo vai ganhá no sábado e sobre a safra do argodão e se o governo federal vai "anexá" o Texas pra ficá junto com a Geórgia e a Carolina do Sul e todo o resto dos Estados Unido. Depois eles bebe otro uísque.

Às vez o Sinhô Gerald vem pra casa cantano e o Toby tem de ajudá ele a descê do cavalo. Uma vez ele drumiu no estáblo pra modo de num incomodá a Sinhá Ellen. Chega de manhã e ela finge que num sabe que ele num tava drumino na cama deles.

— Caro senhor O'Hara — diz ela pra ele —, o senhor levantou tão cedo. Precisa aprendê a forgar um pouco de vez em quando.

O Sinhô Gerald dexa a cabeça caí, envergonhado.

O Sinhô Gerald num se importa com nada que nós tá fazeno na casa de Tara e, quando arguém pregunta, ele diz: "pregunta para Sinhá Ellen..." como se tivesse feliz da vida de tê uma coisa a menos pra precisá se preocupá.

Mas ele num fica feliz de chegá em casa e vê sua véia cadera favorita na carroça indo pra senzala pro Big Sam se sentá nela. Ele e a Sinhá Ellen troca umas palavra, ele de cara vermeia e ela falano baxinho enquanto ele fala mais arto.

— Sr. O'Hara — diz ela —, o senhor se apropriaria da cadeira do seu capataz negro e se sentaria nela?

E isso acomodô a situação. A Sinhá Ellen mandô fazê uma cadera nova pro Sinhô Gerald que num tava se esgarçano e tinha todas as quatro perna, mas o Sinhô Gerald disse que num era tão confortáve como a véia.

A Sinhá Ellen manda uma garota estudá na cunzinha dos Wilkes. A cunzinhera dos Wilkes sabe fazê as coisa fina que os branco gosta de comê e a cunzinhera do Sinhô Gerald serve prum sortero, mas o pessoá vai visitá Tara agora que tem uma sinhá.

Nós ataca a cunzinha de Tara com esfregão, barde e soda cáustica. O fogão moderno tá enferrujado onde as panela tava, entonce a Teena passa piche nele. Na despensa, a farinha tá mofada, o sal tá duro feito pedra e faz tanto tempo que as foia do chá tá na lata que esmigaia nos dedo. Na despensa num tem o que a Sinhá Ellen precisa e a maió parte do que tem só serve pros porco.

A Sinhá Ellen dá um sorriso largo.

— Mais tarde vou inspecionar o fumeiro. — E se vira pra cunzinhera. — A chave?

A cunzinhera entrega aquela chave pra Sinhá Ellen como se fosse seu bebê.

Na manhã seguinte a Sinhá Ellen bota o chapéu e eu boto meu lenço de domingo e o Big Sam nos leva pra Leaksville. Nós tem de ir pra trás da loja Kennedy pruque os home tão botano trilho e dormente na rua Principal. Arguém comprô a estrada de ferro e tá botano os trilho inté Atranta, onde as estrada de ferro já tá.

A Sinhá Ellen vai direto pra dentro da loja Kennedy e eu vô atrás.

Um nego tá varreno e outro tá carregano novos saco de farinha. O Sinhô Frank Kennedy fica nervoso. Fica passano as mão nos cabelo e beliscano a mão e a bochecha. Ele tá tão contente de conhecê a Sinhá O'Hara e quarqué coisa que pudé fazê...

Mas quando ela diz que daqui por diante é ela que vai assiná todos os pedido da loja, ele empaca feito uma mula da Carolina.

— O Administrador Wilkerson...

— É nosso empregado.

— Mas ele...

— Sr. Kennedy, sua loja tem tantos produtos de nossa necessidade que fico relutante de passar a comprar em outro lugar.

Ele se apercebe que ela vai fazê o que tá dizeno e entonce o Sinhô Frank dá um sorriso largo como se tivesse apaixonado. Faz uma mesura pra sinhá.

— Sra. O'Hara, a loja Kennedy agradece pela manutenção da sua freguesia. A senhora vai querer um recibo para cada pedido?

— Seria melhor — responde a Sinhá Ellen. — Mais prático, não acha?

Eu num imaginava que a esperteza corria no sangue da famia da Sinhá Solange.

Leaksville num é mais Leaksville. Hoje em dia se chama Jonesboro, mas é a mesma cidade de antes.

A Sinhá Ellen escreve pro Sinhô Pierre pra mode mandá papé de parede de Savannah. Nós quatro esfrega e lixa e bota massa nas parede do salão, mas o papé chega em Tara antes de nós acabá. A Sinhá Ellen, Teena, eu mais o Pork carregamo os rolo pro salão e desenrolamo eles pra vê o que o Sinhô Pierre e o Nehemiah escoieu pra nós. É uma confusão de frorzinha vermeia em cima dum bege. Num parece com nenhuma frô que eu já vi, mas a Sinhá Ellen aprova.

Eu e a Sinhá Ellen nunca pregamo papé antes, mas o Pork, sim. O Pork mistura uma pasta de farinha de trigo e gruda uma lona nas parede de madera pras fenda num aparecê. A Sinhá Ellen é a que tem a mão mais firme, entonce ela corta as tira de papé de parede antes de eu mais a Teena colá. É uma desgraça pra dexá o papé direito em vorta da larera e das janela. Quando acabamo de botá o papé em todo o salão, sobra argum, entonce a Sinhá Ellen corta uma borda e faz um rodateto como na Casa Rosa. Quando ela dá permissão pro Sinhô Gerald entrá no salão, ele fica bem contente.

— Nem o John Wilkes tem uma coisa tão chique — diz ele.

Ele pendura aquele quadro dele da pradaria irlandesa em cima da larera e diz:

— Agora Tara é um lar!

Agora já é setembro e a Sinhá Ellen tá começano a se apresentá. Ela qué convidá as dama vizinha prum chá. O Sinhô Gerald diz que chá é pra Savannah, que aqui no interiô tem churrasco e dança, mas a Sinhá Ellen retruca:

— Sr. O'Hara, eu preciso me dar uns mimos.

Ele pega ela no colo, mas logo sorta, dizeno:

— Mas claro, onde é que eu estava com a cabeça? Minha nossa!

Entonce a Sinhá Ellen escreve uns bilhete e convida as dama prum chá no domingo, uma coisa de que ninguém nunca tinha ovido falá antes. Os fazendero do interiô tá acostumado a ir todo mundo junto pra tudo que é lugá. Quando arguém vai prum churrasco, todo mundo vai: as criança, os bebê, as tia sorterona, as avó e os nego deles tamém. Entonce, quando a Sinhá Ellen convida as dama pra modo delas se conhecê, metade do condado vem pra Tara. A Sinhá Ellen cumprimenta todo mundo na varanda e convida as dama pra entrá, mas num convida os marido nem as criança, e os nego vai pra senzala lá atrás.

O Sinhô Gerald ficá arreliado: todos aqueles branco ali parado sem nada pra eles. Entonce ele decide que os home vão caçá enquanto eu mais a Dilcey cuida das criança.

Todos os cavalero sai galopano e Dilcey mais eu relaxa na varanda. As criança mais véia têm 9 ou 10 ano, as mais pequena inda tão engatinhano e exprimentano o gosto da terra que tem nas mão. Boyd e Tom Tarleton inventa as brincadera pros menino e a Cathleen Calvert é a rainha das menina. Os gêmeo Tarleton de 2 ano corre atrás do neguinho Jeems, e Joe e Alex Fontaine fica brincano com um jogo de vareta. Quando tem bastante criança junta, elas faz um governo e cuida delas mermu inté se cansá e começá a brigá.

A Dilcey tem sangue de índio. O cabelo dela é liso e tão preto que chega a sê roxo. Ela tem nariz pontudo, boca fina e os osso das face saliente. Ela chama o sumagre de "qua lo ga", mas quarqué nome que tenha, é o chá que cura as febre. Os esprito do vodu, dos católico e dos cherokee são diferente, mas os cherokee tamém vê esprito quando morre do mermu jeito que o vodu.

Quando as criança fica cansada, nós leva elas pra cunzinha pra comê um biscoito doce. Depois nós deita elas no quarto do bebê. A Dilcey diz que vai cuidá delas, entonce eu desço pra vê o que as dama tá fazeno.

As dama tá na sala tomano chá e comeno pão de minuto com mé. A cunzinhera passô uma eternidade bateno aqueles pãozinho!

Elas tá tomano o chá nas xicra azul da Sinhá Solange. A Sinhá Ellen ficô com a xicra de asa lascada.

A Teena tá usano um vestido limpo e um avental branco e tá lá parada com as mão pra trás pro caso de arguma dama precisá de arguma coisa.

A Sinhá Eleanor Wilkes já teve em Savannah, em Boston e em Nova York. Ela e o Sinhô Wilkes sempre compra quadro e livro. Eles estudô na escola.

A Sinhá Ellen num fez nada dessas coisa e num tem nada disso. Ela é uma muié jove casada com um irlandês e tá carregano um bebê dele. Mas num tem muitas dama no interiô pras otra ficá empinano o nariz pra Sinhá Ellen.

O Sinhô Gerald já se exibiu pur causa dela, entonce as dama sabe que a Sinhá Ellen num é irlandesa, é francesa. O pai dela serviu com Napoleão e a mãe escapô de São Domingos. Elas sabe que o pai da Sinhá Ellen é rico. Apesá de gostá do Sinhô Gerald, as dama do interiô acha que irlandês é irlandês e francês é francês, entonce as dama acha que a Sinhá Ellen se rebaxô com o casamento. A Sinhá Calvert era governanta dos fio do Sinhô Hugh inté a antiga sinhá morrê e ela se casá com o Sinhô Hugh. Ela é ianque. Os ianque incurta as palavra como se caso abrisse a boca pur muito tempo arguém fosse agarrá a língua deles.

Do lado dela no sofá tá a véia Sinhá Fontaine, que é a Vovó Fontaine, roncano com bolha de cuspe nos lábio. Quando vê que eu vi, a jove Sinhá Fontaine enxuga o cuspe da véia sinhá com o lenço.

A Sinhá Ellen pregunta sobre nascimento de fio sem parecê que tá muito interessada, não, não; mas ela num engana as dama. A

Sinhá Munroe conta como o úrtimo fio quase matô ela e diz que seis fio já chega pra quarqué muié guentá e a Sinhá Beatrice Tarleton se exibe que botô pra fora oito como se fosse prole duma égua. Num tem nenhum pobrema se o garanhão num é grande demais. As dama ri disso e a véia sinhá se acorda e dá uma gargalhada. Teena passa com o bule de chá e traz mais xerez para Sinhá Eleanor. Num quereno que ninguém nota que ela é a única que tá bebeno xerez, a Sinhá Eleanor pregunta se Henry Clay vai tê chance de sê presidente, e a Sinhá Munroe, que se irrita com esse curso da conversa, diz que se os presidente troxesse criança ao mundo eles ia fazê as coisa dotro jeito e todas as dama concorda.

A Sinhá Eleanor me dá um sorriso de "quem é ocê?", e a Sinhá Ellen diz que eu sô a aia dela e que tô com ela desde sempre. A Sinhá Ellen conta como o primero marido da Sinhá Solange me resgatô dos rebelde e dos quilombola de São Domingos e a Sinhá Eleanor ergue uma sobrancelha e pregunta "primero marido?" e a Sinhá Ellen diz, sem disfarçá, que a mãe dela teve três marido.

As dama tão digerino aquilo quando a Sinhá Tarleton se ri e diz:

— Geralmente são os maridos que enterram as esposas. Sua mãe devia ser dura na queda para sobreviver a três.

— Eu lamento não ter conhecido minha mãe. Meu pai, Pierre Robillard, mantém uma cortina de luto sobre o retrato dela até hoje.

Argumas dama murmura aprovação, mas a Sinhá Tarleton protesta:

— Detesto luto. Por que perder um ano da sua vida de luto por alguém que não pode nem saber que você está de luto?

Ela vê pela minha cara que eu num concordo e pregunta:

— Mammy?

Num era meu papel socializá com as dama, entonce eu digo pra ela:

— A parede que separa os vivo dos morto é baita de fina. — E dexo pur isso mermu.

— Resgatada dos rebeldes e quilombolas — diz a Sinhá Eleanor. — Que sorte a sua.

— Sim, sinhá — eu digo, sem sabê de verdade o que tô respondeno. As dama branca são maraviosa em fazê pregunta que num tem resposta boa de se dá.

— São Domingos... que tragédia terrível. Não foi muito rica durante uma época? Hoje em dia se ouve muito pouco a respeito de São Domingos — comenta a Sinhá Calvert.

— Agora se chama Haiti — diz a Sinhá Munroe.

A Sinhá Eleanor torce o nariz.

— Para mim sempre será São Domingos. — E se vira pra Sinhá Ellen. — Como vão as coisas na nossa querida Savannah? A alegria, os bailes, a *cuisine* francesa... Savannah é uma cidade tão *continental*...

As otra dama tá costumada com a Sinhá Eleanor falá desse jeito e num dá bola.

A Sinhá Amy Hamilton é cunhada do Sinhô Wilkes. Ela tá de luto pur causa do marido, mas tá carregano o filho dele. A Sinhá Hamilton diz que Atranta tá cresceno rápido.

— Vai levar muito, muito tempo para que Atlanta seja verdadeiramente *continental* — diz a Sinhá Eleanor.

As otra dama fica com pena da Sinhá Hamilton tá carregano o bebê com o marido morto, entonce ninguém diz se Atranta é *continental* ou não. A sinhá véia conta pra elas que Atranta era o Terminal — onde a linha do trem acabava. Ninguém morava lá.

— Bem, se Atlanta não é *continental*, é *cosmopolita* — diz a Sinhá Hamilton.

Eu achava que esses dois nome fosse pra merma coisa, mas num sei lê.

A Sinhá Beatrice Tarleton estala o dedo pra Teena, que vai pro bule de chá inté a Sinhá Beatrice fazê que não com o dedo. Teena pega uma taça de xerez pra Sinhá Beatrice, que ela alevanta e faz um brinde pra Sinhá Eleanor, que tá fazeno de conta que já num tomô quatro taça, entonce num brinda de vorta.

As dama tão tudo de saia-balão, menos a Sinhá Beatrice, que tá de colete de *tweed* pra montaria e um casaquim que num tem tamanho pra esquentá ela e bota arta que vai inté o meio das coxa. O Pork já tinha me avisado sobre a Sinhá Beatrice num tê compostura.

A Sinhá Beatrice mais prefere ficá com os home sartano as cerca e derrubano os pau de cima e dexano as vaca se perdê pra depois os nego ir atrás e pegá as vaca e botá os pau de vorta otra vez.

A fazenda Fairhill fica do otro lado das mata de Tara. Eles derrubô as mata da Fairhill quando os índio creek inda tava pur lá e os Tarleton drumia com as porta trancada com barra e os mosquete carregado do lado da cama. Os Tarleton foi os primero colono e pegô a mió terra de todas. O Sinhô Jim é mais rico que os Munroe, que os Wilkes e que os Calvert, entonce num importa o que a Sinhá Beatrice tá usano que as dama diz "que bão" e "é verdade" pras opinião dela.

Ninguém se mete com a Sinhá Beatrice. A Sinhá Ellen num liga muito pra ela, mas eu, sim. Como a Sinhá Solange, quando ela pensa em arguma coisa, ela cospe pra fora sem se preocupá onde vai caí nem em quem.

As dama tá tentano pensá no que vão dizê. Elas ficô tudo admirada com a "renasçanse" (foi assim que a Sinhá Eleanor chamô) de Tara. Elas ficô conheceno a Sinhá Ellen e como ela inda num tem o bebê, elas num pode falá na criança.

A Sinhá Eleanor toma outro xerez e tá falano da cidade de Nova York, que é mais maió que quarqué lugá que as otra dama já teve. A Sinhá Tarleton sarta pra janela.

— Oh, vejam, aí vêm os cavalheiros. Gerald vai limpar o cavalo dele.

As dama num diz, mas tão contente que os marido tão chegano pra mó delas podê pegá as criança e os nego e chegá em casa antes de escurecê.

Teena se cansô de servi as dama e tá descansano o trasero no papé de parede novo e se coçando onde num devia.

Como Jesus num veio, mas a Sinhazinha Katie, sim

Os MILLERITA FIXÔ a chegada de Jesus pro 22º dia do décimo mês do ano de Nosso Sinhô de 1844. Ia tê anjo, trombeta e as biga framejante com roda feita de oio de vê e coluna de fogo e todo tipo de incomodação. Os millerita nunca disse se Jesus ia vi pelo lado de Lovejoy ou pelo lado de Fayetteville, entonce ninguém sabe pra que lado ficá oiano e eles tamém num disse direitim a hora: em argum momento entre o nascê e o pôr do sol, foi só o que eles disse. Os descrente e os apóstata tava tudo oiano pros lado nesse dia.

O Sinhô John e o Sinhô Gerald faz troça dos millerita pruque a maioria é ianque e desde quando os ianque sabe de arguma coisa? Mas o Sinhô Hugh Calvert acredita que pode tê arguma coisa aí. Os millerita leu no Livro de Daniel e se sentô tudo pra fazê os cárculo inté queimá as pestana.

— Foram homens muito inteligentes que fizeram esses cálculos — diz o Sinhô Hugh.

Arguns dos nego do Sinhô Hugh começa a tê ataque de medo, entonce o Sinhô Hugh senta com eles e diz que tava só brincano. O sol vai nascê depois de amanhã, como sempre fez.

Quando setembro vira otubro, o ar esfria e as foia cai mais rápido que o normal, e o bicho cabeludo que prevê o inverno tá sem a faxa vermeia que devia tê e o Sinhô Gerald num tá troçano tão arto. Na maió parte das vez o Sinhô Gerald acha que sabe mais que o Sinhô John pruque ele joga carta mió e monta mió e o argodão dele tamém é mió, mas nesses tempo o Sinhô Gerald tá achano que tarvez esses livro de que o Sinhô John faz o maió alarde têm arguma coisa. Entonce o Sinhô Gerald vai inté a Twelve Oaks preguntá pro Sinhô John se pode sê verdade, se o mundo pode mermu acabá. O Sinhô John se ri e dá um tapa nas costa do Sinhô Gerald e diz que pode emprestá pra ele mil dólar pra sê pago de vorta com juro de cinquenta por cento no dia que os millerita carculô o fim do mundo.

Qué sabê a verdade? O Sinhô Gerald num qué se atormentá pur causa da Sinhá Ellen e o bebê, entonce ele se atormenta pur causa do fim do mundo. O tormento é menor.

O Sinhô Pierre escreve uma carta pra Sinhá Ellen. Ele manda lembrança do Nehemiah pra eu. Franklin Ward e Eulalie acredita que os millerita têm razão e os Benchley num tão rino tão arto. O Sinhô Pierre diz que Franklin e Eulalie tão cansado de Jesus. Eles num dá o dinhero deles nem nada, mas quando chegá o pôr do sol do dia 22 de otubro, eles vai tá na igreja, lá em cima do campanário pra vê as biga framejante com oio nas roda antes de todo mundo.

Eu num acho que Jesus tá vino. Se ele vai nos levá, cumé que nós num têm nenhuma névoa em vorta como as pessoa que tá pra morrê? Eu num vejo névoa em vorta de ninguém, só no véio Amos, que nasceu na África e num pode mais saí da cama. Num tem névoa arguma em vorta do Administradô Wilkerson, que devia sê o primero pecadô pra Jesus jurgá.

A Sinhá Ellen num dá a mínima bola pros millerita, Jesus teje vino ou não. Ela fica muito enjoada de manhã e só consegue comê um poquim e ficá toda atormentada sobre como Tara vai ficá enquanto ela ficá deitada com o bebê. Os armário de ropa de cama e mesa tá tão cheio que num dá pra enfiá um lenço de seda, os presunto e bacon do fumero tá contado e o Pork tá com a chave; a cunzinhera foi instruída sobre todas as janta do Sinhô Gerald pur duas semana. Quando tudo isso tá feito, a Sinhá Ellen se deita e manda chamá a Dilcey.

O Sinhô Gerald qué o dotô mais chique de Atranta pra fazê o parto, mas a Sinhá Ellen num qué sabê de nada disso. Ela só qué muié: eu, a Dilcey mais a Sinhá Beatrice, pruque a Sinhá Beatrice já fez nascê um monte de potro e bebê.

Isso faz o sangue irlandês do Sinhô Gerald fervê e ele diz que a Sinhá Ellen é mais preciosa que quarqué potro que já nasceu e quando o Sinhô Gerald ove o que ele mermu tá dizeno ele fala:

— Pela Virgem abençoada, eu não vou perder você nem o nosso bebê!

O Sinhô Gerald diz que vai chamá o véio dotô Fontaine, e a Sinhá Ellen levanta o quexo e diz:

— Sr. O'Hara, um doutor matou minha mãe com sua ciência arrogante e sua impaciência masculina. A esposa adequada acata o que seu marido diz, como tenho feito e como farei. Não, porém, contra sua consciência cristã, nem quando vai dar à luz o filho que está carregando desde a concepção.

O Sinhô Gerald exprode e empaca; ela dá um bejo na cara vermeia dele e diz:

— Eu sei que o senhor quer o melhor para mim e para o nosso bebê, mas, meu querido, é preciso confiar em mim quanto a isso.

Acho que sei tanto quanto a Dilcey pra curá as pessoa, mas não pra pegá os bebê nasceno. Dilcey e a Sinhá Beatrice já teve junta notros parto antes e uma ajuda a otra.

A Sinhá Beatrice lava e seca as mão, depois alevanta o lençol que tá cobrino as parte da Sinhá Ellen e óia bem de perto e diz:

— Ainda não, Ellen. Repouse o máximo que conseguir. — E ela sai do quarto e eu oiço ela dizê pro Sinhô Gerald: — Deixe sua mulher conosco. O senhor já contribuiu com tudo que é possível para um homem.

Os home num devia chegá muito perto das muié que tão pra pari.

No raiá do dia seguinte, a Sinhazinha Katie Scarlett vem pra esse mundo. Num era Jesus, mas quase certo que foi mais bem-recebida do que ele ia sê.

Indo embora pra casa, na Fazenda Fairhill, a Sinhá Beatrice sarta todas cerca, o que taria tudo bem se a Dilcey num tivesse se segurano na garupa pra preservá a vida. O véio dotô Fontaine veio vê a Sinhá Ellen depois do bebê nascê. Ele diz que gerarmente serve de dotô depois da Sinhá Beatrice e da Dilcey. O dotô diz que eles nunca perdeu nenhuma mãe e nem bebê. O fio dele, o jove dotô Fontaine, ele num gosta de partera. O jove dotô é "científico" e coisa e tal. O véio dotô se sastisfaz com o que funciona.

Como tudo que é pai, o Sinhô Gerald qué um fio, mas na primera vez que pega a bebê Katie e sente o calorzim dela se apaixona. Daquele minuto em diante, o Sinhô Gerald podia dá a vida pela Sinhazinha Katie Scarlett O'Hara. Foi o Sinhô Gerald que deu o nome pra ela. Katie pruque era o nome da mãe dele e Scarlett o sobrenome da vó dele. O Sinhô Gerald gosta de dizê:

— Martha Scarlett nunca viajou 30 quilômetros além de Ballyharry em todos os seus dias. Agora sua xará está na América!

O véio dotô Fontaine diz pra Sinhá Ellen reposá na cama pur duas semana, mas no dia seguinte do nascimento do bebê, ela tá de pé, fazendo as coisa. Eu enterro o cordão da Sinhazinha Katie do lado de fora da porta da cunzinha, pra mode que Tara fique sendo a casa de Katie Scarlett pra sempre.

Tem gente que diz que os bebê vêm presse mundo como uma peça de tecido. Eles diz que o bebê é uma coisa que a gente pode cortá e costurá e fazê bainha do jeito que a gente quisé: aventar, turbante ou vestido, mas eu tô aqui pra dizê que num é nada disso. Assim que abre os óio, o bebê tem quase tudo do que vai sê quando for uma muié véia. Tem os bebê que são quieto. A Sinhazinha Katie num fica parada: os pezim e as mãozinha tão sempre se mexendo. Tudo que é bebê é guloso, a Sinhazinha Katie se agarra na teta da mãe e num larga mais! E tamém num aceita ama-seca. Dilcey encontrô uma nega jove e boa que tem mais leite do que quarqué bebê pode precisá; acha que a Sinhazinha Katie ficô sastifeita? Ela berra e continua a berrá e num pega aquela teta nem se tivé morta de fome!

— Uma vez que se tem o melhor... — diz o Sinhô Gerald e entonce fica de cara vermeia e fala: — Quer dizer... — E num sabe o *que* ele qué dizê, mas eu acho que o Sinhô Gerald fica *orguioso* da Sinhazinha Katie recusá a pobre da moça!

Quando ela começa a engatinhá, ela qué ir pra frente, mas os braço e as perna leva ela de vorta inté ela batê em arguma coisa e num consegui ir pra lugá nenhum. Ela fica braba com ela merma pur causa do que tá fazeno e abre o berrero inté eu pegá ela e botá ela no meio do chão e ela óia pra eu com se tivesse vino e vai pra trás de novo e os lábio pequenim começa a tremê e nada nunca teve tão errado no mundo todo como ela num consegui ir pra onde ela qué. Ela não curpa eu nem curpa a mãe dela. A Sinhazinha Katie fica braba com ela merma. Ela já conheceu seus braço e perna, sabe que são criado dela e tem de fazê o que ela qué e não o contrário.

Os pai se esquece dos bebê logo depois de dá o nome. Os pai acha que dá o nome é a maió coisa que tem e eles têm otras coisa importante pra fazê.

O Sinhô Gerald e o Sinhô John Wilkes são contra nós fazê guerra com o México, mas a maioria do pessoá do interiô é a favô. O Sinhô Jim Tarleton é do Legislativo da Geórgia e diz que a América tem o "destino manifesto", que qué dizê pegá tudo que num tivé estabelecido.

Chega juio e a Sinhazinha Katie tá se movimentano mió, engatinha rápido pela horta da cunzinha quando eu tô arrancano as erva daninha e logo, logo, ela tá andano. Quando a Sinhazinha Katie cai, ela abre o berrero, mas logo se alevanta.

Quando o Administradô Wilkerson leva o argodão de Tara pra vendê em Jonesboro, o Sinhô Gerald vai com ele. Tarvez o Sinhô Gerald tenha medo que o Administradô pegue o dinhero do argodão, fuja pro Texas e faça uma nova vida pur lá.

Depois de pegá o dinhero do argodão e botá no cofre do Sinhô Kennedy, o Sinhô Gerald vai oiá as corrida.

Todos os sinhô têm predileção pelas corrida de cavalo, os jove e os véio tamém. Nos sábado de manhã tem gente indo pra Jonesboro de carroça, a cavalo e a pé pra vendê o argodão, os porco ou os nego e comprá o que eles precisa e depois eles aposta corrida inté tá muito escuro pra vê quem ganha.

Às vez a pequena Sinhazinha Katie mais eu tamém vai e o administradô nos leva pra casa antes da corrida, e ele sorri quando o Sinhô Gerald manda ir embora com nós, mas num sorri nadinha quando tá ino pra casa.

A corrida do mei-dia é de dois cavalo, é 3 quilômetro percorridos pelos cavalo famoso da região, arguns de tão longe quanto Macon. Todos os cavalero estuda os cavalo e os jóquei e tem opinião, e as opinião da pista de corrida num são barata. Jonesboro pode num sê grande como Charleston, mas no sábado de noite arguns home vão pra casa e esconde a cara das muié e dos fio. O Sinhô Gerald grita e torce, mas nunca aposta.

— Eu devia botar fé e apostar no cavalo de outro sujeito? — Ele alevanta a sobranceia quando diz isso.

Depois da corrida do mei-dia, os sinhô vai pras suas casa e a pista de corrida fica pros administradô e pros branco pobre. Arguns contrata os jóquei nego. Ah, os jóquei se acha o máximo! Mas os branco tamém corre, só não na corrida das mula.

Os nego têm permissão de apostá na corrida das mula e, se num têm dinhero, eles aposta os chapéu ou os casaco.

Num entendo essa coisa de jogá. A vida é perigosa e nós num sabe nada sobre o dia de amanhã. Pru que os home tem de apostá os casaco eu num sei. Derramá sal em cima de sal num faz ele mais doce!

A primera palavra da Sinhazinha Katie foi "ma..." que ela diz pra mim no quarto dela um dia de manhã, mas a segunda foi "pa...", que ela diz pro papai dela quando ele bota ela na cama. Eu dexo o Sinhô Gerald pensá que foi a primera palavra que a fia dele disse pro mundo. Ele conta pra toda gente!

Os preço do argodão tão baxo, entonce o Sinhô Gerald bota pressão no Administradô Wilkerson, que bota pressão nos nego pra trabaiá mais ainda e que Deus ajuda os pobre dos nego se desperdiçá quarqué coisa, seje semente, cápsula do argodão mal escoída ou arnês rompido. Quanto mais eles trabaia, mais o preço do argodão cai. Tem dinhero no negócio do argodão, mas quanto mais o pessoá trabaia, menos ganha.

O segundo bebê, Sinhazinha Susan Elinor O'Hara, ganha o segundo nome pur causa da Sinhá Eleanor Wilkes, só um poco diferente pru que o Sinhô Gerald num queria ficá devendo favô. A Sinhazinha Suellen, pruque é assim que nós passa a chamá ela, era é tão quieta contente quanto a Sinhazinha Katie era agitada e num via diferença entre a teta da ama-seca e a da mãe dela. A Sinhazinha Suellen num era especiá.

Os sinhô tão falano da guerra mexicana. Primera vez que a América invade otro país. Antes de agora, era nós que era invadido. Os sinhô tão de peito estufado como se o país deles fosse mió pur tá invadino arguém como os britânico e os francês faz. O Sinhô Jim Tarleton diz que a guerra vai elevá o preço do argodão, que a guerra vai sê boa pros fazendero.

— Ruim para os nossos filhos — diz o Sinhô John Wilkes.

Tem dois trem pur dia pra Atranta. Os apostadô compra uma passage de um dólar pra vi pras corrida de Jonesboro.

Eu mais a Sinhá Beatrice e a Sinhá Ellen ajuda a Dilcey tê o bebê dela, a Prissy, e a tercera menina da Sinhá Ellen, Caroline Irene, tá sempre com cólica. Ela grita e chora e nunca tá sastifeita. Eu num consigo drumi inté ela fazê seis mês.

No Natal, o Sinhô Gerald leva uma barrica de uísque pra senzala e arguns nego fica desvairado e a Sinhá Ellen diz pro Sinhô Gerald que ele é um home casado com três fia e num precisa dos nego vumitano e caino pur aí. Eu num digo nada. Num preciso. O Sinhô Gerald sabe o que eu acho!

A Sinhazinha Katie é parecida com a Sinhá Solange. Ela num é uma criança bonita, a num sê pelos óio, que são verde como foia de primavera. Tudo que o sorriso dela diz, os óio tão pensano. Desde o começo, Carreen é séria como a mãe dela, e eu rezo pra que ninguém dê nenhum livro de santo pra ela estudá.

Se eu num subesse de onde a Suellen é, eu num ia adivinhá quem é o pessoá dela. Diferente do pai e da mãe, Suellen é sorratera. Acho que ela puxô a arguém lá de trás, tarvez a vó de Solange ou a vó Scarlett O'Hara do pai. Às vez, quando Suellen é dissimulada sem precisá, eu quase vejo uma muié véia vestida com as ropa d'antanho andano pur aí.

Às vez, a Sinhazinha Katie faz arguma coisa ou fica com a cabeça virada pro lado como ela sempre faz e eu quase posso ovi a Sinhá

Solange arreliano o Sinhô Augustin pur causa de dinhero ou quarqué coisa, mas quando óio pra Suellen, eu vejo aquele véia de ropa d'antanho e quase fico quereno que a véia fale logo o que tem pra falá.

Todo mundo fica contente quando acaba a guerra mexicana. Os branco sempre se entusiasma de ir pra guerra e fica contente quando acaba. O sobrinho do Sinhô Gerald, Peter, de Savannah, lutô com a milícia e virô oficial, e os amigo do Sinhô Gerald fala sobre comprá uma espada comemorativa pro Peter, mas isso num resurta em nada.

Numa manhã quando o Big Sam tá botano as teia no nosso celero de tabaco, o Sinhô Gerald sobe no teiado pruque num tem nada que ele gosta mais do que ficá oiano pra Tara, admirano os campo, as mata, as prantação, os celero, a casa-grande e o fumero e tudo o que é dele.

Quando o Sinhô Gerald ove uma voz dizeno "papai", ele óia rápido, mas num vê criança na alameda nem no pátio das carroça nem no estáblo nem em lugá nenhum inté que ele se vira e fica de oio arregalado pruque a Sinhazinha Katie tá no arto da escada de mão, estendeno os braço pra pôde pulá pro teiado, que tá muito longe do chão. Depois o Sinhô Gerald contô pra Sinhá Ellen:

— Minha Nossa Senhora, Mãe de Deus! Meu coração quase parou!

Ele fala baxim com a Sinhazinha Katie enquanto se abaxa inté pegá ela e os bracim dá a vorta no pescoço dele. O Big Sam desce antes pelas escada e o Sinhô Gerald vais depois pru caso da Sinhazinha Katie escapuli do braço dele. Quando o Sinhô Gerald chega ao chão e larga ela, Katie tá se rindo como se fosse a coisa mais divertida pruma criança. Os joeio do Sinhô Gerald tão tremeno e ele tem de se sentá.

Quando o Sinhô Gerald conta pra Sinhá Ellen, ela qué sabê quem tava cuidano da Sinhazinha Katie, e Teena é mandada pra leiteria e a Rosa vai sê mucama na casa-grande.

Não muito depois disso, é noite e os pirilampo tão faiscano e eu oiço um som de música, é uma daquelas melodia irlandesa do Sinhô Gerald e dô uma oiada pelo corredô e vejo eles, o sinhô e a sinhá abraçado e dançano. Aquilo foi o mais feliz que eles foi.

Nós tá de luto

HOJE EM DIA inté parece que eu sô a aia de todo mundo: Sinhô Gerald, Sinhá Ellen, Sinhazinha Katie, Sinhazinha Suellen, Sinhazinha Carreen, Pork, Rosa, cunzinhera, do pequeno Jack, que tá tentano sê criado doméstico e dos nego que vêm pra porta da cunzinha pruque arguém tá doente ou foi amardiçoado ou precisa de uma erva pra ajudá seu home a amá ela. As aia têm obrigação de vê e de sabê tudo. Os sinhô pode acreditá em quarqué coisa. O Sinhô Gerald acha que é 30 centímetro mais arto do que é e a Sinhá Ellen acha que é meno do que ela é. A Sinhá Beatrice acha que os menino dela vão crescê muito bem sem uma aia e com a mãe deles mais com os cavalo que com os fio. A Sinhá Eleanor acredita que botá os taiér direito é boa compostura e o Sinhô John acha que pode fazê as coisa direito e tratá da própia vida e lê os livro dele e nada de terríve nunca vai acontecê pra Twelve Oaks nem pra ninguém que ele ama.

As aia têm de vê e têm de sabê tudo. Nós num sabe, num sabe fazê e têm de fazê. Nós num pode bancá as boba.

As aia num deve dizê o que elas sabe. Um monte de vez o Sinhô Gerald me pregunta desse e daquele nego e eu sacudo a cabeça, fazeno de conta que num vejo nem oiço nada de mau.

O véio Denmark Vesey tava meio certo sobre fazê de conta. Os bobo faz de conta que sabe mais do que sabe e a aia faz de conta que sabe menos. Eu sabia o que sabia e nunca disse pra uma alma sequé. O que num era pra eu vê, eu num via, mas eu sei quarqué coisa que quero sabê. As aia têm de sabê.

A Sinhá Ellen fica todo o tempo indo visitá os doente e os véio e indo na igreja batista todos os domingo, apesá de num sê batista; e antes da janta ela reúne as criança e os criado da casa em vorta dela pra rezá.

Todos os sinhô comemora depois do Presidente Taylor sê eleito pruque Taylor é sulista; ele tem cem nego e lutô contra os mexicano. Os sinhô acha que o General Taylor é bem como eles, apesá de nenhum deles tê lutado contra os mexicano.

Quem dita o ritmo pro Administradô Wilkerson é a Sinhá Ellen; quando as conta vence, ela paga; e, quando o dinhero entra, ela conta e estuda cada recibo de argodão e tabaco e nota de venda de cada bezerro, porco ou carnero que vai pro mercado. Com seus óculo pela metade no rosto pequeno, a Sinhá Ellen fica tão séria que assusta o administradô, que num se atreve a contrariá ela.

Apesá de às vez ficá enjoada e às vez se espreguiçá e gemê e botá as mão nas costa, a Sinhá Ellen carrega o fio na barriga como se num fosse nada e ela num vai pra cama inté o útero caí duas hora antes da borsa d'água se rompê.

O Sinhô Gerald ganhô um fio home! Todo encantado, ele serve uísque pro véio dotô, pra Sinhá Beatrice, pro Pork e inté serve um copo pra eu, mesmo eu sendo abstêmia. Ele joga o bebê pra cima — o que num fazia com as menina — e levanta a coberta pra tê certeza de que ele é ele mermu. A Sinhazinha Carreen é muito pequena pra entendê o que tá aconteceno, mas a Sinhazinha Suellen vem pra bejá o bebê na cabeça. A Sinhazinha Katie num entra no quarto. Ela se senta no balanço da varanda e se balança tão arto que as corrente range.

Depois que o Sinhô Gerald vê que tá tudo bem com a Sinhá Ellen e o bebê, ele galopa pra Twelve Oaks com a garrafa de uísque e num vorta pra casa inté ficá escuro e tá cantano sobre argum "menestré que foi pra guerra", que é uma canção triste que o Sinhô Gerald canta como se fosse alegre. O Pork ajuda ele a subi pra drumi no quarto do fundo do corredô.

O Sinhozinho Gerald faz gugu-dada e é balançado no berço, mas todo o tempo tem uma névoa em vorta, que eu faço de conta que num vejo. As aia num diz tudo que vê.

O Natal de Tara vai sê de gala nesse ano. O Sinhô Gerald mermu faz o ponche e a Sinhá Ellen toma chá com as dama amiga na sala de estar do outro lado do vestiblo. Os home fica cantano cantiga de Natal e batendo nas costa um dos otro. O Sinhô Buck Munroe fica xingano os ianque como sempre faz, mas Zachary Taylor tá na Casa Branca e é Natal, entonce os xingamento do Buck Munroe é afogado pelos sinhô cantando "Que Deus lhes dê o merecido repouso, Cavalheiros". As dama canta "Sino de Belém". A Sinhá Beatrice tá tomano chá cas dama, mas preferia tá na otra sala tomano uísque cos home.

Às dez hora eu levo as criança pra baxo e todas as dama admira o bebê Gerald e a Sinhazinha Katie sobe no colo do Sinhô John Wilkes e num qué mais descê. O Sinhô Gerald leva o bebê Gerald pra todo mundo vê como eles são parecido.

— Parece que ele vai ser ainda mais baixo que você, Gerald — diz o Sinhô Jim lentamente e as oreia do Sinhô Gerald fica vermeia.

O Sinhozinho Gerald brinca e diz gugu-dada como tudo que é bebê faz e, se vê a névoa em vorta, num se importa, e eu bem queria que aquela névoa sumisse. Eu me acordo assustada no meio daquela noite ovino um ruído baxim que nunca tinha ovido antes. Eu dô um sarto e vô inté o berço do Sinhozinho Gerald. Ele tá morto. O bebê inda tá morno, entonce eu falo com ele e rezo pur ele e imploro pros esprito dexá ele vortá pra nós, mas a névoa vai embora e o sinhozinho vai junto. Eu pregunto pra Sinhá Frances, pra Sinhá Solange e inté pra Martine pru que elas levô ele, mas elas num diz nada.

Foi difício saí pelo corredô e ir inté o quarto do sinhô e da sinhá. Difício batê na porta deles. Eu num preciso dizê nada depois que a Sinhá Ellen viu minha cara. Ela pegô o coitadim do Sinhozinho Gerald nos braço, embalô ele e cantô uma cantiga de niná.

O carpintero de Tara, Elia, fez um caxãozim de cedro, que cherava muito bem no ar da manhã quando nós e os vizinho tava tudo parado do lado da cova. O Sinhô Gerald mandô buscá um padre católico de Atranta pra fazê o enterro.

Nós fica tudo parado. O Sinhô Gerald num vai mais pra Twelve Oaks e a Sinhá Ellen deu pra ficá oiano pru infinito como se pudesse vê o mundo dos esprito onde o bebê dela foi pará.

Mas chega a época do prantio e as semente têm de ir pra baxo da terra e o Sinhô John Wilkes fica acamado com febre, entonce o Sinhô Gerald num fica em Tara, fica em Twelve Oaks prantando a safra dos Wilkes. Ele fica fora desde a manhã inté a noite e chega quando já tá escuro e nem se lava antes de se acomodá na varanda, onde a Sinhá Ellen tá esperano pra janta. Ele toma água direto da jarra e joga o resto na cara e nas mão, e diz:

— Sabe, Sra. O'Hara, se o John morrer, acho que vou fazer uma oferta a Eleanor por aquele campo deles junto ao rio.

A Sinhá Ellen fica chocada e entonce nota a boca dele se entortá e os dois cai na risada, o mió som que eu ovi naquela primavera.

Quando chega o mês de juio, apesá de tá fraco, o Sinhô Wilkes tá curado e as coisa tá quase de vorta no normal. Todos os domingo, a Sinhá Ellen e o Sinhô Gerald visita o túmulo do sinhozinho debaxo dos cedro.

O Sinhô Gerald num era sinhô de nada lá na Irlanda. Eu ovi ele contá pra Sinhá Beatrice que o mais perto que ele chegava dos cavalo era "do rabo de um pônei de arado", mas agora Gerald é sinhô e num é em pônei de arado que ele monta. As égua do Sinhô Gerald tão à artura dos garanhão da Sinhá Beatrice. Ele e a Sinhá Beatrice disputa os lance quando tem um cavalo especiá sendo vendido na pista de Jonesboro e quando o cavalo num dá certo pra um, é vendido pro otro. Num tem nada que o Sinhô Gerald goste mais que sartá as cerca. As cerca entre Twelve Oaks e Tara no arto do morro onde os cavalo num consegue pulá direito pruque tão subino tá sempre com o pau de cima derrubado. Entonce os criado do Sinhô Wilkes dexa uma pilha de pau pra num tê de carregá de longe a cada vez.

Num demora pra Sinhá Ellen tá de barriga otra vez. Ah, todo mundo tá cuidadoso com ela. Nunca vi o pessoá tão cuidadoso. A sinhá num podia andá de carruage nem caminhá sem o Pork tá segurano o cotovelo dela. O cavalo da carruage da sinhá foi trocado pela Véia Betsy, que num pode corrê pruque tá muito *véia.*

A Sinhá Eulalie Robillard mandô convite de casamento. Ela vai se casá com o Dr. Franklin Ward, de Charleston, mas a Sinhá Ellen num pode viajá pra tão longe.

A Sinhazinha Katie tá entediada e ela num fica entediada sem fazê travessura, entonce o Sinhô Gerald dá graça a Deus que a Sinhá Beatrice vai ensiná sua fia a montá.

O Toby leva nós pra Fairhill no raiá do dia pruque a Sinhá Beatrice gosta de começá cedo. Quando o cavalariço traz o pônei pra ela, a Sinhazinha Katie diz:

— Não.

— Você não precisa ter medo, Katie — diz a Sinhá Beatrice. — Pinky é delicado feito leite.

Ora, ninguém vai dizê que a Sinhazinha Katie O'Hara tem medo.

— Ele é... é um anão! Eu vou andar num cavalo de verdade.

— Hã?

— Como o papai.

— Acho que você ainda não está preparada para a montaria do Gerald. — A Sinhá Beatrice se ri dela, mas inda num chegô o dia em que a Sinhazinha Katie vai tolerá que arguém se ria dela.

— Como o papai — insiste a Sinhazinha Katie, e quando a Sinhá Beatrice num pega o cavalo que ela qué, a Sinhazinha Katie vorta a subi na nossa carroça, cruza os braço e diz pro Toby nos levá pra casa.

Entonce a Sinhá Beatrice se ri de verdade, como se nunca tivesse visto nada como a Sinhazinha Katie.

— Você têm certeza de que é uma menina? Parece mais menino que os meus filhos.

— Eu sou menina — diz a Sinhazinha Katie, de manera tão arrogante que faz a Sinhá Beatrice caí na gargalhada otra vez.

— Não aguento — diz a Sinhá Beatrice. — Alguém já viu coisa igual?

A Sinhazinha Katie olha pra ela de cima abaxo na maió carma.

— Meu pai prometeu que a senhora ia me ensinar a montar. Estou muito decepcionada.

— Bem — diz a Sinhá Beatrice —, não sou eu que vou desapontar uma menina de olhos verdes. Billy, encilhe o Trinket. Estribos curtos.

O cavalo é véio e sério, já viu criança antes. Quase vejo ele pensá, "De novo não!", mas ele fica parado enquanto a Sinhazinha Katie bota o pé nas mão da Sinhá Beatrice e monta.

Ela é muito pequena sentada lá no arto acima das nossa cabeça. A Sinhazinha Katie fica oiano em vorta como se o mundo tivesse diferente visto de onde ela tava agora. Eu vejo ela pensano isso. O cavalo bufa e baxa a cabeça pro Billy acariciá seu focim. A Sinhazinha Katie num gosta disso e dá um puxão nas rédea e faz o Trinket levantá e sacudi a cabeça, tilintano os arreio, bufá e alevantá a pata diantera.

— Srta. Katie — diz a Sinhá Beatrice —, assim como você não gostaria que Trinket fosse uma menininha, não pode tentar ser um cavalo. É preciso deixar que Trinket seja o que ele é e, contanto que isso não interfira com os seus desejos, permita que ele tenha seus pequenos prazeres. Quando monta, você vira uma parelha, não é mais uma unidade. — Gostando do que disse, ela repete: — Uma parelha, não mais uma unidade.

Ela marra uma corda nos arreio e Trinket anda em círculo, os casco grande levantano poera.

Bem, o cavalo num vai matá ela, que é o mió que eu tô esperano. Quando nós chega em casa e a mãe dela pregunta como foi a aula de montaria, a Sinhazinha Katie responde:

— Eu sou uma parelha, não uma unidade. — Como se isso fosse coisa muito importante.

Eu num me entendo com cavalo. Acho que esses bicho são um desses "mal necessário". Os nego é jóquei, cavalariço, eles sela e escova e dá de comê pros cavalo, mas num tem cavalo. Cavalo é como fazenda: cavalo é pros branco.

Assim que eu vejo que os cavalo num vai matá a Sinhazinha Katie, paro de ir com ela. Carreen e Suellen precisa mais da Mammy do que ela, entonce a Sinhazinha Katie vai sozinha pra Fairhill e, num demora, passa a ficá o dia todo lá.

Por vorta do Natal, a Sinhazinha Suellen pega catapora e entonce é craro que a irmã tamém pega. A Sinhazinha Carreen num para de se coçá inté nós enfaxá as mão dela com um monte de argodão e ela chora inté ficá de oio inchado de tão fustrada. O Sinhô Gerald vai pra Atranta comprá presente pras menina e vorta com laranja, que eu num via desde Savannah.

Chega feverero, o Sinhô Hugh Calvert tá furioso pur causa que os cavalero sulista foi se encontrá com o Presidente Taylor lá em Washington e o presidente diz que, se eles se separa da União, ele mermu vai liderá as tropa contra eles. O Sinhô Hugh tá tão zangado que precisa de três dose de uísque pra se acarmá.

Na primavera, a Sinhá Ellen entra em trabaio de parto e vem a Dilcey mais a Sinhá Beatrice e tô eu. Nós num sente boa coisa pra esse nascimento, entonce conversemo sobre otras coisa; a Sinhá Beatrice fala sobre a Sinhazinha Katie e os cavalo dela.

O bebê nasce vinte minuto depois da borsa d'água se rompê, escorrega feito graxa. Tá morto. Ele tem cabelo ruivo. Tem uma coisa de errado com os dedim dos pé e das mão, que eu vejo quando lavo ele pra botá no caxão, mas num digo nada.

Num sei pru que o Sinhô Gerald deu pra ele o nome de Gerald. Pra mim, o segundo bebê sempre vai sê Ruivo.

O bebê é enterrado na sombra ao lado do irmãozim. Poco depois da morte do Ruivo, o Presidente Taylor cai morto. Num tem guerra nenhuma. Os preço do argodão tá subino. Nós tá de luto.

No inverno seguinte a Sinhá Ellen tá de barriga otra vez, mas ninguém diz nada sobre isso como se as palavra fosse praga.

Gerald O'Hara nasce num sábado ensolarado de setembro. Inda num tá frio. O trabaio de parto leva uma hora e ele vem pra fora. Eu corto o cordão, mas num enterro ele fora da porta da cunzinha pruque, apesá do bebê nascê com todos os dedim dos pé e das mão que o Ruivo num tinha, ele tá com aquela mema névoa do primero Gerald. A Sinhá Ellen tá cansada, mas tá sorrino, e eu num posso dizê nada sobre aquela névoa, entonce eu faço de conta que tô feliz feito uma boba. Dilcey me dá uma oiada como se ela tamém visse a névoa. Ela é cherokee. Num sei o *que* a Dilcey tá veno.

Na manhã depois do nascimento de Gerald, chega a carta de Nehemiah dizeno que o Sinhô Pierre Robillard se foi. No seu úrtimo suspiro o Sinhô Pierre manda as bênção pra Sinhá Ellen.

O Sinhô Gerald leva a carta pro quarto da Sinhá Ellen e fecha a porta. Uma hora depois, ele sai e diz que a Sinhá Ellen tá reposano e eu levo chá e o bule e a xicra azul de Solange.

Depois de todos esses ano, a Sinhá Ellen inda tem os óio da jove Sinhazinha Ellen. Nós chora. Pur causa das lágrima, eu dexo a bandeja do chá caí.

— Oh — diz a Sinhá Ellen.

— Docim...

— Ele...

— É mermu. O Sinhô Robillard...

— Mammy, ele se foi. Como eu queria...

Entonce eu digo:

— O Sinhô Pierre tá feliz com o bebê, sinhá. Muito feliz. — O que foi difício de dizê pruque tá subino aquela névoa em vorta do pequeno Gerald que tá deitado do lado dela. Eu odeio aquela névoa. Tenho vontade de dá um tapa pra ela ir se embora.

A Sinhá Ellen tá tão cansada que nem consegue ficá com os óio aberto, mas ela diz que nós vai pra Savannah ansim que o bebê Gerald pudé viajá e eu digo, sim, sinhá. Que mais vô dizê?

A Sinhá Ellen me pede pra dizê pras criança que nós vai visitá Savannah, mas acho que eu me esqueci.

A Sinhá Beatrice dá um potro pra Sinhazinha Katie, entonce a sinhazinha num tem tempo pra nenhum irmãozim bebê. Suellen e Carreen qué vê o bebê, mas eu num dexo.

Os branco tão guerreano na Crimeia, que fica em argum lugá da Oropa e quando as criança tão jantano o Sinhô Gerald exprica a Crimeia pra elas pruque ele num que falá sobre o tercero Gerald, que tá se desmilinguino e num faz nem uma semana que nasceu. A Sinhá Ellen num pode fazê nada. O jove dotô Fontaine tamém num pode. As erva da Dilcey num faz nada. Eu misturo enxofre na banha e boto no dedo pra dá pra ele chupá, mas ele tá muito fraquim.

A Sinhá Ellen tá drumino quando o bebê morre. O bebê Gerald tá enfiado embaixo do braço dela com a boquinha aberta. Eu fecho os óio azul dele, mas quando eu tento tirá ele dali, a Sinhá Ellen se senta de repente e agarra ele. Ela tá sabeno e as mão dela cai como as foia no otono.

— Chega de bebês, Mammy. Chega — diz ela.

— Sim, sinhá. — Eu num digo "o Sinhô Gerald nunca vai tê fio home" pruque num tenho de dizê.

Eu lavo o corpim, que nem ficô com nós tempo o bastante pra ficá sujo. Eu canto uma cantiga d'antanho pros esprito bom que cuida dos bebê e das criaturinha desamparada. Eu num quero dá o nome de Três pra esse bebê, mas é esse o nome que me fica na cabeça.

Naquela noite o Sinhô Gerald se senta no salão com o decantadô e ninguém se atreve a entrá.

Dia seguinte a Sinhá Ellen sai da cama. Ela tá pálida e fraquinha, mas o trabaio não para de precisá sê feito pruque o bebê morreu.

O Big Sam cava um túmulo do lado dos irmãozim bebê, e Elia faz um caxão de cedro. Gerald e Ellen num traz nenhum padre; acho que eles num ia aguentá. A névoa da manhã tá se desagarrano das arvre quando nós se reúne. A colheta do argodão fica esperano, os cavalo e as carroça fica esperano, os saco fica esperano, os home tá parado com os chapéu nas mão e as muié usa seus mió turbante. O Pork carrega o caxãozim pra cova com o máximo de solenidade. O Sinhô Gerald tá de braço com a Sinhá Ellen e o Big Sam tá logo atrás pru caso dela desmaiá. O Pork se ajoeia com as mió carça que tem pra botá o caxão na cova. A Carreen tá pronta pra abri o berrero, mas a Sinhazinha Katie aperta a mão dela como se a menina pudesse fugi. Depois, o Sinhô Gerald vai vê o descaroçadô e a Sinhá Ellen vai pro escritório e pros livro da fazenda.

Eu levo as menina pro quarto das criança. Na porta a Sinhazinha Katie se vira e me diz:

— Mammy, acho que vou chamar meu potro de Belzebu.

Eu paro e fico feito morta, como se ficá bem imóve pode fazê as palavra dela passá. A Sinhazinha Katie tá tremeno como foia na ventania. Os ombrim dela tá tremeno e ela num me óia nos óio. A coitadinha num sabe como qué se senti. Eu boto o braço em vorta dela.

— Belzebu é um nome bão, docim. Um nome muito bão.

O Sinhozinho Wilkes vem pra casa

Entonce nós num vai pra Savannah. A irmã Pauline de Ellen escreve que o Sinhô Pierre dividiu seus bem entre as fia, mas dexô o L'Ancien Régime pro Nehemiah e libertô ele. Num sei como é que o Nehemiah vai fazê sem Pierre. Uma coisa é fazê de conta que é Sinhô, otra é sê de verdade.

Em dezembro chega uma caxa no escritório da estação de Jonesboro e o Big Sam mais o Profeta vai buscá. É o quadro da Sinhá Solange que ficava em cima da larera da Casa Rosa, que, diz a nota da Sinhá Pauline, é pra ficá com a Sinhá Ellen.

A Sinhá Ellen manda o quadro irlandês do Sinhô O'Hara pro quarto deles lá em cima e pendura a Sinhá Solange onde a Irlanda tava antes. O Sinhô O'Hara fica em dúvida. Com as mão atrás das costa ele diz:

— Eu não sei, Sra. O'Hara. Será que não vai acontecer de eu estar sentado aqui noite dessas e sentir os olhos dela fixos em mim como se ela fosse a grande dama e eu seu cavalariço?

— Sr. O'Hara — diz a Sinhá Ellen —, todo grande fazendeiro necessita de uma aristocrata francesa sobre o console da lareira.

Mas o Sinhô Gerald num se acarma, entonce ela diz:

— Meu caro Sr. O'Hara, Solange Robillard morreu para que eu pudesse nascer.

Entonce fica pur isso mermu. Às vez, quando ele acha que num tem ninguém oiano, o Sinhô Gerald ergue o copo pra Sinhá Solange. Fica agradecido pelo que tem.

Primera vez que ela vê a vó lá pendurada, a Sinhazinha Carreen fica sem fôlego como se tivesse visto um fantasma. A Sinhazinha Katie estuda a Sinhá Solange pur um tempo e depois me pregunta:

— Eu vou ficar igual à vovó, Mammy?

Uma coisa tremula por detrás dos meus óio. É como se tivesse acordada, mas sonhano ao mermu tempo. Sonhano que tô numa grande encruzilhada, com mais estrada que posso contá. Eu posso segui quarqué uma delas, mas vô inté a Sinhazinha Katie e lá tá ela usano um vestido verde que combina com seus óio, com os cabelo puxado pra trás e ela é uma muié feita. Mas a Sinhazinha Katie num tá sastifeita. Eu vejo que ela num tá sastifeita.

Eu esfrego os óio e saio daquele sonho e me agarro naquele véio sofá de pele de cavalo. Se eu me agarrá bem num vô desmaiá. E digo:

— Não, docim. Pur enquanto acho que não. — Me dá um calafrio, a Sinhazinha Katie me pregunta qual é o pobrema e eu digo — É só um arripiu. Num é nada, docim. Pode ir.

Eu num sei como é que aqueles que qué vê num consegue e os que num qué vê tudo.

A Sinhazinha Katie O'Hara num queria sê muié. Se pudesse sê cavalo, ela ia sê. Ela num larga aquele Belzebu e num sabe falá de mais nada. A Sinhá Ellen tá procupada com a compostura da fia pruque as moça deve admirá os home cavalero, não querê sê um. A Sinhazinha Katie fica impaciente com os vestido bonito que a Rosa faz pra ela, e os fino colarinho e punho de crochê que as tia manda pra ela de Natal vai pro ropero e nunca mais vê a luz do dia. A Sinhazinha Katie usa carça comprida de menino e camisa de cotelê de menino e bota de montaria. Às vez ela se esquece de tirá as espora e o pé do sofá, que é entaiado como uma pata grande de leão, já perdeu uma parte com a garra.

Ela fica em cima daquele cavalo desde que pode até num podê mais. Eu num consigo fazê ela ficá em casa.

Suellen e Carreen tão cresceno como devia. Elas *entende* a compostura, que a Sinhazinha Katie num entende. Fazê a Sinhazinha Katie tê compostura é como amassá a massa do pão sem fermento. Num importa o quanto a gente faz força e resmunga, vai saí um pão triste.

A Sinhazinha Katie acha que tem toda compostura que precisa e a Sinhá Beatrice, em vez de vê isso e controlá ela, dexa a Sinhazinha corrê sorta.

O Sinhô Gerald tamém num disciplina a Sinhazinha Katie. Todas as coisa que as mocinha num deve fazê, ele perdoa.

Depois dos três bebê Gerald, arguma coisa se perdeu na Sinhá Ellen. Ela ainda faz tudo: dirige a casa, visita os doente, ajuda os que necessita. Todos os dia ela reúne a famia pras oração e às vez ela pega o trem pra Atranta e vai à igreja católica. Mas o coração dela num tá com nós. O coração dela tá com os Gerald.

Em agosto, a Sinhá Eleanor Wilkes morre. O jove Sinhô Ashley tá viajano pela Oropa quando a mãe dele se vai. A Sinhá Eleanor tá na sala de estar de Twelve Oaks e as muié tá tudo sentada em vorta do caxão. Os home tá tudo na varanda tomano uísque e falano baxo. A filha da Sinhá Eleanor, a Sinhá Honey Wilkes, desmaia, entonce a Sinhá India fica de sinhá de Twelve Oaks. As criança Wilkes nunca teve aia e isso fica craro.

Uns dois dia depois que a muié foi enterrada, o Sinhô Wilkes vai inté Tara no fim da tarde pra se sentá com o Sinhô Gerald na varanda. Ele conversa inté tarde e o decantadô tá vazio antes do Sinhô John ir se embora. O Sinhô Gerald entra todo triste e abraça a Sinhá Ellen como se tivesse medo dela desaparecê.

Não muito depois de eu chegá da igreja, ainda com as minha ropa de domingo, a Sinhazinha Ellen entra na cunzinha enrolada na manta da sela e, antes de subi as escada dos fundo, faz sinal pra mim como quem qué dizê "Mammy, eu preciso d'ocê". No quarto, ela dexa caí a manta e atrás dos culote tá manchado de sangue. Eu perco o fôlego, mas a Sinhazinha Katie num tá ligano muito.

Ela baxa as carça e tira o camisão.

— Não fique aí olhando. Vá pegar um pano para mim.

— É o Chico, docim. — Eu moio o pano na bacia pra limpá ela.

— Eu sei o que é. — Ela tá mais chateada que assustada. — Não ajudei Beatrice a cruzar as éguas do papai?

Eu quase num consigo falá.

— Vosmecê fez o quê?

Ela sacode a cabeça pros lado como se tivesse cansada.

— Ora, Mammy...

— Nenhuma moça faz esse tipo de coisa. Vô tê que contá pra sua mãe! — A Sinhazinha Katie leva o pai pela colera, mas não a mãe... Katie tem muito respeito pela Sinhá Ellen.

— Mammy! É natural!

— Isso num qué dizê que tá certo. As moça num têm de sabê nada sobre essas coisa. — Eu fico enxugano ela, as coxa e o trasero e depois dobro uma toaia limpa e enfio lá e nós nos oiano e Katie é uma muié e Ruth é uma muié e num posso dexá de sorri.

— Está rindo de mim?

— Não, Sinhá Katie Scarlett O'Hara. É preciso sê um home corajoso pra ri de vosmecê.

E foi assim que a Sinhazinha Katie virô muié. Ela num ligô nem um poquim.

O capim tá cresceno em cima dos três pequeno túmulo. As flô brota, se abre e morre, a Sinhá Ellen recebe as dama pros chá de novo e uma pur uma as xicra azul se quebra. Fairhill, Twelve Oaks, Tara, os Calvert e os Munroe dá churrasco, um, dois, três por mês. O serviço tá todo parado. Sem dirigi nenhuma carroça desde junho inté setembro, Jincy, o cochero de Twelve Oaks, tá tocano muito bem a rabeca!

Honey Wilkes tá de luto, mas ocê acha que ela dexa de flertá por causa disso? De jeito nenhum! Honey admira isso e aquilo nos rapaz tudo, chamano todo mundo de "doçura", que foi como ela arrumô o apelido. No churrasco dos Calvert, Honey diz:

— Oh, Brent, devo dizer que você é o melhor cavaleiro que já vi

A Sinhazinha Katie escuta e depois, vortando pra Tara, ela fica repetino sem pará inté eu achá que Suellen vai batê nela.

— Oh, Brent! Que cavaleiro você é.

— Katie, faz parte da boa educação elogiar as realizações de um cavalheiro — diz a Sinhá Ellen.

— Ah, mamãe, não tem nenhuma realização aí. Os gêmeos Tarleton sabem cavalgar. Mas Brent? Beatrice fala em comprar uma mula para ele porque assim Brent passaria uma impressão *melhor*. Por que Honey mente sobre ele?

— Honey não está *mentindo*. Não exatamente. Bajulando, talvez. Honey estava tentando agradar Brent. Fazer um homem sentir-se bem com ele mesmo é um talento feminino especial.

— Brent Tarleton parece um saco de farinha sentado num cavalo.

— Tenho certeza de que Brent está bem ciente de suas deficiências, minha querida. Não estamos todos?

Como eu num acho que a Sinhazinha Katie acha que ela tem arguma deficência, eu dô um sorriso e ela se vira pra mim em vez de se virá pra mãe dela.

— Mammy, a Bíblia não diz que não devemos mentir?

— Num sei, fia. Nós num deve tomá o nome do Nosso Sinhô em vão, mas esse tipo de mentira é um tipo especiá, num é a mentira de todo dia. Muitas vez, eu acho que menti é a mió coisa entre outras bem pió.

— Ah, Mammy!

Se pudesse escoiê, a Sinhazinha Katie nunca iria a nenhum churrasco, mas ela num pode. Quando a Sinhá Ellen diz "Os O'Haras vão", ela qué dizê quarqué O'Hara e os criado da casa tamém, pruque nós é tudo O'Hara, inté os mais preto.

Mas quando a Sinhazinha Katie pode escoiê, ela sai cavargano aquele diabo ruivo do Belzebu. O cavalo nunca conheceu nenhum otro cavalero, ninguém mais sequé montô nele, só a Sinhazinha

Katie. Quando ela vai andano pro pasto, no nascê do dia, inda com cerração, ele vem correno e relinchano, contente da vida e contente de sê o cavalo da Sinhazinha Katie. Ela é mais chegada àquele cavalo que aos do mermu sangue. Ela quase num toma conhecimento de Suellen e Carreen, a num sê que elas teje bem no caminho dela.

Ela é a queridinha do papai e muitas tarde eu vejo o Sinhô Gerald e a Sinhazinha Katie cavargano como pai e fio.

Sem a Sinhá Eleanor e com o Sinhozinho Ashley fora, o Sinhô John Wilkes num sabe o que fazê. À tardinha, quando o Sinhô Gerald num tá em Twelve Oaks, o Sinhô John tá em Tara, onde eles fala sobre o argodão, corrida de cavalo e "o Compromisso", uma coisa sobre tê escravo no Kansas... eles vão tê escravo ou num vão tê?

Os Quatro Cavalero do Apocalips tá chegano, mas ninguém qué comentá. Quando os millerita falava que o mundo ia se acabá, todo mundo ficava falano bobage de como Jesus ia vi e o mundo ia acabá. E quando chegô o dia, Jesus num veio e todo mundo se esqueceu do Reverendo Miller e da profecia dele.

Mas a guerra tá vino tão grande e tão rápido que eu quase fico esperano pra ovi os tambô tocano! Mas ninguém fala de guerra nenhuma. É como se falá fosse trazê a guerra, entonce é mió calá a boca! Em vez, eles fala sobre o Presidente Pierce, do que ele tá fazeno e de Stephen Douglas e Henry Clay e eles bebe inté o decantadô de uísque se esvaziá.

Faz quase três ano que Ashley Wilkes tá fora. Ele teve na Inglaterra e na França e tudo mais que é lugá. Todo o tempo ele escreve pro Sinhô John sobre esses lugá.

O Sinhô Gerald tá especiarmente feliz que o Sinhozinho Ashley tá vino pra casa. A Sinhá Ellen tamém tá pruque ela espera que quando o Sinhozinho Ashley tivé em casa, o Sinhô John num vai se senti tão sozim. Todos os O'Hara tão em Twelve Oaks quando o Sinhozinho Ashley chega, menos a Sinhazinha Katie pruque ela torceu o tornozelo e ficô em casa.

Jincy vai buscá ele e nós espera na varanda de Twelve Oaks tomano chá doce. A Sinhá Ellen e as menina Wilkes tão se abanano.

As abeia tão zunino no meio das rosera prantada pela Sinhá Wilkes e que num tá bonita como era antes da Sinhá Wilkes morrê. O Sinhô Wilkes tá branco como uma bola de argodão, mas tá sorrino como num sorria faz tempo e ele e o Sinhô Gerald tão bebeno o julepo que o Pork fez. Pork é famoso pelos julepo dele. Eles tão discutino sobre o calô que tá fazeno e como onte de noite o Sinhô Hugh Calvert ficô tão bebo que caiu do cavalo e fraturô arguma coisa e os dois pecadô fica rindo como se eles nunca tivesse ficado bebo. Os nego de Twelve Oaks fica em vorta e num se mexe quando a Sinhazinha Honey enxota eles.

Quando Jincy vem dirigino a carruage estrada acima, nós para de falá. O sinhozinho ficô fora um tempo tão grande que nós tá tudo imaginano se ele inda é aquele menino que nasceu e se criô na fazenda Twelve Oaks. Será que ele inda é quem era antes?

Antes da carruage pará de rodá, o Sinhozinho Ashley sarta e segura os braço do pai dele como se nunca tivesse visto ele antes. Eles é parecido, mas John Wilkes tá cansado como uma véia escritura de posse e Ashley Wilkes tá brilhano e afiado como as borda de um centavo novo de cobre.

Ashley mudô. Ele era um menino quieto dos óio cinza que parecia tá ali e num piscá de oio num tava mais. Agora tá mudado. Ele conheceu muié e num é mais um menino.

Ele num perdeu aquele jeito de parecê que vê o que ninguém mais vê, mas num fica distante tanto tempo como antes. O sorriso dele é doce, tranquilo e triste.

O Sinhô John pregunta sobre Roma e os grego, e o Sinhô Gerald pregunta sobre a Irlanda. O Sinhozinho Ashley teve em todos esses lugá que importa pros sinhô. Num teve no Haiti nem na África.

Nós tamo tudo num ajuntamento falano bobage. Jincy bota um pacote do lado da porta de entrada da casa de Twelve Oaks.

— Encontrei isso em Paris — diz o Sinhozinho Ashley.

O Sinhô John ergue uma sobranceia.

— Achei que o senhor iria gostar. É sentimental.

O Sinhô John cai na risada e num demora pra todo mundo tá rino, apesá da gente num tê pegado a piada.

É a pintura de uns sordado numa batalha que num tá lutando pruque tá atendeno um cachorro machucado.

— Vernet — diz o Sinhozinho Ashley pro pai, solene feito um juiz.

O Sinhô John, solene tamém, apesá de tá com o lábio tremeno, pregunta:

— Para o salão? Ou para a sala de estar?

Só os Wilkes tão sorrino. Nós tá tudo admirano a pintura do Sinhô Vernet dos sordado atendeno o cachorro machucado no meio da guerra. Pru que eles num pega aquele cachorro e sai correno pra sarvá a vida deles, é o que eu tô pensano.

— Sublime — ironiza o Sinhô Ashley.

— A desumanidade do homem para com o cão — diz o Sinhozinho Ashley.

Entonce arguma coisa muda nos óio do Sinhô John pruque a piada num tem mais graça.

— O homem foi feito para sentir pesar. — O pai do Sinhozinho Ashley Wilkes num tá mais falano da pintura.

— A mamãe sofreu?

O Sinhô John tá a ponto de chorá, o que ia detestá fazê na frente de todo mundo.

— A morte foi misericordiosa. Agora Eleanor está nos braços de seu Salvador.

— Oh, Ashley. Ashley querido! — Honey e India Wilkes quebra o silêncio e abraça ele tão forte que ele perde o equilíbrio.

— Ei, por favor, não derrubem o viajante cansado!

Honey bota a língua pra fora.

Tudo vorta pra onde tava. O Sinhô Gerald pregunta sobre a Irlanda e num fica sastifeito inté Ashley contá de cada dia da viage dele de Dublin inté Cork e de como chovia e de como o sol num firmô e foi se esguerano na cerração.

— Ah, chove muito mesmo — confirma o Sinhô Gerald e bate nas coxa como se fosse ele mermu que fizesse chovê.

— E como vai esta nossa amada nação? Devemos eleger Frémont ou Buchanan?

O pai dele responde "Buchanan", e o Sinhozinho Ashley conta que os oropeu acha que nós vai entrá em guerra e eu sinto uma pontada no coração e me sento na cadera de balanço que era a predileta da Sinhá Eleanor. Eu fico me abanano e perco o fôlego, e a cara das pessoa fica turvada e a voz no meu ovido é a Sinhá Ellen, que bota uma xicra de chá na minha mão.

— Eu vô ficá bem — digo. — Só num quero nenhuma guerra.

— As mentes sensatas prevalecerão, Mammy — diz o Sinhô John.

Mas o Sinhozinho Ashley ergue os óio triste dele e diz:

— Será? O tolo não se deleita com o entendimento. Ele se deleita com a própria mente.

— É claro que prevalecerão. — O Sinhô John bota um tom agressivo na voz.

Eu? Tô pensano como o Sinhozinho Ashley.

Um carroção de seis cavalo vem vino pela alameda da Twelve Oaks com uma caxa enorme atada com corda.

O Sinhozinho Ashley diz pro Mose reuní uma turma no jardim das rosera da mãe dele. É pra eles levá tauba, broco de polia, pé de cabra e essas coisa.

Entonce nós vai tudo pro jardim onde a Sinhá Eleanor prantô tanta rosera que tinha dois nego encarregado de tomá conta delas todos os dia. Aquelas rosa são mió cuidada que argumas criança. Os trabaiadô do campo desliza a caxa pra fora do carroção e Mose leva o pé de cabra pra caxa, que tem um cavalo de metal. O cavalo verde tá desceno de ré e balançano os casco. Já vi cavalo mais bonito.

O Sinhô John tá enxugano uma lágrima do ôio.

— Etrusco — anuncia o Sinhozinho Ashley, como se o Sinhô Etrusco fosse um fabricante especiarmente bão de cavalo verde de metal.

— Eleanor... ela... teria ficado encantada.

— Eu a comprei para a mamãe. Seu adorável jardim pedia uma fonte.

— Ela falou muitas vezes...

Bem, todo mundo sente como se a gente tivesse onde num devia tá, como se nós tivesse num lugá privado. Os Wilkes têm um jeito de fazê as pessoa se senti assim.

Aquele cavalo verde grande num é o fim do que tem naquela caxa. O Sinhozinho Ashley tem uma caneca de prata da Irlanda pro Sinhô Gerald. O Sinhô Gerald fica feito loco. Ele qué sabê direitim onde o Sinhozinho Ashley comprô e quando o sinhozinho diz, o Sinhô Gerald sorri pruque ele conhece bem aquela loja de prataria, passô pur ela muitas vez.

O Sinhô Ashley troxe um xale de renda muito fino pra Sinhá Ellen e colarinhos e punhos de renda pras irmã dele. Tarvez tenha comprado o xale pra sua mama Eleanor, mas deu pra Sinhá Ellen.

Quando o Sinhô Ashley pregunta pela Sinhazinha Katie, a Sinhá Ellen conta pra ele:

— Ela caiu do cavalo ontem e ficou um pouco machucada. Insisti para que ficasse em casa.

O Sinhozinho Ashley sorri como se ele e a Sinhá Ellen sobesse de arguma coisa que os otro num sabe.

— A Srta. Katie caiu...? Ela é mais potro chucro que uma menininha.

— Não é mais uma menininha, Ashley — diz a Sinhá Ellen.

— Ah!

Mais tarde, à noitinha, eu tô fazeno companhia pra Sinhazinha Katie na varanda de Tara quando o Sinhô Ashley vem de cavalo. Esse home tá sempre bem-vestido. Mermu quando era menino, eu nunca vi ele desmazelado. Ele trocô as ropa de viage e as bota vermeio-sangue cintila e as carça cinza, que são mais apertada que precisava sê, com uma camisa branca, que parece num tê sido usada antes e um arfinete de oro de gravata e o chapéu quase tão branco como a camisa.

Ele tira o chapéu pra Sinhazinha Katie e dá um sorriso. Ela se senta reta como se tivesse sido atingida pur um raio. Ele sobe os degrau e beja a mão dela como um francês e diz como ela cresceu. Ela num diz ninhuma palavra. Tarvez num consegue.

— Sinto muito por sua queda — diz ele.

A Sinhazinha Katie começa a exprica, mas se engasga.

— O galho de uma árvore. — É só o que ela consegue dizê.

— Ah, bem, se você se mete no mato a galope. — Ele bota a mão no borso e tira um saquim de seda azul.

Pur um segundo eu penso que ele tem um anel ali, mas é um pedaço de metal véio.

— Coloque isso nos arreios e Belzebu. Vai evitar os galhos baixos.

A Sinhazinha Katie num consegue agradecê. Fica corada.

— Esse medalhão ornamentou uma rédea romana há duzentos anos — diz ele.

— Eu conheço a época dos romanos — diz a Sinhazinha Katie, mais agressiva do que pretendia.

— Tenho certeza de que conhece — diz ele dano aquele sorriso doce e a Sinhazinha Katie num sabe direito o que fazê, entonce ela balança a cabeça feito uma menininha. Quando se apercebe de que tá parenceno boba, ela se endireita pra dizê, bem séria:

— Obrigada, Sr. Wilkes. O Belzebu vai apreciar isso eternamente.

Pru que os cavalero prefere selas laterar

ERA UM MEDAIÃO chato com um rosto entaiado que nem dava pra vê direito, acho que o rosto de argum rei, mas a Sinhazinha Katie achô aquilo o máximo e mandô o Toby botá nos arreio do Belzebu, bem amarrado pra mode num caí. Ela diz pro Belzebu que agora ele é um cavalo de guerra romano e o cavalo óia pra ela como se fosse mermu, interessado, mas sem sabê de nada, e ela anda em vorta dele pra vê aquele medaião como se nunca tivesse visto e diz:

— Ora, Belzebu. De onde veio isso? Presente de um admirador?

Ela tá petulante com a coisa toda.

Quando num tá cavargano com o pai, Katie tá cavargano com a Sinhá Beatrice. Ela e o cavalo vai pra Fairhill quase todos os dia. Enquanto ela tá fora ficano toda suada, os rapaz cavalero do condado tá tudo zumbino em vorta da Sinhazinha Honey e da Sinhazinha Suellen como abeia. As moça são mé de primavera — aguado, mas muito delicado e doce!

Essas moça mais a Sinhazinha Carreen e a Sinhazinha India, elas têm compostura. Elas passa os dia sem fazê uma onda sequé. A Sinhazinha Katie, ela faz onda feito pexe em água rasa. Mermu quando num se vê a Sinhazinha Katie, a gente sabe que ela tá lá!

A maioria das sinhá num é mais livre pra fazê o que qué do que eu ou o Pork ou quarqué pessoa de cor. Elas têm de usá suas anquinha e tem de dexá o rosto branco longe do sol e tem de dizê pra todo cavalero que possa ovi como ele é o mais cavalero que já desfilô pela Terra. Mas isso num é a Sinhazinha Katie O'Hara!

Otras muié leva seus pobrema pra Sinhá Ellen. Elas leva seus segredo e pobrema pra Sinhá Ellen pruque ela é paciente como os santo que ela estudava quando era pequena. As muié nunca vai procurá a Sinhazinha Katie. Mermu quando a Sinhazinha Katie tivé crescida nenhuma muié vai contá pra ela seus pobrema. A Sinhazinha Katie num é santa como a Sinhá Ellen. Ela num tem parte nenhuma de nenhuma santa. Quando a Sinhá Ellen vê uma dor, ela faz arguma coisa. A Sinhazinha Katie num vê dor, num vê sofrimento, o que ela vê é só ela merma!

Eu me pregunto pru que eu adoro ela. Pru que eu quero sabê tudo que ela tá aprontano? Pru que eu sigo ela pra tudo que é canto? Ela num é nadim como eu. Ela num é como a maioria das pessoa!

Pur causa que ela é quem ela é! Ela é mais a Sinhazinha Katie que a Sinhazinha Carreen é a Sinhazinha Carreen, inté o Sinhozinho Ashley num é tanto quem ele é como a Sinhazinha Katie é quem ela é! Ela gosta do sol nasceno e da lua saino no céu. Afinal de conta, num tem nada que a gente possa fazê com isso além de ficá contente.

A compostura é a única coisa que fica entre a gente e o diabo. O único escudo que afugenta Satã é a compostura e um sorriso largo. Se ocê tá alegre e tem compostura, o demônio véio passa reto, encontra otro pecadô com quem fazê suas travessura.

A Sinhá Beatrice num tem compostura, mas a Sinhazinha Katie num para de me falá dela. "Beatrice isso" e "Beatrice aquilo", como se a Sinhá Beatrice Tarleton e seus fio fosse exempro.

— Beatrice não se importa se a pele dela é "branca como pérola", Mammy — diz a Sinhazinha Katie. — Ela acha que a maioria dos cavalheiros são uns tolos.

Eu desgosto tanto daquela muié que sinto um nó na garganta.

Num me atrevo a dizê pra Sinhazinha Katie que a Sinhá Beatrice num sabe de nada. É isso que eu quero dizê pra ela:

Sim, a Sinhá Beatrice trabaia duro, sim, ela faz as coisa de Sinhá e reza pra elas, é corajosa, num banca a boba e sabe mais sobre os cavalo que a maioria dos home. Mas o marido da Sinhá Beatrice, o Sinhô Jim, tem um montão de terra e todo dinhero que qué. Ele tá sempre indo pra Assembreia Legislativa da Geórgia pra fazê as lei que todo mundo tem de obedecê. Inté os sinhô branco importante escuta a Sinhá Beatrice e sorri feito bobo, num importa a bobage que ela diz.

Mas conta com quem ela é casada! Se a Sinhá Beatrice fosse da ralé como a Sinhá Slattery ou nega como a Teena, era mió ela segurá a língua e botá um sorriso largo na cara!

Tudo o que a Sinhá Beatrice tem, ela tem pruque é casada com o Sinhô Jim. É pur causa disso que sua mãe mais eu se afrige sobre com quem vosmecê vai se casá, pruque se vosmecê se casá com o home errado, num vai sê ninguém. Vosmecê pode virá muié dum bebo, dum jogadô ou dum pobre. E se vosmecê num casá, vai sê uma sorterona sentada na cabicera da mesa, sem se atrevê a dizê nada pra num aborrecê os da famia. Ah, Sinhazinha Katie, entonce seja bajuladora! Muié que nunca se casa e muié que se casa com tolo tem a vida estragada.

Faz oito ano que a Sinhazinha Katie montô seu primero cavalo. Ela sempre cavargô com uma perna de cada lado, como um menino, mas agora que ela tá crescida, a Sinhá Ellen mandô o fabricante de sela de Jonesboro fazê uma bela sela lateral, cor de ferruge como o Belzebu.

A Sinhazinha Katie tem medo da mãe, entonce ela num é insolente nem nada. Ela agradece sua mãe, mas uma semana depois, o Big Sam me pregunta o que aquela sela de dama tá fazeno pendurada no celero do tabaco e pru que o Toby tira sela e bota sela duas vez sempre que a Sinhazinha Katie sai a cavalo.

Entonce eu pregunto pra Sinhazinha Katie e ela diz que "prefere" cavargá como sempre fez, como seu papai faz.

Entonce eu digo pra ela:

— Docim, nenhuma dama monta cavalo como home.

Ela retruca. A Sinhá Beatrice contô pra ela que "Catarina, a Grande", montava numa sela de home e que as "dama de companhia" dela tamém. Eu digo pra Sinhazinha Katie que se as "dama de companhia" tivesse esperano a companhia de um marido, ia ficá esperano.

A Sinhazinha Katie só vai pra Academia Feminina de Fayetteville no otono que vem, mas ela já sabe de tudo. Ela me conta que as "dama de companhia" é as dama importante da corte; que essas dama que cavarga em sela de home com Catarina, a Grande, elas é tudo fia de sinhô.

— Catarina, a Grande, num era dama da Geórgia — eu digo. — Tarvez as "dama de companhia" dela num tivesse procurano marido. Tarvez já tivesse pegado os marido.

A testa de Katie se franziu.

— Por que algum marido se importaria se eu monto numa sela lateral ou não? — A Sinhazinha Katie tem os óio de orvaio como uma criança.

Eu num digo mais nada. Tem coisa que nem as aia exprica.

Chega o verão e os primo dos Wilkes, Charles e Melanie Hamilton, vêm pra Twelve Oaks e aparece em tudo que é churrasco. O pai e a mãe dos Hamilton morreu, entonce eles mora em Atranta com a tia Pittypat, que fala como uma gralha. Como Charles Hamilton mora em Atranta, ele num é destemido como os gêmeo Tarleton. A Sinhazinha Melanie é uma coisinha tímida, mas tem boa compostura.

Charles e Melanie são muito amigo das meninas Wilkes e de Suellen, mas a Sinhazinha Katie num dá atenção pra eles.

Às vez, ela sai pra cavargá com o Sinhozinho Ashley. Eles num galopa, fica conversano. O Sinhozinho Ashley acha que a Sinhazinha Katie é uma criança pruque ela monta como um menino. Num é segredo que eles cavarga junto, mas eles tamém num fala disso.

Num tem perigo com o Sinhozinho Ashley. Ele num vai se aproveitá. Os gêmeo Tarleton e aqueles menino Calvert, cum eles tamém num tem perigo, mas a Sinhazinha Katie ia preferi escapuli do que se metê em argum canto na sombra com um rapaz pra conhecê ele bem demais.

O valete dos gêmeo, o Jeems, cresceu com eles e Jeems sabe tudo o que os gêmeo faz e tamém o que quarqué um faz! Jeems é sempre bem recebido na cunzinha de Tara! A cunzinhera serve chá pro Jeems e ele sorta a língua.

Jeems conta a coisa *mais engraçada.*

— Stuart e Brent Tarleton são os mió cavalero e os mais veloz do Condado de Clayton, só perde pruma *garota.*

Jeems dá um tapa na coxa. Onte de manhã eles correu atrás da Sinhazinha Katie, Stuart na frente e Brent logo atrás, pela mata, pelo terreno arado, depois Brent foi na frente e Stuart ficou pra trás e eles passaro pelo rio e espaiaro água inté os cavalo deles ficá sem fôlego e a Sinhazinha Katie ir ficano cada vez mais pequena inté eles num podê mais vê ela.

— Desova do diabo. — Jeems conta pra nós. — É assim que eles chama aquele cavalo Belzebu: "Desova do diabo."

Eu num falo pra Sinhá Ellen que a sela de dama tá pegano pó no celero e o Big Sam tamém não, mas a Sinhá Ellen descobre que a fia tá cavargano feito menino em vez de feito menina e diz pra sinhazinha que ela é desonesta e que as dama nunca deve sê desonesta, num importa o que aconteça. Ela diz que a sela de home num é coisa de muié e que nenhuma moça arranja marido cavargano desse jeito.

Então a Sinhazinha Katie se finge de arrependida, mas vorta atrás antes de se arrependê! Num diz nada e vai achá otro jeito de cavargá com uma perna de cada lado, como um menino.

Eu num gosto do que a Sinhá Beatrice tá fazeno, tentano fazê a Sinhazinha Katie virá arguém como ela. A sinhazinha num tem uma casa boa, num tem fazenda e num tem dinhero. E se continuá com essa bobage num vai tê marido pra dá essas coisa pra ela!

Entonce eu digo pra Sinhazinha Katie que a mãe dela tá certa. Se ela continuá a cavargá feito um menino, ela vai desapontá enormemente o marido.

A Sinhazinha Katie num liga se vai agarrá marido ou não. Fora aquele Ashley sonhadô, ela num tem tempo pra rapaz nenhum.

Mas ela tamém num qué ovi um não. Ovi um não dexa ela costrangida.

A Sinhazinha Katie pregunta pru que cavargá feito menino vai desapontá o homem com quem ela se casá e eu tenho uma ideia perversa. Fui batizada católica, casei numa igreja metodista e sento na galeria da Igreja Batista de Jonesboro todos os domingo. Eu sei como é as travessura de Satã. É como a ideia que eu tenho!

O Sinhô Gerald encoraja a Sinhazinha Katie nessa bobage de cavalo sem assumi isso. Uma tardinha dessa, o Sinhô Gerald saiu pra cavargá com ela e eles ficô sartano cerca quando achava que num tinha ninguém oiano. O Sinhô Gerald tá sempre falano da Sinhá Beatrice. A Sinhá Beatrice isso, a Sinhá Beatrice aquilo. A Sinhá Ellen fica sorrino, mas o sorriso dela já chegô ao máximo. Eu acho que o Sinhô Gerald tem suas dívida pra pagá. Entonce, com a doçura de uma torta de batata-doce, eu digo pra Sinhazinha Katie:

— Vosmecê tem de preguntá pro seu pai sobre isso, docim. Tem de preguntá prum marido o que um marido procura.

Isso foi travessura de Satã. Eu sei que foi. Eu rezo e peço perdão.

A Sinhazinha Katie espera pra falá com o pai inté depois que a famia janta, e a Sinhá Ellen tá lá em cima com a Carreen, que tá resfriada.

O Sinhô Gerald tá na cadera que a Sinhá Ellen comprô quando ela deu a véia pro Big Sam. Depois de tantos ano, a cadera nova tá tão surrada quanto a véia. Tudo fica surrado sem a gente nem notá.

Essa noite, o Sinhô Gerald tá sastifeito. Os preço tão bão, tivemo boa chuva e as cápsula de argodão tá brotano. O Sinhô Gerald já mordeu o charuto, serviu sua dose de uísque, sem sabê que uma barrica de pórvora tá pra exprodi. Eu sento numa cadera do lado com minha cesta de costura. Eu tiro o ovo de cerzi e pego a meia furada, que ele num dexa de vê com o canto do oio e eu fico murmurano sobre "certos cavalero que num sabe botá as meia direito", não arto, mas bastante pra ele ovi. Se eu num tivé murmurano, o Sinhô Gerald nem se apercebe que eu tô respirano.

A Sinhazinha Katie entra e senta no chão junto dos pé dele e óia pra ele. Ela dá um pulo pra acendê o charuto dele. Pregunta se tarvez ele qué água pra misturá com o uísque.

Eles fala de cavalo. Ela acha que num tem ninguém que consegue montá o Belzebu, além dela e do pai, nem mermu a Sinhá Beatrice. Ela conta pra ele como, em Jonesboro notro dia, o dono da loja Kennedy disse:

— Seu pai, Gerald, é baixinho e é irlandês, mas é *poderoso*.

O Sinhô Gerald gosta disso e se pavoneia um poco, mas ele num é bobo, e a Sinhazinha Katie num é a primera a tentá passá a conversa nele.

— Bajulação, senhorita. A bajulação já derrubou muito homem bom — disse ele. Mas fica sastifeito tamém e num se importava de tê mais disso que derruba os home bão. Ele conta como o Presidente Buchanam tá do lado deles fazendero contra os ianque e a Sinhazinha Katie fica de boca aberta, como se tivesse impressionada de seu pai sabê o que o presidente faz. O Sinhô Gerald repete as palavra do Presidente Buchanan: "O que é certo e o que é pragmático são duas coisas diversas."

A sinhazinha qué sabê:

— O que é pragmático?

— Pragmático, filha, é o que pode ser feito. Eu mesmo sempre preferi o que é pragmático.

Ela tá impressionada de como o pai dela é sabido e tá com o rosto brilhano e ele tá fumano o charuto e eu fico oiano pra cesta de meia furada tentano num ri.

A Sinhazinha Katie sabe direitim o que eu tô pensano e me óia, e eu óio pra ela de um jeito feroz como um gauxinim pego numa armadia, o que, é craro, me dexa tremeno como gelatina sacudida e eu desvio o oio pruque num me atrevo mais a oiá.

A Sinhazinha Katie carcula que é mió ir logo com isso antes que eu comece a ri, entonce ela bota aqueles óio doce na carinha intrigada.

— Papai, posso lhe fazer uma pergunta?

— Não, não pode, Srta. Katie. O Senhor Gerald O'Hara NÃO responde às perguntas de qualquer um! — diz ele de cara séria e depois se ri e bate no ombro dela. — Você sabe que eu não resisto a uma mocinha bonita.

Com isso, ela faz cara de gatinha, que eu vejo, mas ele não. Com sua voz mais baxa e doce, a sinhazinha diz:

— Papai, algumas pessoas tolas estão dizendo que eu devo cavalgar na sela lateral... em vez de montar como você e a Sra. Beatrice fazem. Quando pergunto por que, não respondem ou mudam de assunto. Parece que, se eu cavalgar com uma perna de cada lado, vou desapontar meu marido quando me casar. Talvez eu não me case. Talvez nunca me case. Mas, se casar, eu detestaria desapontar meu marido. O que será que as pessoas querem dizer? Exatamente *como* eu posso desapontar meu marido?

O Sinhô Gerald se engasga e borrifa cuspi pra fora da boca como se tivesse engolido sabão e tosse e amassa o toco do charuto e tosse mais. A sinhazinha fica de pé num pulo e dá um tapa nas costa dele e o Sinhô Gerald fica vermeio feito uma maçã madura.

Quando ele se aquieta, bebe o uísque e engole; ela tá sentada no braço da cadera, dizeno:

— O senhor sabe tudo que há para saber sobre cavalos, papai querido. Como cavalgar com uma perna de cada lado pode desapontar meu marido?

O Sinhô Gerald óia pra mim em busca de ajuda, mas fica logo sabeno quem levô a sinhazinha a fazê isso e eu rio pra ele ficá sabeno que eu num vô sarvá ele dessa. Ele seca a boca com o lenço e tosse de novo... só pra passá o tempo.

— Katie, Katie, acho que vou querer aquela água.

Assim que ela sai, o Sinhô Gerald me furmina cos óio de fogo como se quisesse me derretê.

Quando ela traz a água, ele toma e dá um daqueles sorriso amarelo que home crescido dá pra fazê de conta que são menino e diz pra Sinhazinha Katie que a mãe dela vai expricá sobre a sela lateral.

— Talvez ela já tenha prevenido você.

Isso me faz dá uma risada pra dentro do lenço, mas eu faço de conta que tô assoano o nariz.

A Sinhazinha Katie lamenta:

— Mas por quê? Como eu vou conseguir segurar um cavalo se ficar empoleirada ao lado dele feito uma bolsa de sela? — Ela sai a passo largo, sobe as escadas e o Sinhô Gerald sacode o dedo pra mim, mas num diz nada.

Num sei se Katie chegô a preguntá pra mãe dela pru que cavargá feito home ia prejudicá uma moça, mas ela nunca dexô de fazê isso.

Como eu viro Judas

O ARGODÃO DE Tara vale 12 centavo, isso foi a única notícia boa daquele otono. O trigo metade do que era e os banco e ferrovia dos branco começa a quebrá. Em Kansas, os abolicionista e os escravo tá atirano um nos otro. Eu penso: "De novo não." Os esprito tão inquieto e tremeluzino, circulano pur aí como se tivesse arrumano espaço.

Dilcey vem visitá Tara com a boba da fia dela, a Prissy. Nós senta na varanda da cunzinha. Tá tudo quieto como antes duma tempestade.

A Dilcey me conta:

— O General Jackson matô o vovô em Horseshoe Bend. Vovô era red stick. Era a terra deles. *Esta* terra — ela óia em vorta como se os red stick tivesse por trás de cada moita — era terra creek. Bem aqui!

— As pessoa tão sempre matano as otra. Parece que num consegue se controlá — digo.

— Vão fazê de novo — diz ela.

Os esprito tão tremulano em vorta de nós como mariposa na luz da janela. Eu estremeço.

— Num tem nada que eu nem ocê possa fazê — digo.

— Os red stick sabia morrê. Ocê acha que os sinhô são bão nisso?

Tara continua indo como sempre. Depois da janta, o Pork bota umas frô no quarto dos O'Hara. A Sinhá Ellen fica andano pur aí fazeno pelos otro o que eles num pode fazê pur si mermu. O Administradô Wilkerson num tá tão cruel como era. O Big Sam disse que ele arrumô uma muié.

Nos sábado, o Sam mais o Sinhô Gerald vai pra Jonesboro vendê argodão e fica pra venda de cavalo e escravo. O Sam diz que tem mais sinhô vendeno seus nego que comprano. Quando os sinhô têm medo, os nego sofre.

Quando o Sinhô Gerald vende o argodão, ele enfia o dinhero no cofre de Frank Kennedy. Vez que otra, ele mais o Big Sam carrega as pistola e pega o trem inté Atranta, onde eles bota o dinhero de Tara no Banco Ferroviário da Geórgia.

Quando eles vêm pra casa, o Sinhô Gerald diz pra Sinhá Ellen que o Banco Ferroviário da Geórgia é forte feito rocha. Num vai quebrá como os otro banco.

A Sinhá Ellen fica oiano pru marido sem dizê palavra.

— Sr. O'Hara, minhas três filhas e eu confiamos no seu bom juízo.

O Sinhô Gerald vai pra varanda fumá seu charuto. Mais tarde, como se num fosse nada de mais, vai inté Twelve Oaks pra preguntá se o Sinhô John sabe de argum boato sobre o Banco Ferroviário da Geórgia.

Os domingo são quieto e tranquilo e o vento fica sussurrano nos cedro em vorta da Igreja Batista de Jonesboro, onde os branco e os nego reza pra que as coisa fique mió antes de piorá. O pastô fica criticano as corrida de cavalo. Ele diz que essa "febre das corrida" é pió que inchaço ou febre amarela, mas isso num impede as aposta. Parece que quanto menos dinhero os sinhô têm, mais eles arrisca.

Os Tarleton aposta contra os Calvert, os Calvert contra os Wilkes e os Wilkes contra os Tarleton. Os sinhô fica sorrino e fazeno que sim como se num tivesse mágoa, mas as mão fica perto das pistola.

A colheta do argodão em Twelve Oaks é mais tarde que a de Tara, entonce os Wilkes colhe o argodão deles depois do pânico começá, quando os compradô some feito fumaça. Dilcey diz que o Sinhô John ganha a maió parte das aposta, mas às vez fica quieto feito um túmulo nos domingo de manhã.

Na maió parte das manhã a Sinhazinha Katie e aquele Belzebu dos diabo já saiu quando eu vô pra cunzinha e às vez ela num chega antes de escurecê. A Sinhazinha Katie tem medo da mãe. Quando a mãe dela briga, a sinhazinha baxa a cabeça e se arrepende, mas na manhã do otro dia tá de novo fora de casa.

A Sinhá Beatrice vem visitá o Sinhô Gerald e eu mermu sirvo eles.

A Sinhá Beatrice tá sentada toda empertigada na cadera de pele de cavalo. Tá usano seu traje de montaria com as luva comprida de couro no colo. O Sinhô Gerald faz de conta que ela vem visitá todos os dia, que isso num tem nada de mais.

Eu boto a bandeja do chá na mesa do lado e vô prum canto, onde o Pork fica parado quando é ele que tá servino.

— Gerald, quando eu preciso falar verdades desagradáveis, prefiro algo mais forte que chá — diz a Sinhá Beatrice.

Ele num leva nenhum tempo pra pegá o decantadô. O copo dele tá sujo e ele vai me mandá pegá um copo limpo, mas a Sinhá Beatrice diz:

— Sirva na minha xícara, Gerald.

Ele faz isso. Ela toma e estende a xicra otra vez.

Ele espera inté ela acená com o dedo pra então se sentá.

— É a sua filha, Gerald.

— Qual delas, Beatrice?

Ela dá uma oiada pra ele.

— Se você acha que Katie está em Fairhill cavalgando comigo, está muito enganado. Eu a espero todas as manhãs, mas geralmente me decepciono. Não temo por ela como amazona, ela é melhor que a maioria dos homens. Sem dúvida, ela cavalga melhor e está mais segura em cima de um cavalo que os meus filhos. O que me preocupa é a reputação dela, Gerald. E, como você deve saber, eu me preocupo menos com reputação do que qualquer mulher desse condado.

— Mas...

— Sua filha é selvagem feito uma cherokee. Ela assusta os cervos na mata e os trabalhadores nos campos de trigo. Enquanto os Wilkes, os Calverts e, sinto muito dizer, os Tarletons estão fazendo suas apostas na pista de Jonesboro, sua filha está com os cavalariços e os jóqueis, brancos *e* negros, preparando os cavalos para as corridas. O Jeems me garante que Katie O'Hara é a grande favorita dessa gente.

Entonce, quando a Sinhazinha Katie chega naquela noite, o Sinhô Gerald tá esperano pra atacá. Ele num me dexa entrá na sala enquanto tá brigano cum ela. A sinhazinha sai quieta e de cara branca como se eu num tivesse visto ela. Ela nunca mais fala da Sinhá Beatrice e nunca mais vai pra Fairhill.

Mas num tá curada. Não pur muito tempo. Bem na manhã do otro dia, ela e aquele cavalo tão fora de casa antes de quarqué um se levantá e quando ela vorta o sol já caiu.

O sinhô e a sinhá tão afrito e num sabe o que fazê. Tão sentino como se tivesse uma víbora bem no meio deles! A sinhá num qué batê na menina — num ia adiantá mermu. O Sinhô Gerald num qué vendê o cavalo dela. Eles num tão chegano a lugá nenhum!

A Sinhazinha Katie num me conta o que ela sente ou pensa. Ela num conta pra ninguém, a menos que teje contano pra droga do cavalo. Belzebu tá fazeno jus ao nome que tem.

A Dilcey num costuma i à igreja, mas naquele domingo ela vai só pra falá comigo depois.

O pastô fez um bom sermão e eu tô me sentino "sarva".

— Os Wilkes continua apostano? — pregunto.

— Continua. Mammy...

Eu num dô bola pru que os Wilkes faz. O que eles faz é pobrema deles. Tô só tentano adiá o que tá vino, o pruquê da Dilcey tê vino pra igreja nesse domingo e pra ela tá de tocaia. O coração sabe o que tá vino antes da cabeça sabê.

Dilcey diz que Mose, o valete do Sinhozinho Ashley Wilkes, tava nas corrida onte e, enquanto os sinhô tava na pista apostano, o Mose tava com os jóquei e os cavalariço e viu a Sinhazinha Katie. Ela tava com seu lindo cabelo enfiado num chapéu de home e tava usano ropa de montaria masculina e parecia um garoto de cabelo preto e oio verde. O granjero Able Wynder tava falano com a Sinhazinha Katie sem sabê quem ela era. Tava quereno contratá a Sinhazinha Katie pra servi de jóquei.

— Se você consegue lidar com aquele bruto ruivo, meu rapaz, vai conseguir lidar com a minha potra. Eu pago um dólar adiantado e meio a cada vitória sua.

O Mose contô pra Dilcey que a Sinhazinha Katie tamém num tava falano como ela merma. Tava falano com voz grossa feito um garoto. Ela num correu naquele dia, mas tá pensano nisso!

Bem, eu num vô dexá a Dilcey me ganhá essa, entonce eu faço de conta que num importa.

— Ah, ela só tá brincano. O Sinhô Gerald tá sabeno disso.

Dilcey dá um daqueles sorriso do tipo "te peguei numa mentira" e diz:

— Às vez eu queria sê "sarva", mas entonce me arrependo.

O que ela acha engraçado, mas eu não.

Durante toda a semana eu fico vigiano a Sinhazinha Katie feito um gavião. Me alevanto inda antes dela e me ofreço pra fazê o café da manhã dela pruque a cunzinhera inda num se acordô. Não, ela num tá com fome. Não, ela num qué nem café nem chá.

— Não está muito cedo para você, Mammy?

— Arguém tem de ficá de oio em vosmecê.

Ela dá um sorriso como a menina bonita que é e estala o chicote de montaria na perna caminhano porta afora.

Quando ela se afasta a galope, o sol é uma linha rosa no horizonte. A cunzinhera tá de camisola bocejano.

— Minha nossa, Mammy. Tudo bem cocê?

— Que bão ocê finarmente tê se levantado — digo. — O fogão já tá aceso.

Eu peço pro Big Sam e pros trabaiadô do campo ficá de oio aberto e antes da Sinhazinha Katie vi pra casa de noitinha, eu sei a maió parte dos lugá onde ela teve. Eu sei quando ela andô sartano cerca e quando ela tá correno pelo meio dos toco de tronco que foi cortado, mas inda num tá queimado.

A Sinhá Ellen tá desesperada. Tá pensano em mandá a Sinhazinha Katie pra casa da Sinhá Pauline em Savannah. Eu estremeço de pensá nas duas debaxo do mermu teto e acho que o Sinhô Gerald tamém estremece. Tarvez ele acredita nele mermu quando diz:

— A pequena vai crescer e superar essa fase.

A semana acaba. No sábado eu tô de pé, fazeno as coisa, quando Katie entra na cunzinha. Não, ela num qué comê nada e eu num tenho nada a vê cos lugá por onde ela vai cavargá hoje. A Sinhazinha Katie tá com a cara mais teimosa do mundo. Pru que ela tá com os cabelo enfiado dentro do chapéu? Ela num vai dizê.

Depois que ela sai eu acordo o Pork e o Toby. Eu digo pro Toby lavá os óio de sono, atrelá a carruage e levá ela lá pra frente. Depois eu vô lá em cima pro quarto do sinhô e da sinhá. Entro sem batê. O Sinhô Gerald tá com uma perna pelada esticada pra fora das coberta desarrumada e a Sinhá Ellen tá drumino na maió carma como se tivesse no caxão.

Eu sacudo o ombro do Sinhô Gerald e ele se acorda logo. Senta e óia pra Sinhá Ellen, mas eu boto o dedo na boca e aceno com a cabeça pro corredô. Quando nós tá lá fora, eu digo:

— Sinhô Gerald, sua fia mais véia precisa de vosmecê.

Uma dor passa pela cara dele, mas ele vai e se veste.

O Pork tá na porta da frente com o mió casaco e o chapéu do Sinhô Gerald e um café com uísque dentro. O Sinhô Gerald dá uma oiada pra ele, quereno sabê, "Ocê tamém tá nisso?", mas o Pork tá solene como uma igreja.

O Toby dirige com o Sinhô Gerald do lado. Eu vô atrás com os pé balançano.

Eu achava que nós ia direto pra pista de corrida, mas quando nós chega em Jonesboro, nós dá uma parada na loja do Frank

Kennedy. Lá dentro, o Sinhô Gerald compra aquelas bala de hortelã que eu gosto.

Tá cheio de granjero e administradô. Eles já vendeu seus porco, seus potro ou nego e agora tá comprano tabaco, uísque ou aparadô de casco ou terebitina pra tratá dos animá, mais todo tipo de produto da loja.

O Sinhô Frank mora em cima da loja e começa cedo e termina tarde. Frank Kennedy é totarmente sem graça, mas nós tudo sabe que ele vai ficá rico um dia. Ele anda comprano terra que tá barata pur causa do Pânico e a maió parte das pessoa num tem dinhero.

— Que bela manhã, Frank.

— Gerald. Que bom que parou. — O Sinhô Frank num pregunta pro Sinhô Gerald pru que ele tá na cidade sem tá vendeno nada pruque o Sinhô Frank nunca pregunta nada que o Sinhô Gerald num qué que pregunte pra ele. O Sinhô Frank pregunta pur Suellen, como ela vai de saúde e de ânimo. Ele tem uma queda pela Suellen. O Sinhô Gerald diz que ela tá na Academia Feminina estudano francês e dançano e fazeno bordado e essas coisa.

O Sinhô Gerald relembra o pai de Frank, que ele conheceu quando veio cá pro interiô.

— Grande sujeito — diz ele. — Grande sujeito, o seu pai. — O pai de Frank Kennedy era irlandês.

Um granjero interrompe quereno umas ferradura número oito.

— Tome conta desse sujeito, Frank. Ele está fazendo um trabalho honesto! — Uma boa piscada. O Sinhô Gerald tira o relógio do borso. Depois da grande corrida do mei-dia, tem três, quatro otras corrida antes das corrida dos granjero, quando quarqué um e quarqué cavalo entra.

O Sinhô Gerald senta num barril e pega o cachimbo. Eu vô lá pra fora e dô umas bala de hortelã pro Toby.

Gente, cavalo, carroça. Num vejo a Sinhazinha Katie em lugá nenhum.

Entonce eu me sento com o Sinhô Gerald tricotano sapatinho de bebê. Eu num sô das mió no tricô, mas nunca conheci nenhum bebê que fosse exigente com os sapatinho e nenhuma nova mamãe que num gostasse de ganhá.

Frank Kennedy traz o *Macon Telegraph*, que o Sinhô Gerald lê pra passá o tempo.

Os granjero vem pra dá um alô e mexericá. Ele dá um cumprimento curto de cabeça pro Angus MacIntosh, que faz o mermu. Arguma coisa aconteceu nos véio tempo entre o pessoá do Sinhô Gerald e o pessoá do Sinhô Angus e eles continua a brigá do otro lado do oceano muitos ano depois. As pessoa se alembra das mágoa e alimenta elas.

O Sinhô Gerald é simpático com Amos Trippet, que num é cavalero, mas cria os mió porco e galinha da região. Amos promete quatro porco pra Tara quando chegá a hora do abate. O Sinhô Gerald dá um tapa no jornal e fala pro Amos:

— Você já ouviu alguém falar isso? "Não sou, nem nunca fui, a favor de promover a igualdade social e política das raças branca e negra, não sou, nem nunca fui, a favor de fazer com que negros sejam jurados no tribunal nem de qualificá-los para cargos públicos nem que se casem com pessoas brancas; e devo dizer em acréscimo a isso que há uma diferença física entre brancos e negros que, creio, sempre proibirá o convívio dessas duas raças em termos de igualdade social e política." O que acha do Sr. Lincoln, Amos?

— Acho que ele quer ser eleito senador. — O véio Amos tem cabelo ruivo e pescoço fino como um dos galo dele. Amos num gosta de mim. Acha que eu me acho superiô ao que sô. — O que acha do homem, Mammy?

— Nunca conheci nenhum Lincoln. Num tem Lincoln no Condado de Clayton que eu tenha ovido falá.

— Não se meta com a Mammy, Amos. Fique atravessado com ela e os seus melhores porcos vão ter cólera e suas mulas vão ficar mancas.

Os dois home dá risada pra mostrá que tá brincano e não nervoso. Nem um poco.

O que eu acho? Eu acho que num importa o que argum Sinhô do Illinoi fala pra sê eleito.

Bem, eles fica falano de política inté Amos e o Sinhô Gerald num consegui pensá em mais nada. Amos vai tratá dos negócio dele e o Sinhô Gerald anda pela loja como se pudesse espiá arguma coisa que num pensô antes, mas pode precisá. A loja tem chero de melado, enxofre e óleo de tutano.

Nós tá esperano inté a Sinhazinha Katie ficá tão afundada na sua travessura que num vai podê se safá.

O Sinhô Gerald conversa com tudo que é freguês que entra na loja Kennedy como se fosse o proprietário e, se o Sinhô Frank num gosta, ele num pode fazê objeção pruque ele é o Frank e o Gerald é o Gerald.

Eu desmancho os ponto perdido e tricoto de novo. Quando o sino da igreja toca as 12 hora, o Sinhô Gerald acorda o Toby. Eu mais o Toby atrás e o Sinhô Gerald vai dirigindo. Nós passa trotano pelos granjero dirigino suas carroça ou levano as vaca, oveia e porco que comprô. Dois menino nego é levado pur colera no pescoço.

Nós encontra os Wilkes, pai e fio. O Sinhô John tava corado. Ele diz:

— Nunca vi nada igual, Gerald. Nosso cavalo ganhou por um corpo!

— Acho que o Sr. Gerald não está tão interessado quanto nós em nossa sorte não merecida — diz o Sinhozinho Ashley e pega o relógio. — O trem de Atlanta. Vamos pegar nossos primos.

O Sinhô John deve tê ganho um monte.

— Meu amigo Gerald, dá para acreditar que Melanie e Charles Hamilton preferem a cidade ao nosso glorioso campo? — Ele abana as mão pra todo canto em vorta.

— Leve-os a Tara, John. — O Sinhô Gerald toca na aba no chapéu, murmura arguma coisa e nós segue adiante.

Os cavalo tão alinhado pra corrida. Os jóquei nego e branco, mais sério impossíve, fica falano com as montaria, dizeno, pedino, improrano pra elas fazê o mió que pode. O Sinhô Gerald estala o chicote e nós vai a mei galope pelo lado da pista tão rápido que eu mais o Toby nos agarramo com as duas mão. Num é difício de vê o Belzebu.

Os cavalo tá empinano, dando vorta de tão excitado. Um home baxo de colete vermeio e cartola tá com um revóvre virado pra cima, os home sarta fora do nosso caminho. Os home fica gritano pra nós e um garoto tenta agarrá nossas rédia, mas nós passa pela murtidão, entra na pista e vai direto inté a linha de partida.

A Sinhazinha Katie tá usano ropa de garoto com um chapéu grande em cima dos cabelo preso. Ela tá esperano o tiro de partida, mas ele num vem pruque nossa carruage tá na pista.

Tá todo mundo xingano nós. Os cavalero fica oiano sem sabê o que tá aconteceno.

A sinhazinha parece mermu um garoto. Ela tá mais marrom que quarqué dama deve sê e sentada no cavalo dela como se fosse jóquei desde sempre. As mão são delicada demais prum garoto, mas também tão marrom.

Eu sei o que ela tá pensano tamém. Tá pensano em botá as espora no Belzebu e saí correno pela pista, mas num tem corrida se num tivé com quem competi.

O Sinhô Gerald óia com brabeza pra Sinhazinha Katie e agarra as rédea do Belzebu.

— Papai! Por favor! Nós podemos vencer — diz ela. — O pescoço do Belzebu tá arqueado e ele tá todo agitado quereno corrê. — Nós podemos vencer!

— Katie, você é uma moça — diz o pai dela. — Não pode nem tentar.

Como a Sinhazinha Katie passa a sê Sinhazinha Scarlett

AS AIA NUM são vaidosa. Elas vê o que vê e sabe o que sabe e às vez diz o que sabe, mas na maió parte das vez num diz. Quase sempre elas dexa as pessoa dizê pra elas o que onte elas já sabia. As aia faz que sim e sorri. Faz que sim e sorri.

A cunzinhera tá bateno pão de minuto e tá contano sobre a Sinhazinha Katie e os menino Tarleton e eu fico escutano com um ovido, remoeno o que vi quando a Sinhazinha Katie chegô onte de noite.

A cunzinhera acha que é a maió piada.

— Entonce a Sinhazinha Katie chega naquele cavalo grande ruivo dela bem onde a Suellen e a India Wilkes tão fazeno um piquenique. O Cade Calvert e os gêmeo Tarleton tão pegano as guloseima da cesta, mermu que as moça seje perfeitamente capaz de se servi. "Qué que pegue um copo d'água, Srta. India?" "Qué experimentá um biscoito de gengibre?" — A cunzinhera dá risada. — Essas mocinha são as mais mandona do norte da Geórgia.

— Foi isso que Jeems disse?

— Ele tá sempre com os gêmeo, num tá? Como eu tava dizeno antes d'ocê interrompê: entonce vem a Sinhazinha Katie, que tava cavargano desde o nascê do dia. Ela tá toda suja de barro e o cavalo tá imundo. Ela entra a galope, sortano tanta poera que as menina começa a tossi e batê a poera das ropa e, nossa, como elas se zanga!

— Me passa essa massa. Ocê tem de batê mais forte do que tá fazeno — eu digo.

A Sinhazinha Katie anda cavargano feito diabo desde que o pai fez ela desisti daquela bobage de corrida de cavalo. Todos os dia, o dia intero, ela fica andano a cavalo. Pode inté sê que ela anda caraminholano e cavargá ajuda ela nisso.

O Sinhô Gerald nunca fala nada do que aconteceu em Jonesboro naquele dia da corrida e a Sinhazinha Katie tamém não e nem eu. A maió parte do que a gente qué escondê num fica escondido, mas não pur causa de mexirico. As aia num mexirica.

Metade do Condado de Clayton tava na pista de corrida naquele sábado e os que num tava oviu dos que tava, mas o Sinhô Gerald e a Sinhá Ellen continua a vivê como sempre, fazeno de conta que num aconteceu nada.

A Sinhá Ellen diz pra Sinhazinha Katie que se ela fizé uma coisa dessa otra vez, ela vai sê mandada pra Savannah pra ficá com os batista e rezá quatro vez pur dia e ficá o dia intero nos sermão de domingo.

Mas a Sinhazinha Katie tá caraminholano. Arguma coisa mudô naquele dia e ela inda num entendeu direito.

A cunzinhera tá me contano como a Sinhazinha Katie interrompeu o piquenique das menina.

— A Sinhazinha Katie num se importa com Suellen nem com India. Ela qué que os moço encile os cavalo e aposte corrida com ela inté o rio.

Eu suspiro.

— Tadinha.

— Tadinha uma ova! A sinhazinha precisa vê que num é tão importante quanto acha que é. É isso que eu acho. As Sinhazinha India e Suellen fica zangada. Lá tava elas aproveitano o passeio com os rapaz loco pur elas e entonce os chapéu delas fica todo empoerado com a poera da Sinhazinha Katie. A Sinhazinha India despeja o chá da xicra dela e diz: "Brent, pur favô, pegue um chá novo pra mim. Parece que nós fomo transportado pruma tempestade de areia nas Arábia." A cunzinhera bota as costa da mão na testa como a Sinhazinha India faz quando se aborrece.

Mas eu sei que a Sinhazinha India num gosta da Sinhazinha Katie. Num gosta que ela sai pra cavargá com o Sinhozinho Ashley, num importa o quanto os dois seje inocente. A Sinhazinha India acha que a fia de um irlandês num é boa que chegue pra cavargá com o irmão dela.

— A Sinhazinha Katie ignora as Sinhazinha India e Suellen como se elas num fosse nada. Ela qué corrê a cavalo com os rapaz atrás dela, mas os sinhozinho num tá se apressano pra aceitá o convite dela como eles fez onte e anteonte.

— Eles deve tá cansado de perdê — retruco.

— O cavalo da Sinhazinha Katie fica pisano pur tudo e as menina fazeno cara feia e os rapaz fica arrastano a ponta das bota no chão, sem dizê nada — conta a cunzinhera e dá risada.

— A Sinhazinha Katie adora aquele cavalo — exprico.

— Que seje! Que seje! Daí a Sinhazinha Katie falô: "Brent, eu chego no vau antes de você." Aí o rapaz diz, baxim: "Não estou a fim de montar hoje, Katie." Entonce a Sinhazinha Katie entende. Ah, se entende! O mundo vira de cabeça pra baxo! Aqueles rapaz, que sempre preferiu ela em vez das otra, num prefere mais.

Eu fico pensano no que tá se passano na cabecinha da Sinhazinha Katie. Ela num participô da corrida no sábado. Agora os rapaz num vai mais corrê a cavalo atrás dela. *Essa* corrida tá acabada.

— O Jeems contô que a Sinhazinha Katie ficô branca feito neve. Mas num desiste. Não a nossa Sinhazinha Katie. Entonce ela diz: "Aposto que eu chego primeiro no vau." O Sinhozinho Brent coça a cabeça e responde: "Puxa, Srta. Katie. Está muito quente para andar a cavalo. Amarre o seu e sente aqui um pouco." A Sinhazinha Katie fica quieta. Os pensamento zunindo na cabeça dela feito vespa. O Jeems se mete detrás duma arvre pru caso da sinhazinha galopá com o Belzebu pur cima do piquenique das menina. Mas ela num faz isso. Ela diz: "Brent, eu não sabia que você era capaz de recusar um desafio." Entonce ela sai cavargano sozinha.

Tá escuro quando a Sinhazinha Katie finarmente chega em casa. O sinhô e a sinhá num sabe de nada que aconteceu, mas os nego sabe. O Pork tá tão desanimado que o Sinhô Gerald pregunta se ele tá doente. O Pork tem uma preferência pela Sinhazinha Katie, como eu.

Eu vejo ela na luz do lampião do estáblo e vô ajudá como posso. Ela tá escovano o Belzebu com força, como se quisesse atravessá ele com a escova.

O cavalo tá exausto, com a cabeça baxa. O coitado do animal andô inté quase morrê.

Num dianta fazê de conta que eu num sei o que tá aconteceno. Eu digo:

— Tudo bem, docim. Tá tudo bem. Logo, logo, vosmecê vai fazê o que as dama tem de fazê. Todas as dama da Geórgia faz a mema coisa. Dama tão diferente como sua mãe e a Sinhá Tarleton tem de sê dama. Num é nada de terríve. Vosmecê vai tê uma casa, uma mesa farta, um marido que le ama e bebê pra cuidá. É assim desde Adão e Eva. Docim, vosmecê num é um menino e com certeza num qué sê. Os menino monta nas corrida de cavalo e ocupa os cargo importante, mas é os menino que morre nas guerra e que é enforcado.

A Sinhazinha Katie num diz nada. Ela num qué nada de mim nem de ninguém. Ela num desce pra jantá.

Na manhã depois daquele piquenique em que Katie num conseguiu que os rapaz corresse atrás dela, a cunzinhera inda tá se rino disso e eu tô bateno o pão de minuto. Pão de minuto tem de sê *bem* batido. Eu óio pra cima quando a Sinhá Ellen entra na cunzinha e diz:

— Não comece a fazer os ovos. Katie ainda não desceu.

— A Sinhazinha Katie nunca acorda tão tarde — eu digo. — Ela deve tê saído com aquele cavalo.

A Sinhá Ellen dá um sorriso como se um dos santos dela subesse o que ninguém mais sabe.

A cunzinhera bota as linguiça numa forma e enfia no forno quentim.

O que foi agora, eu tô me preguntano.

Uma hora depois, quando a Sinhá Ellen vorta, ela tá feliz da vida.

— Mammy, você poderia servir?

É a Rosa ou a cunzinhera que serve o café da manhã. O Pork serve o armoço e a janta e as bebida dos cavalero. As aia num serve a mesa. Eu fico surpresa.

A Sinhá Ellen bate parma.

— Mammy, hoje é o Dia do Jubileu!

O Dia do Jubileu é quando nós vai sê liberto. Tá na Bíbria. Faz muitos mês que eu num vejo a Sinhá Ellen tão contente, mas num ovi nada sobre ninguém sê liberto.

— Sim, sinhá — eu digo. A cunzinhera faz bem rápido os ovo mexido como o Sinhô Gerald gosta e bota as linguiça e os pão de minuto nos prato. — A Sinhá Ellen qué que eu sirva — digo.

— Num é assim que deve sê — diz a cunzinhera.

— A Sinhá Ellen é que manda, a menos que as coisa num seje mais como era. — Eu tô pondo os prato na bandeja.

— Num vai dexá nada caí — diz a cunzinhera.

— As tua linguiça num vai se machucá se caí — eu digo pra num tê de pensá pru que esse é o Dia do Jubileu.

Na sala da janta, a Sinhazinha Katie tá sentada na merma cadera de sempre. As mão cruzada no colo.

O Sinhô Gerald num tá oiano pra fia. Ele num tá oiano pra nada. Ele põe o dedo debaxo do colarim e dá um puxão. Fica feliz de baxá a cabeça quando a Sinhá Ellen diz a bênção:

— Pai Nosso que estais no céu...

Me dá vontade de rangê os dente. Me dá vontade de gritá: "Eu sô sua Mammy! Eu ia ajudá, era só vosmecê pedi!"

A Sinhazinha Katie num é de aceitá que arguém se ria dela. Acho inté que ela podia matá quarqué um que se risse dela. Eu fico de boca calada.

Ela tinha dexado o ferro de encarocolá muito quente e o cabelo preto lindo dela tá chamuscado e opaco. Os óio verde tá vermeio e inchado e ela tá com mancha de rolha queimada saino das pestana. Ela botô pó de arroz nas face como se fosse graxa de exo de roda.

— ... em nome de Cristo. Amém. — A Sinhá Ellen pegô o garfo.

O busto da Sinhazinha Katie tinha sido empinado com o espartilho e a cintura espremida inté quase nada. Ela tá usano as sapatilha verde de dançá que era da mãe dela.

Ela só tá beliscano a comida.

— Mana Katie. — Suellen num se riu. Só disse: — Você está uma graça.

— Katie, minha querida. — A Sinhá Ellen foi logo cortano aquilo pela raiz. — Amanhã de manhã a Rosa vai ajudar você a se arrumar.

— Eu também posso ajudar. — Suellen ia ficá muito feliz de ajudá, ah se ia. O jeito de oiá da Sinhazinha Katie podia tê congelado água sargada.

A Sinhazinha Katie seca os lábio bem de leve com o guardanapo e óia em vorta pra todo mundo.

— Daqui em diante, por favor, me chamem de Scarlett. — Ela se vira para o pai. — Em homenagem à mãe do meu querido pai.

O Sinhô Gerald fica surpreso.

— Ora, ah... pequena... Scarlett... isso é magnífico.

— Minha querida avó... — Scarlett baxa a cabeça como se tivesse pensano numa véia que nunca conheceu.

O Sinhô Gerald fica sem sabê o que dizê.

Eu num consigo ficá oiano praquilo e num consigo desviá o oiá. Minha bebê Katie feito um passarim bonito, jogada e com as pena arrancada pur um furacão. Que orguio. Eu dô um sorriso como devo e pego o bule de café pra servi.

A Sinhazinha Carreen sabe que arguma coisa aconteceu, mas num sabe o quê.

— Mas... Scarlett — diz ela. — Katie...?

— Cara irmã, Katie não existe mais. Papai, você está tão quieto hoje.

— Estou apenas pensando nas coisas, doçura. Apenas pensando... sobre... as coisas.

A Sinhá Ellen conseguiu o que queria. Eu tamém, acho. A Sinhazinha Ka... Scarlett tá ficano com compostura e eu bem queria tá me sentino mió com isso.

— Onde você vai cavalgar esta manhã, querida?

Scarlett dobra o guardanapo e bota ele no anel de guardanapo. O guardanapo fica sorto, mas ela ajeita ele estufado, de mode ele se esparrama do lado do prato de um jeito bobo.

— Não vou cavalgar esta manhã — diz ela.

— O quê?

— Não vou cavalgar hoje.

— Ah!

— Papai, talvez o senhor possa passear com ele.

— Mas eu...

— Seria melhor se o cavalo se exercitasse. — Ela dá uma risadinha, mas num tem nada de engraçado. — Ele está acostumado... — ela quase começa a chorá, mas se controla — ... a fazer bastante exercício.

Eu penso "e você não?". Mas fico quieta. Num é meu direito falá nada.

— Papai, o senhor não gosta do cavalo?

— É claro que gosto, pequena, mas...

As coisa podia tê tomado dois rumo. A Sinhazinha Scarlett tava no fio da navaia quando disse, como se fosse uma brincadera entre eles dois:

— Com certeza, não existe melhor cavaleiro que Gerald O'Hara.

O Sinhô Gerald ficô contente, como ela sabia que ele ia ficá. Ele ficô com aquele jeito na cara que os home fica quando uma moça bonita diz pra eles bem o que eles qué ovi. E o Sinhô Gerald é um home crescido! Os garoto vizinho, aqueles Tarleton, Calvert e Fontaine, são brincadera de criança.

Eu num tava mais oiano pra ela pruque num queria vê a Sinhazinha Scarlett tentano num chorá.

Fico pensano: "Coitadinha da menina."

Fico pensano: "Coitadim do Belzebu."

Fico pensano: "Coitadim dos jove cavalero."

Como a Sinhazinha Scarlett parte os coração

SE EXISTISSE ARGUM rapaz que não tivesse o coração partido no Condado de Clayton, é pruque ele num tinha conhecido a Sinhazinha Scarlett O'Hara.

Aquela menina num era boba e num levô muito tempo pra aprendê como os rapaz era. Scarlett num era linda — oh, qué dizê, num era sem graça como a Sinhazinha India, mas num era de virá a cabeça tamém. Ela estudava os rapaz e em poco tempo se transformava num bibelô que os rapaz mataria pra tê. Um bibelô precioso fora do arcance deles.

Ela deitava e rolava. Pensa que Scarlett num sabe como os rapaz fica animado quando uma moça bonita compara eles — compara eles de mó *favoráve* — com Andrew Jackson ou Josué ou — sem dizê assim direto — o mió toro do pasto?

Isso nem sempre vinha com naturalidade. Era uma luta pra ela bancá a desamparada. Mas se as moça deve de sê desamparada... "Pur favô, me ajuda a descê. Meu estribo tá tão longe do chão!" Num era fácil pra ela. Ela era muito mais capaz do que os rapaz pra quem fazia de conta que era desamparada.

Que Deus tenha piedade — a menina que sartava as cerca mais arta em toda a região precisa do braço de um rapaz pra subi na carruage e "Pur favô, não vá muito depressa". Meu Deus do céu, não. O delicado estômago da Sinhazinha Scarlett dava "reviravorta quando ocê dirige de manera muito ousada".

Não, num foi fácil. No iníci, quando argum pobre rapaz hesitava ao decidi o que fazê, a Sinhazinha Scarlett perdia a paciência e fazia ela merma. Mas assim que aprendeu como os rapaz é, ela foi ficano cada vez mais fraca inté que quarqué lufada de ar dexava ela nervosa!

Os mió truque dela vinha de um jeito naturar. A Sinhazinha Scarlett sempre conseguiu se concentrá numa coisa só sem se importá com as otras coisa. Quando ela sartava as cerca, ela só sartava a cerca, sem ficá pensano se tarvez a camisa dela tivesse saído pra fora e ela tivesse mostrano o que num devia quando sartava a cerca, nem ficava pensano se tinha feito seus dever nem sobre rezá naquela noite com a famia. Quando a Sinhazinha Scarlett se concentra no que ela qué ou qué fazê ou qué pensá ou qué tê, ela só pensa naquela coisa e mais nada, não em duas coisa, nem uma e meia. Quando a Sinhazinha Scarlett botava aqueles óio verde dela em argum rapaz há poco saído das carça curta, o coitado num tinha mais chance que um froco de neve no mês de juio na Geórgia! Num importa o que ele tiver pensano — se é que tará pensano —, ele num vai se livrá daqueles óio verde que tão medino ele, toda as suas parte, dos pé à cabeça, como ninguém nunca fez antes, a num sê tarvez a mãe dele quando ele era bebê. Aquele rapaz nunca sôbe antes como o sol e a lua roda em vorta dele e não em vorta dotro rapaz! Ele nunca sôbe que era tão danado de esperto! Ele nunca sôbe que era forte como aquele toro no pasto, que nenhuma dama nunca inspecionô bem de perto, mas que toda dama sabe que elas precisa de arguma coisa como aquele toro quando se casá. Pode sê que as oreia do rapaz fique vermeia e tarvez ele gagueje, mas num tem rapaz, nunca, nenhum deles que desvia do oiá da Sinhazinha Scarlett inté ela sacudi a cabeça e dispensá ele como se ele num fosse nada além duma bijuteria barata. Aquele oiá da Sinhazinha Scarlett vem natural. É a mió arma dela.

Num demorô pros rapaz começá a vi pra Tara como abeia pru mé derramado. Tinha rapaz na varanda de manhã e rapaz se demorano pur lá quando os lampião era aceso no fim da tarde. A Sinhá Ellen matriculô a Sinhazinha Scarlett na Academia Feminina de Fayetteville. Ela precisava de mais compostura antes que fosse tarde demais!

A Sinhazinha Scarlett num qué ir. Ela sente saudade dos churrasco, dos piquenique, dos baile, mas vai mermu assim. A única coisa no mundo que a sinhazinha tem medo é da mãe dela.

Na primera vez que o Sinhô Gerald monta no Belzebu, o cavalo derruba ele. Na segunda vez tamém. O Sinhô Gerald é bão cavalero, mas num é o cavalero do Belzebu. No sábado depois que a Sinhazinha Scarlett sai pra Academia de Fayetteville, o Sinhô Gerald leva o cavalo pra Jonesboro e vende ele.

Quando a Sinhá Beatrice ove o que ele fez, ela fica loca de raiva. Ela num qué ninguém comprano o Belzebu e se a Sinhazinha Scarlett num vai mais montá nele, é mió o Sinhô Gerald retorná o cavalo pra Fairhill. A Sinhá Beatrice faz questão disso. Ela faz tanta questão que nós de Tara num vai no próximo churrasco em Fairhill. Os fio da Sinhá Beatrice num dá bola pra raiva da mãe deles. Eles pode ficá matano o tempo em Fairhill assim como em Tara, entonce é isso que eles faz.

Quando a Sinhazinha Scarlett vorta pra casa, o Sinhô Ashley e ela anda a cavalo, conversa e faz os piquenique deles como sempre fazia quando a sinhazinha era uma impetuosa irresponsáve. Um dia, depois de um piquenique nos jardim de Twelve Oaks, a Sinhazinha Scarlett chega em casa e me conta:

— As rosas Bourbon existem desde o tempo do Rei Bourbon.

Scarlett pregunta pro Sinhozinho Ashley se é verdade que os ruano é mais veloz que os baio e se um cavalo de cabeça branca tem mais chance de ficá cego. Se o Sinhozinho Ashley notô que ela passô cavargá na sela lateral, nunca disse nada.

O Sinhozinho Ashley se acha o máximo e é cavalero inté demais, mas era bom pra Sinhazinha Scarlett e nenhuma travessura acontecia entre os dois. Eles nunca precisô de acompanhante.

O Sinhô Gerald gosta do Sinhozinho Ashley e num diz nada, mas acha que ele devia tirá a cabeça dos livro e prestá mais atenção na capina, no prantio e na colheta do argodão.

Quando a Sinhazinha Scarlett fica sabeno que o Belzebu foi vendido, pregunta pro Sinhô Gerald se ele vendeu os arreio com aquele medaião véio? Ele diz que os arreio foi tudo com o cavalo. Ela fica mais afrita com a perda do medaião que com a do cavalo. Como eu já disse, a Sinhazinha Scarlett faz só uma tarefa pur vez.

Ela num dá bola pra Academia Feminina e pregunta pra mãe que uso tem francês e retórica pruma dama que vai se casá e tê bebê e dirigi os criado da casa. A Sinhá Ellen diz que as moça de agora tem mais oportunidade que antes e que a Sinhazinha Scarlett devia sê agradecida.

A sinhazinha se pregunta se as coisa mudô tanto assim: os home num é home e as muié, muié?

A Sinhá Ellen diz que home e muié é quase a merma coisa, mas os cavalero e as dama é diferente em cada geração.

— Nós mudamos, minha querida. Talvez você não ache, mas mudamos, sim.

— Uma garota da Academia disse que nenhum irlandês pode ser um cavalheiro.

— Querida, querida Scarlett — disse a mãe dela, dando risada pruque nunca tinha ovido coisa mais boba —, *algumas* pessoas acreditam em qualquer coisa.

Eu, eu num ia querê nenhuma garota insurtano o Sinhô Gerald. A Sinhazinha Scarlett ama sua mãe, seu pai e Tara. Acho que ela me ama um poco tamém.

A Sinhazinha Scarlett num liga pras aula com as otra sinhazinha, mas num se importa mais de ficá na Academia Feminina depois que os rapaz começô a fazê visita. Tá ela lá com a professora sentada no salão tomano chá com um rapazim que num sabe o que dizê e a Sinhazinha Scarlett num tá ajudano. Numa tarde o Toby me leva inté lá pra levá os vestido que ela qué, entonce eu tô na sala quando o Brent Tarleton fala de política e do preço do argodão, que num vai vortá, e da economia, que tamém num vai. A Sinhazinha Scarlett tá muito, muito interessada e agradecida pelo Brent sabê dessas coisa *importante* pra mode que as moça num precise forçá as cabeça com isso!

O Belzebu tá morto. O home que compra ele num consegue montá e o home pra quem ele vende tamém num consegue. Entonce mata o cavalo. Eu num digo nada pra Sinhazinha Scarlett, mas acho que ela sabe. A Sinhá Beatrice começa a dizê que Scarlett é uma "assanhadinha de olhos verdes e duas caras".

As nuve da guerra tão se juntano e a Sinhá Ellen num para de rezá. Quando num tem muito trabaio em Tara, ela pega o trem da manhã pra ir na missa católica de Atranta.

Acaba o verão e a maió parte do argodão de Tara tá colido quando chega a notícia do Sinhô John Brown. O Administradô Wilkerson corre pra casa-grande com duas pistola, uma grande e uma pequena, enfiada no cinto. O sinhô e a sinhá tá com a Suellen na varanda. O administradô vai logo preguntano onde tá as Sinhazinha Scarlett e Carreen.

O Sinhô Gerald diz que a Sinhazinha Carreen tá no quarto e Scarlett em Fayetteville, se é que ele precisa sabê. Ele se aborrece pruque o administradô chegô de repente quando ele e a Sinhá Ellen tava conversano.

Mas a Sinhá Ellen ove o *jeito* que ele pregunta.

— O que está havendo, Wilkerson?

O Pork tá moiano as pranta da janela e eu tô pur ali e o administradô óia pra nós e diz:

— Saiam.

O Pork faz uma careta. Ele é criado do Sinhô Gerald. Eu nem me dô o trabaio de fazê careta.

O administradô bota a mão na pistola grande e diz numa voz marvada que arguém vai saí machucado.

— Vocês ouviram a minha ordem.

O Sinhô Gerald se levanta. A boca dele tá estreitano e ele tá ficano vermeio, mas a Sinhá Ellen segura o braço dele.

— Por favor, Gerald. Pork. Mammy. Deixem-nos a sós um minuto, por favor.

Entonce o Pork mais eu resmunga, mas sai.

Nós vai direto pro pátio dos fundo e descobre logo que tumulto é aquele.

O que acontece: o Big Sam mais o administradô tava na loja Kennedy de manhã cedim comprano faca de arado quando chega um telegrama que dexa os sinhô tudo agitado. O telegrama é sobre uma revorta de escravo na Virgínia liderada pur um home branco, John Brown. O Big Sam conta:

— O Wilkerson me procura, pega meu canivete e aponta a pistola pra mim durante todo o caminho pra casa.

As coisa tá girano lá naquele pátio da cunzinha e eu fico sem ar como se fosse desmaiá. Big Sam mais Pork faz eu sentá e a Rosa traz água e um pano frio. Eu quero fechá os óio, mas num posso pruque os esprito tão dançano dentro das minha párpebra, esprito que eu num queria vê nunca mais.

Os sinhô de Jonesboro tão trancano seus nego nos garpão e na casa de carne, em quarqué lugar com porta forte que tem tranca. Big Sam conta que a milícia da Geórgia foi chamada e os sinhozinho tá a cavalo com espada e revóvre e os nego que num tá trancado tá se escondeno.

Ninguém sabe direito o que tá aconteceno e ninguém sabe direito o que fazê. Os sinhô num sabe e os nego tamém não.

Mais tarde, nós ove que o Administradô Wilkerson é a favô de trancá o pessoá de Tara. Ele diz pro Sinhô Gerald que ele é bão demais pros nego e é pur isso que os nego tá se rebelano. A Sinhá Ellen diz que o Sinhô Gerald é que manda e que se o administradô num concordá com o Sinhô Gerald, tarvez ele possa encontrá otra fazenda que seje mais do gosto dele.

O Sinhô Gerald manda o Big Sam avisá o Sinhô John Wilkes. O Sinhozinho Ashley sai a galope pra Fayetteville pra buscá a Sinhazinha Scarlett, que vem pra casa de vorta na garupa do cavalo.

Bem, nós num é trancado naquele dia nem naquela noite, mas o Sinhô Gerald, a sinhá e as menina tudo drome no quarto com as pistola do Sinhô Gerald. O Pork pega um revóvre e monta guarda numa cadera na porta do quarto. Eu num quis subi pro corredô de cima naquela noite inté sê madrugada e o Pork tá roncano!

Os sinhozinho tá tudo patrulhano as estrada. Cruz-credo, eu é que num queria sê um nego andano pur aí sem passe.

Na manhã dotro dia, a Sinhá Ellen tá na cunzinha enquanto a cunzinhera prepara o café. Ela óia pra nós de um jeito que a cunzinhera fica nervosa, dexa caí um prato que se quebra em três pedaço. Eu digo:

— Sinhá Ellen, vosmecê era um bebezim enrugado quando eu peguei vosmecê pela primera vez. Seus bebê Scarlett, Suellen e Carreen, eu cortei os cordão delas com essas mão.

Entonce a Sinhá Ellen diz:

— Desculpe, Mammy. Esse negócio terrível do Brown... — E ela vorta pra sala de jantá, onde é o lugar dela.

O telégrafo de Jonesboro faz baruio dia e noite. A revorta do John Brown parô e ele tá cercado. No dia seguinte, os sordado marchô pra lá. No otro dia ele foi pego.

Esse Brown ficô maluco! Será que aquele tolo tá pensano que eu devia matá a Sinhazinha Scarlett? Que o Big Sam devia segurá a Carreen pru Pork cortá a garganta dela? Quarqué especuladô de escravo sabe mió quem é os nego do que o John Brown. Ele tá falano com ele mermu; achano que sangue arresorve as coisa. Sangue é sangue. Sangue é sangue!

O aniversário da Sinhazinha Scarlett é sete dia depois da revorta do Sinhô Brown.

Nós num tá quereno nenhuma comemoração, entonce a Sinhá Ellen convida os Wilkes prum chá em vez de dá um churrasco. Charles e Melanie Hamilton mais a tia Pitty vêm com eles. A Sinhá Pitty num sabe falá de mais nada, só dos branco que foi assassinado na própria casa. Ela diz:

— Bem como aquele Denmark Vesey fez em Charleston. Centenas de inocentes mortos em suas camas.

Eu num corrijo a Sinhá Pitty. Num é boa hora pros nego corrigi os branco.

Os sinhô branco diz que eles num pode ficá na União onde John Brown tá fazendo revorta. O Sinhô Gerald e o Sinhô John tão brabo com o Sinhô Jim Tarleton pruque ele tá a favô da União. A Sinhá Ellen pede pra eles levá a política deles pra fora, pra varanda pur favô, eles vai e leva o decantadô de uísque junto.

O Sinhozinho Ashley tá elogiano um livro quarqué e a Sinhazinha Scarlett faz que sim como se tivesse lido aquele livro e uma porção de otros tamém.

Eu tô na cunzinha arrumano os sanduíche e os bolo quando a Sinhazinha Melanie vem ajudá. Quando eu agradeço a ela, mas não, eu num preciso de ajuda, ela diz:

— Várias mãos tornam a carga mais leve, não acha?

— Não se as mão fô branca — eu digo e ela fica surpresa antes de ri. Pruma moça tão pequena, ela tem uma risada grande.

— Bem, Mammy — diz ela —, vou me esforçar para fazer jus às suas expectativas.

— Num tenho nenhuma — digo pra ela. — Já perdi as expectativa faz um tempão.

O rostinho dela fica pensativo.

— Está brincando, não é?

Eu meio que tô, mas num vô confessá.

— Eu ficaria muito infeliz se não tivesse grandes expectativas. Não podemos, ao menos, esperar pelo melhor?

Ela é tão sincera que num posso dexá de respondê a verdade.

— Na maió parte das vez, as coisa num sai como a gente espera.

— É verdade — diz ela. — Mas, como escreveu São Paulo: "As nossas leves aflições, momentâneas apenas, produzem para nós uma glória incomparável, de valor eterno; assim sendo, fixamos os olhos, não naquilo que é visível, mas no invisível, pois aquilo que se pode ver é temporal, mas o que não se pode, é eterno."

— Humm. Nós semo temporá, isso com certeza.

O sorriso da Sinhazinha Melanie alumia aquela cunzinha como o sol entrano pela porta. Eu dô um sorriso, num posso me controlá. A cunzinhera tamém tá sorrino.

— Com esperança na eternidade. — A Sinhazinha Melanie pega minha bandeja dos biscoito. — Quando novamente estaremos com aqueles que amamos.

A Sinhazinha Melanie perdeu o pai e a mãe. Ela e o irmão são órfão. As criança órfão sabe tudo que tem pra sabê sobre "ser temporá".

A Sinhazinha Melanie serve primero a Sinhá Ellen, depois a Sinhá Pittypat. Entonce ela serve os jove. Ela leva os biscoito pra varanda antes de servi o irmão, Charles, e só pega um pra ela.

A Sinhazinha Melanie Hamilton tem compostura!

Com John Brown ou sem John Brown, nós faz a colheta do argodão e os trabaiadô de Tara tá colheno assim que o orvaio evapora. O Sinhô Gerald fica a cavalo do campo pra prensa e de vorta, garantino ele mermu que as coisa seje feita direito. Quando num tem trabaiadô que chega, ele desce do cavalo e colhe ele mermu!

Tem três bebê novo na senzala e a Sinhá Ellen mais eu tamo ocupada com eles além do resto que nós tem pra fazê. O Toby leva as Sinhazinha Carreen e Suellen pra Twelve Oaks todas as manhã pra elas fazê aula junto com as Sinhazinha India e Honey. O Sinhozinho Ashley trasformô a bibrioteca numa sala de aula.

A Sinhá Ellen recebe carta da Sinhá Pauline dizeno que Nehemiah faleceu. A mão da Sinhá Ellen treme e ela chora. O *Savannah Gazette* conta como o Nehemiah era o nego liberto que era home de negócio mais respeitado da cidade.

O Nehemiah morre sem nunca tê juntado os trapo com ninguém. Eu num gosto de pensá nisso, entonce num penso. Será que ele tem argum irmão ou irmã? Ele nunca falô disso.

A Sinhazinha Scarlett tá de vorta na Academia Feminina, onde os rapaz num passa de estorvo.

No dia dois de dezembro o Sinhô John Brown é enforcado. A Sinhazinha Scarlett diz:

— Brown serviu para estragar meu aniversário; ainda bem que não estragou o Natal.

Naquele ano Tara tem uma dessas novidade de arvre de Natal na sala. Eu num entendo o que um pinhero tem a vê com o Jesus bebê, mas os branco gosta. Primero, Twelve Oaks dá um baile, depois Tara dá um baile, entonce é a vez do baile de Fairhill, mas argumas pessoa num foi pra Fairhill pruque o Sinhô Jim é a favô da União. A Sinhá Scarlett num foi pur causa de que a Sinhá Beatrice ainda tá braba com ela pur causa do Belzebu.

Nós se separa

Eu perdi a maioria dos que eu amava e a maioria morreu de um jeito feio.

A tormenta da guerra tá rugino sobre Tara como um leão furioso, e eu fico me alembrano. Num consigo me controlá! Detesto fechá os óio. Uma noite depois da otra eu fico me alembrano daquele cesto de vime que era grande demais pra guardá a mandioca, mas a gente num tinha otro. Eu tinha me escondido lá dentro fazeno de conta que ninguém podia me vê e acho que era verdade, pruque eles num me viu quando veio.

Eu sempre me escondia naquela cesta. "*Ki kote pitit-la?* Ah, onde tá aquela menina?", minha mãe cantava e eu tapava a boca pra num ri.

Os fazendero quase num fala mais do tempo, nem do que o argodão tá valeno. Eles fala sobre quem qué sê presidente e o que o Congresso tá fazeno e essas coisa. Quando os fazendero num tá praguejano contra o tempo ou os preço da safra é pruque tem arguma coisa muito errada.

Eles passa a vida intera prantano, capinano, cuidano e se preocupano. Viveno de mó tão devagá que era difício vê arguma mudança. Num é mais assim. As coisa tá se moveno mais rápido que a locomotiva de Atranta! Naquela primavera, o Partido Democrático se dividiu em dois e o partido da União Constitucional se alevanta, sai correno e parte dos sinhô sê a favô de um e parte sê a favô dotro.

No dia quatro de juio todos nós vai pra Jonesboro pro discurso do Deputado Stephens. A Sinhá Ellen num qué ir, mas o Sinhô Gerald diz que o Sinhô John Wilkes vai tá no palanque com o Stephens e a ralé branca pode num se comportá bem e o Sinhô John precisa de todos os amigo que tem.

O Pork me conta que o Sinhô Gerald anda com duas pistola no casaco, mas eu num conto pra Sinhá Ellen nem pras menina. O Pork num vai. Ele diz que os nego num tem lugá nas discussão dos sinhô.

Em Jonesboro tem bandera e faxa vermeia, branca e azul em tudo que é canto que se óie. Pra lá dos trilho do trem, debaxo da sombra das arvre tem um palanque com mais faxa onde o Sinhô John Wilkes mais o Sinhô Jim Tarleton tá falano com arguém tão pequeno que parece um menino usano o terno do pai. O homezim é branco como se tivesse morto desde onte, mas ele fala com entusiasmo e agarra o braço do Sinhô Jim de modo que dexa o casaco dele amassado. Acho que aquele home deve sê o Sinhô Stephens.

Os home branco a favô da secessão tá no lado leste da estação cos amigo e os a favô da União dotro lado. Os menino Tarleton mais véio tão do lado do pai. Boyd tá com uma daquelas bengala de chumbo e Tom tá com a mão no borso. Raif e Cade Calvert num tá muito longe. A mãe dos menino Calvert, ela é ianque.

A Sinhá Ellen tá falano com a Sinhá Calvert pruque ninguém mais fala.

É um juio quente. As dama tão debaxo das sombrinha de seda e abanano os leque de foia de parmera.

Os gêmeo Tarleton, Stuart e Brent, num dá bola pra política. Eles tá numa sombra de arvre fazeno galanteio pra India Wilkes.

Tá chegano o mei-dia e os home tá se quexano, o que para quando chega as barrica de uísque. Acho que eles tava devagá de propósito. Home branco e uísque num combina.

Eu tô na prataforma da estação, longe da murtidão. O valete do Sinhô John, o Mose, é a única otra pessoa de cor.

— O que acha disso, Mammy?

— Eu acho que nós num tamo onde devíamo tá.

Num quereno mais ovi os grito pra barrica de uísque, nós entra na estação, onde podemo vê pela janela, mas num é fácil sê visto.

O horário dos trem tá do lado da bilheteria. O Mose sabe lê um poquim e me diz que Jonesboro tem seis trem indo pro sul e oito indo pro norte todos os dia, menos domingo. Eu digo que num é preciso sabê lê pra sabê disso. Mose diz que tem mais dois indo pro norte que indo pro sul, entonce vai chegá o dia que o sul vai ficá sem trem.

— Olha lá a Sinhazinha Scarlett — eu digo. — Tá veno como ela tá rodeano os gêmeo Tarleton, como se tivesse bem distraída. Que lindo dia pra fazê um passeio. "Ora, olá, Stuart! Olá, Brent! Que bão encontrá ocês aqui!"

— A Sinhá Beatrice diz que a Sinhazinha Scarlett é uma... — diz o Mose.

— Eu sei o que a Sinhá Beatrice diz — respondo. — Todo mundo sabe.

Apesá do Sinhô John Wilkes sê a favô de ficá na União, ninguém tá brabo com ele pruque o Sinhô John tá sempre lendo os livro e prantano o argodão tarde. Mas o pessoá tá incomodado com o Sinhô Jim Tarleton pur ele sê a favô da União pruque ele é rico e caça e aposta e galopa pur aí e bebe e pega os mió preço pelo argodão. Como o Sinhô Jim é a favô da União, será que os otro tamém vai ficá, como criança que pegue sarampo?

Esse comício é pela União, mas quase todo mundo veio aqui pra se separá da União e é pur isso que levô tanto tempo pro uísque chegá. O Sinhô Jim levanta as mão e todo mundo fica quieto, menos os que inda num encheu o copo.

Ele apresenta o homezim, que é o deputado Stephens, como eu tinha pensado. O Sinhô Jim diz que o Sinhô Stephens é um grande home branco da Geórgia pur causa do que ele é e do que ele fez.

Eu posso vê pela cara sem graça da India Wilkes que a Sinhazinha Scarlett se assanhô pro lado dos gêmeo Tarleton. Os rapaz tá de boca aberta como bebê quando perde o mamilo.

Argumas pessoa bate parma pro Sinhô Stephens e otras vaia. A voz dele é maió que seu tamanho e de longe como nós tamo eu oiço cada palavra.

— Ó Jerusalém, Jerusalém, que mata os profetas e apedreja os que a ti são enviados... — E isso cala as vaia pruque Stephens faz isso parecê uma mardição de mode que todo mundo pode tá amardiçoano Deus. Ele num fica bíblico pur muito tempo, vai direto ao assunto que todo mundo tá quereno remexê: — Será que o povo da Geórgia deve se separar da União se o Sr. Lincoln for eleito para a presidência dos Estados Unidos? Meus compatriotas, eu lhes digo, franca e sinceramente, com toda seriedade, que não acho que devam.

Com Deus ou sem Deus, isso provoca vaia. Os home da carroça do uísque é os que mais vaia.

O Sinhô Stephens diz que os fazendero prosperô, "apesá do governo geral". E diz que sem esse governo eles num ia tê ganhado tanto como ganhô. Ele carcula que a propriedade na Geórgia vale o dobro do que valia dez ano atrás pur causa daquele governo. Será que eu mais o Mose conta nessa propriedade?

O pessoá ove o Sinhô Stephens com respeito, mas se entusiasma quando ele acaba o discurso dizeno que se fô pra Geórgia se separá, ele se separa com ela.

— Sua causa é a minha causa, e seu destino, o meu destino; e confio que este será o último recurso.

Todo mundo bate parma inté as mão ficá doeno, os menino Tarleton e os Calvert tamém. Esses menino nunca viu sangue pingano pelo cesto de mandioca.

Nós aproveita um bom otono vagaroso. As foia fica vermeia feito sangue e amarelo oro pra nos alembrá do que podemo perdê. Lincoln é eleito e os que era a favô de ficá na União começa a falá de secessão, e os da União que num mudô tá mais quieto que nunca.

Depois que a Sinhazinha Scarlett termina a Academia Feminina, ela vorta pra Tara. Quando o tempo tá ameno, ela sai pra cavargá com o Sinhô Ashley e quando tá frio ou ventano, eles fica na bibrioteca de Twelve Oaks. A Sinhazinha Scarlett num sabe nada de pintura nem dos país oropeu e num liga pra lê livro, entonce eu imagino que ela fica escutano. Pode sê que a compostura do Sinhozinho Ashley passe pra ela.

Os baile de Natal do interiô num é como os de Savannah, mas esse ano eles tá tão magnífico como pode sê. Tudo que é casa-grande nas fazenda tem uma dessas nova arvre de Natal. A arvre dos Munroe pegô fogo, mas eles botô ela pra fora. O vestido da Hetty Tarleton ficô muito perto da larera e pegô fogo, mas o pai dela e o Sinhô Jim rolô a Sinhazinha Hetty pelo chão e apagô o fogo antes dela se queimá. Ashley Wilkes diz pra Sinhá Ellen que o baile de Tara é tão magnífico quanto quarqué um que ele foi na Oropa. Acho que a Oropa num é tão magnífica quanto Savannah.

A Sinhazinha Scarlett tá abrino caminho entre os jove cavalero como se fosse uma ceifera e eles trigo maduro. O Cade Calvert é tão tímido que gagueja quando tenta falá com ela, entonce ele vai a cavalo inté a varanda de Tara e dexa uma frô na cadera da Sinhazinha Scarlett. Vem todas manhã pra dexá uma frô. Na maió parte das vez quando ele dexa a frô, a otra de onte tá bem onde ele dexô, entonce ele troca a véia pela nova. Quando num tem frô, ele dexa uns maço de frutinha vermeia.

A Carolina do Sul acabô se separano da União, entonce a Geórgia tamém qué se separá e eles chama as figura da lei como o Sinhô Jim Tarleton pra ir pra Assembreia Legislativa e os fio mais véio, Boyd e Tom, vai com ele. O Sinhô Jim diz que eles sê "testemunha da história".

Depois que a assembreia vota pra dexá a União, os fazendero do condado começa a formá uma milícia. Eles qué chamá a milícia de um nome forte, como Cinzentos de Clayton ou Fuzileiros do Interior ou Bravos e Velozes. A Sinhá Calvert costura uma bandera com uma cápsula de argodão dizeno "Voluntários do Condado de Clayton", mas arguns dos miliciano num curtiva argodão e a Sinhá Calvert é ianque, entonce eles agradece ela e chama a tropa deles de a Tropa, que é como tão chamano desde entonce. Ashley Wilkes é capitão e Raiford Calvert é tenente. Eles fica sem cavalero antes de montá a tropa intera, entonce os que num é cavalero, que num pode tê cavalo, ganha os cavalo daqueles que pode. Quando a Sinhá Beatrice dá os cavalo dela, ela diz que qué eles de vorta são e sarvo como tava. Todo mundo acha que vai lutá uma bataia, que os ianque vão fugi e que a Geórgia vai se separá.

Quando a Tropa trena na pista de corrida de Jonesboro, tá todo mundo rindo e balançano as espada e tem uma névoa em vorta deles tudo que tá tão grossa que eu fico sem tê certeza se eles tá neste mundo ou com um pé notro. Os rapaz risonho, os triste, os animado, os azedo, os corajoso e os temeroso, a névoa tá em vorta de todos.

Semana passada, a Dilcey tava ino pra casa no coche do Sinhô Wilkes da casa dos Slattery, onde a Sinhá Slattery ia tê bebê. Tinha uma tempestade de trovão e raio e caía uma danada de uma chuva, e quando a Dilcey oiô pela janela do coche, ela viu perna de cavalo do lado. Que tamanho tem um cavalo que tem as perna arta inté a janela do coche? Dilcey fechô bem os óio. Quando ela preguntô pro Jincy, ele num viu nada.

Tem noite que quatro cavalero chega tão perto de Tara que eu oiço o baruio dos casco.

Como vai sê perdê tudo? Sem Tara, sem Twelve Oaks, sem Jonesboro, sem Atranta, sem ferrovia, sem campo de argodão, sem vaca leitera, sem galinha, sem porco, sem nada? Como vai sê quando todos os rapaz do interiô tivé deitado do lado dos três Gerald?

Eu fico remendano as ropa inté passado meia-noite. A Sinhá Ellen diz que remendá num é serviço pra eu, que a Rosa pode fazê isso. Eu num digo pra ela que tô ficano acordada pur causa do cesto de mandioca, da minha Martine querida e do pobre do meu Jehu que queria ficá de cabeça erguida.

Todo mundo tá apreciano os rapaz balançano as espada no ar e os home fazeno mesura pras dama e os gêmeo Tarleton correno pra cima e pra baxo na pista e o véio Sinhô MacRae, que lutô na Guerra Mexicana, tá falano pros rapaz que nunca viu nenhuma guerra e como é ruim aquilo que parece grorioso. Num deve sê tão terríve pra eles! O Sinhô Ashley tem um livro de trenamento que ele tá estudano e ele fala os comando e eles guarda as espada e fica mais o menos alinhado uns do lado dos otro e quando o Capitão Wilkes dá um grito, todo mundo tira as espada ao mermu tempo e fica tudo cintilano e chiano como nunca ovi antes e nunca mais quero ovi.

Todos os rapaz que ela deixa se apaixoná, tá apaixonado pela Sinhazinha Scarlett.

As menina tão com inveja. Honey e India Wilkes, Betty Tarleton, Sally Munroe — inté as irmã da Sinhazinha Scarlett tá com inveja. A Sinhazinha se aborrece? Não. Ela deslumbra todos os rapaz que qué e, antes deles ficá orguioso, ela vai se embora.

A Sinhazinha Scarlett é como um melro, tão fixada em cantá que num se importa quem ove a canção. Tarvez ela num pretenda brincá com os rapaz, mas é isso que faz.

Quando Stuart Tarleton é expurso da facurdade, ele conta pra Sinhazinha Scarlett que foi expurso pra podê ficá com ela. A sinhazinha faz de conta que acredita nele! Ela diz pro Sinhozinho Stuart: "Você não deve jogar seu futuro fora por minha causa."

Stuart diz que ele tarvez num tenha futuro, sem querê dizê isso de verdade, do jeito que os rapaz diz as coisa sem querê dizê, mas dizê é briá mais pros óio da Sinhazinha Scarlett.

Os rapaz num têm isso de "se segurá" nem de "esperá um poco". Eles qué o que eles qué e logo. As moça que têm compostura pode rechaçá eles. As moça que num têm compostura meio que promete e dá uma piscada inté ir se embora e eles esfriá. Eu num quero sabê dos pesadelo desses rapaz.

A Tropa trena duas vez pur semana e depois que acaba de balançá as espada eles vai tudo pra Taberna do Robertson pruque o trabaio patriótico dá sede.

O Jeems tá com os gêmeo Tarleton como sempre. O Jeems é um patife. Ele conseguiu uma muié nos Munroe e uma mocinha dos Tarleton tá carregano um fio dele. O Jeems é o único nego que pode entrá na Taberna do Robertson quando a Tropa tá se felicitano e seno poderosa e bebeno e assustano os ianque se tivé argum pur lá. O Jeems sabe como desaparecê. E é o que ele faz quando é preciso.

Os rapaz tá bebeno e comentano sobre o que eles vai fazê pros ianque inté o Cade Calvert dizê:

— Os ianques não são todos maus. Alguns estão felizes de ver a nossa separação.

— Não existem ianques bons — diz Stuart Tarleton.

Com a madrasta do Cade seno ianque e o pai do Stuart Tarleton votano contra a secessão, os dois rapaz têm muito pra se redimi.

O Cade Calvert ove falá de sua madrasta desde pequeno. O Stuart já foi expurso de duas facurdade e tá pra sê expurso de uma tercera.

— Esperemos que os ianques fiquem felizes de nos ver partir — diz Cade Calvert. — Feliz desembaraço.

— O que você quer dizer com isso? — pregunta Stuart Tarleton.

— Como assim o "que eu quero dizer"? — retruca Cade Calvert. Por via das dúvida, ele diz: — Seu ruivo filho da puta. — Ele bota a mão no borso. Acaba que ele num tem nada naquele borso além do cachimbo, que ele vai fumá pra mostrá desdém pelo Stuart Tarleton, mas o Stuart acha que ele vai pegá uma pistola e puxa a dele, que dispara antes dele tê apontado direito, entonce a bala vai pará na perna do Cade Calvert e Cade grita "Maldito" e derruba uma mesa e cai no chão.

O jove dotô Fontaine dá conta da situação e corta a perna da carça do Cade pra vê o que tá aconteceno e o Cade fica brabo feito galinha moiada pruque são as carça do unifome.

A bala atravessa, sem pegá nenhum osso, e Cade Calvert num morre de sangrá, entonce todo mundo faz brincadera disso.

Os sinhô branco gosta de brincá quando eles tá com medo.

Quando a Sinhazinha Scarlett ove falá, ela qué sabê de cada detalhe inté entendê que eles tava brigano pur causa de política, não pur causa dela.

Como eu conheço o fio do carrasco

O NORTE DA Geórgia é o lugar mais bonito que *Le Bon Dieu* já fez. Num é o paraíso, mas é o mais perto que nós pecadô vai chegá dele. O Sinhô Gerald tem um grande coração e o coração da Sinhá Ellen é distraído, mas ela tá sempre tentano fazê o que é certo. A Sinhazinha Scarlett, ela... é quem ela é. Toda menina que eu conheci tinha um poquim da Sinhazinha Scarlett, mas nenhuma tinha tudo que ela tem, isso só ela merma.

É manhã do churrasco dos Wilkes, todas nuve avoa pra longe e todo mundo tá feliz da vida! Big Sam, Teena, Rosa, Dilcey e a cunzinhera já foi tudo pra ajudá em Twelve Oaks. Eu ia ficá em Tara com a Sinhá Ellen, mas o dia tá bonito demais! O Sinhô Gerald tá dirigino como sempre faz. As jove tá animada. Nunca vi elas tão animada. Ah, elas é linda e boa. As moça adora amá. As moça são iguá à caxa de música, que num tem mais pra dizê das música que toca que as moça.

O benjoero, a olaia, a maciera, o lorero e a amexera silvestre tá tudo floresceno e quando nós vai indo pela estrada nós sente o chero de todas ela como se tivesse ovino arguma conversa em francês, depois criolo e entonce inglês e cherokee.

O Sinhô Gerald comprô a Dilcey e a topera da fia dela, a Prissy. Acho que eu tô feliz. É verdade que a Dilcey mais eu se afoba e bate o pé pur um tempo, mas acabamo resorveno as coisa. O Sinhô Gerald finarmente encerrô as atividade do Administradô Wilkerson. Já era tempo.

Eu esqueço dos meu pesá e tô animada e alegre debaxo do sol magnífico de *Le Bon Dieu*. Faça eu o que fizé, o que tivé de sê será.

Quando nós chega em Twelve Oaks, recebemo cumprimento e mais cumprimento. Os cavalariço dos Wilkes segura nosso coche enquanto os O'Hara desce pro festejo. Frank Kennedy tá cortejano a Suellen, entonce ele ajuda ela a descê e pregunta se ela qué que ele busque arguma coisa antes mermu dela consegui puxá o fôlego. O Sinhô Gerald vai cumprimentá o Sinhô John e Honey tá do lado do pai, fazeno as vez de dama de Twelve Oaks. As menina O'Hara tão cochichano e tagarelano como sempre, menos a Sinhá Scarlett, que fica pra trás pruque ela é a Sinhazinha Scarlett.

A casa de Twelve Oaks é a mais grande do condado. Tem coluna. Num tem varanda na frente como Tara, tem "área". Twelve Oaks tem inté escada em curva, mas num é tão fina como a do Jehu. O chero das rosa do jardim se mistura com o chero do churrasco lá atrás.

Os home tão meio na sombra da área. Ele tá separado. Num é daqui. O home de cabelo preto tá oiano pra Sinhazinha Scarlett. Num tá fazeno nenhuma aproximação nem nada, só oiano! Eu num preciso preguntá se ele é perigoso. Primera vez que se ove a cascavé sacudi a cauda a gente sabe que ela é perigosa!

É como o sol escorregá pra trás da nuvem e nossa alegria num sê mais nada, só faz de conta. Eu fico arrepiada.

Já chega disso! Eu vô lá pra trás, onde os nego tão fazeno churrasco e os acompanhamento. As mesa de piquenique tão debaxo da sombra das arvre e o Pork e o Mose tão botano os taié. O Big Sam tá suano no fosso do churrasco. O Big Sam é famoso pelos churrasco dele.

Num é só os sinhô e as sinhá que têm de tê compostura. O churrasco tamém, o churrasco tem de sê no ar livre, não sentado numa sala abafada. A fumaça do churrasco pega nos cabelo das dama, que entonce fica cherano e o uísque e o vinho fica escondido detrás dos arbusto pros batista podê fazê de conta que num tem. Tem de tê um monte de churrasco pra mode todo mundo comê mais que devia, pão de minuto, dente-de-leão e otras verdura pros branco; e dobradinha de porco e bata-doce pros nego. As mesa dos nego fica longe das mesa dos branco pros nego num ovi as conversa, mas fica perto o bastante pra eles sartá quando arguém chama.

Os presunto do Able Wynder têm compostura. Os porco dele fica no mato, comeno noz de carvaio inté o otono, quando as noite esfria. Quando é morto, os porco é fervido e raspado, as linguiça de sangue e fígado é feita no mermu dia, e os miúdo, lavado e posto na sarmora. Os presunto fica na cura pur dez dia antes de ir pro fumero. Eles faz rotação todos os dia pra mode num ficá mais de um lado que do otro e o fogo nunca fica tão quente que num se possa passá a mão entre o fogo e o presunto. Os presunto são *defumado,* não *quemado.* Eles defuma pur dois mês. Depois eles fica pendurado no frio escuro da casa de carne pra se recompô. Nós tamo comeno o presunto defumado no otono passado, antes de Lincoln sê eleito e da Carolina do Sul se separá e dos sinhozinho se prepará pra ir pra guerra. Esses presunto têm história. Esses presunto é o que tem!

Tem churrasco de aniversário, de batismo e de funerá. Hoje o churrasco é de aniversário e noivado do Ashley Wilkes. Melanie Hamilton tá noiva pra se casá com Ashley Wilkes. Eles se senta um poco afastado. Ele tá num banquim de ordenhá junto dos pé dela. Eles sorri como se fosse Adão e Eva, as única pessoa no mundo.

Às vez eu me alembro como é isso, mas na maió parte do tempo não. Tem coisa que é pros jove senti e pros mais véio lamentá. Às vez eu me pregunto como eu fui acabá aqui. Às vez eu acho que era pra eu tá em argum otro lugá.

Quando os branco têm tudo que eles qué, os nego se acomoda. Rosa e Toby bota uma portrona pra eu na cabecera da mesa dos nego. Mose fica na minha direita, Pork, na minha esquerda, Big Sam do lado dele. Jeems tá sentado na grama perto dos nossos pé. Nós tá falano disso e daquilo otro e eu pregunto do home de cabelo preto que acabô de comê e tá fumano um charuto com o Sinhô John.

O Mose diz que o home veio com Frank Kennedy. Ele tá fazeno negócio com o Sinhô Frank, comprano todos os fardo de argodão que Frank tem pra vendê.

— O Sinhô Butler disse que nós vamo pra guerra. Que os federá vai bloqueá nós. Entonce o argodão que vai sê vendido pra Ingraterra é mió ir enquanto tá pegano bom preço.

— Butler? — sussurro.

— Sinhô Rhett Butler — diz o Pork.

— Qual é o lugá que ele chama de casa?

— Charleston — diz Pork. — A famia dele tem fazenda no rio Ashley.

O sol vai pra detrás de uma nuve de novo e dessa vez num sai mais. É como se eu fosse furminada. Pork e Mose num presta atenção, mas Jeems pregunta se eu quero um chá, uma água fresca.

Pork e Mose se diverte de falá do home de cabelo preto pruque ele é escandaloso! O negócio dele tem uma luz vermeia acesa na janela e os home respeitáve sobe as escada dos fundo pra fazê as compra e venda. O home de cabelo preto já teve na terra dos ianque tantas vez que é como se fosse um deles. Ele tem um fio bastardo em Nova Orleans...

Eu largo o garfo e tomo água fresca. Engoli dói. O home de cabelo preto fica a noite intera na rua com uma moça e quando o irmão dela desafia ele, ele dá um tiro de morte no home.

Tá tudo rodano em vorta. Jeems pregunta se eu tô bem.

— Craro que tô!

O Frank Kennedy sabe desse escândalo e faz negócio com o home?

O Pork diz:

— O Sinhô Kennedy manda telegrama pro banco. O crédito do Butler é bão. — Pork faz uma pausa. — Ele pode sê um cavalero, mas num é um cavalero de *Savannah*.

Jeems diz que o churrasco é o mió que ele já comeu.

— A merma coisa de sempre — diz o Mose.

Rhett Butler é aquele bebê que nasceu segurano o cordão do umbigo. O chero de carne assada tá tão forte e grosso que eu me engasgo. Eu me alevanto de repente e Pork pregunta pru que, mas eu vô direto pra latrina e boto pra fora tudo que comi.

Quando eu saio, a Dilcey me dá um trapo moiado e eu passo na testa suada. A Dilcey mais eu vai se dá bem. Eu tomo água e cuspo e enxugo a boca.

Quando eu me sento de novo, boto minha cadera de um jeito de podê vê o Butler, que tá oiano pra Sinhazinha Scarlett, que é a abeia rainha no meio do enxame, com tudo que é home e garoto zunino em vorta dela. Eu fico oiano o Butler e ele oiano a Sinhazinha Scarlett e... eu devo de tá enganada! Devo de tá!... Ela num pode tá oiano pro Sinhozinho Ashley! Mas tá!

Minha cabeça tá rodano. Todos os meu pesá vivo e atormentano minha cabeça e a Sinhazinha Scarlett espiano o Sinhozinho Ashley e eu tava enganada sobre isso tamém. Uma aia num pode se enganá! Ninguém tá notano o que a Sinhazinha Scarlett tá aprontano, só eu mais aquele Butler e tarvez o Sinhozinho Ashley, mas ele num dá sinal de prestá atenção em ninguém, só na Sinhazinha Melanie. Ah, ele tá adorano ela! E a Sinhazinha Scarlett tá fazeno sinal de que era ela que ele devia tá adorano pruque, veja, quantos home aos meus pé!

Eu nunca sôbe. Eu achava que eles era como irmão e irmã, eu nunca pensei que a Sinhazinha Scarlett queria o Sinhozinho Ashley. Eles é diferente. Diferente como o interiô e Paris, França!

O Butler sente meus óio nele e se vira e dá um sorriso e levanta uma das sobranceia, como quem diz "tamo nisso junto", como se só eu e ele fosse os único que sabia o que tava aconteceno. Ele num é arrogante, não; os óio dele tá se rino. Eu baxo os meu.

Depois de um tempo, os branco acaba de comê e os home tá fumano seus charuto. O Sinhozinho Wilkes pega o prato da Sinhazinha Melanie. Ela sente meu oiá e sorri pra mim como se nós fosse parente, o que num acontece. Os nego tão se movimentano, pegano os prato, buscano vinho ou uísque pros cavalero e a segunda sobremesa pros que qué.

Arguém fala de política, levantano essa lebre. As muié resmunga e se apressa a dexá os home junto como cachorro quereno brigá.

Pork continua contano mais do que eu quero sabê sobre o Rhett Butler. Como o pai dele era home importante, como o pai repudiô ele. Oh, Pork, eu sei tudo que preciso sabê sobre aquela famia!

O Jeems levanta a voz:

— O Sinhozinho Stuart diz que o Sinhô Rhett se acha mais do que é. Tá inté pensano em desafiá ele!

Tô pra lá de cansada dos home, que tá sempre se pavoneano e desfilano! Quem é o maió! Quem tem mais dinhero! Quem tem a casa mais grande! Pra quem os otro home faz mesura! Tô cheia dos home!

Rhett Butler começa a falá e eu acho que o Stuart pode tê a chance de desafiá ele. Os home do Condado de Clayton pensa o mermu sobre essa guerra: são capaz de lutá e são capaz de ganhá. Os que tinha dúvida mastigô e engoliu. Aqui num se permite tê dúvida!

Mas esse Rhett Butler, que num tem um nome bão e num tem amigo nem parente aqui no norte da Geórgia, ele tá dizeno que eles vai sê arrasado pelos ianque e que eles é muito caipira e ingnorante pra sabê!

Stuart num foi o único a se zangá. Eles fica tudo resmungano, murmurano e cuspino o suco do tabaco como se fosse no oio do Butler.

Só é preciso mais uma palavra. Eles tá implorano pur mais uma palavra pra mó disso sê uma questão de honra. Eles tá ansioso pur isso.

Butler para de repente, uma palavra a meno. Aquilo foi a coisa mais crué que ele fez naquele dia. O Sinhô John vai inté ele e eles fala em voz baxa como se num tivesse um monte de home eriçado e quereno matá arguém. Os dois vai andano pra casa como mió amigo! Entonce fica pur isso mermu. Ninguém ia ficá brabo com o Sinhô John na festa de noivado do fio dele. Stuart diz, bem arto prus otro podê ovi:

— Espero que encontremos o Sr. Butler novamente algum dia.

Os otro faz que sim, concordano com isso.

Entonce os home tá ino embora, os nego limpano e arrumano tudo e as muié tá dentro da casa reposano pra dança mais tarde.

Apesá de eu tê de ir fazê as coisa, num consigo me levantá da cadera. Os nego tá se movimentano em vorta, tudo quieto e o dia craro tremeluz como quando a luz do sol bate no rio Flint. Abaxo daquele rio brilhante eu vejo a Sinhazinha Scarlett e Rhett Butler; eles tá parado na frente de um caxão tão pequeno que deve sê de uma criança. Eles tá do lado um do otro, mas num tá junto nem tão de mão dada. O sol repica daquela água e ele e ela tá numa carruage, galopano pelas rua da cidade e tá tudo pegano fogo em vorta. Dilcey tá preguntano:

— Mammy...?

— Tá tudo bem — digo e aperto os óio bem apertado pra mode tirá os esprito dali. Eu num quero sabê! Num quero. *Le Bon Dieu* me ajuda!

Dilcey tá sussurrano e enxugano minha testa como uma mãe com a fia e eu quase dexo ela fazê isso, faz tanto tempo...

Eu abro os óio.

— Vô tomá um gole d'água — eu digo e ela traz.

Os banco tão empilhado. As cadera umas pur cima das otra, os panelão, prato e cuié cumprida já lavado e espaiado na grama pra secá. O que os branco ia fazê sem nós? Como é que eles ia prantá, capiná, colhê as safra e tê as cunzinha e os churrasco sem os nego deles?

O pessoá tá reposano. Os O'Hara no quarto da Honey Wilkes, os vestido de baile das menina pendurado na porta do ropero, Carreen e Suellen enroscada no chão e o Sinhô Gerald na cama. Ele dá um sorriso intrigado quando eu óio pra dentro, mas eu faço que sim, como se tivesse coisa importante pra fazê e ele vorta a afundá a cabeça no travessero.

A Sinhazinha Scarlett num tá no pátio nem na varanda e ninguém tá na cunzinha, só a cunzinhera dos Wilkes roncano na cadera. Fico me alembrano da Sinhazinha Katie em cima daquele Belzebu, com os cabelo enfiado dentro do chapéu, quereno tanto disputá a corrida, derrotá todo aqueles home e de como fiquei com medo pur ela na hora, tô com medo pur ela agora. Eu sô a Mammy da Sinhazinha Scarlett! Eu sô a Mammy dela!

Eu tô vino pelo corredô quando oiço o grito loco e magoado da Scarlett. O grito eriça os cabelo da minha cabeça.

O Sinhozinho Ashley sai avoano da bibrioteca como um home que foge da cadeia. Ele num me vê nem vê mais nada. Ele ainda tá donde acabava de saí.

O silêncio é tão arto que eu oiço a luz do sol bateno na poera que dança no ar. Entonce vem um baruio horríve da bibrioteca como arguma coisa se quebrano. Meu coração tá saino pela boca. O diabo anda ocupado hoje. Eu oiço duas voz falano, mas num dá pra sabê o que se tá dizeno.

Entonce a Scarlett sai esbaforida que nem o Sinhozinho Ashley e ela tá com a cara branca e furiosa. Atrás dela, como um cachorro atrás dum coelho, vem a risada debochada dum home. Scarlett tá tão furiosa que passa pur eu sem me vê, mermu eu podeno tocá nela se quisé. Fica tudo quieto de novo. O relógio do corredô mandano os segundo, minuto e ano.

Eu oiço o riscá de um fósfro. Um home cantarolano de boca fechada. Sinto o chero de charuto.

Sem pensá, eu entro naquele cômodo.

Todas as parede cheia de livro. Tem livro em cima das janela e embaxo tamém. Tem livro vermeio, preto, verde, azul. Livro nas mesa do lado do sofá e da poltrona onde Rhett Butler tá fumano um charuto. Aqueles que já viu Lúcifer diz que ele é lindo. O cabelo preto como uma noite sem lua, os óio que ri quando a boca não. Astuto e dissimulado como um gato. Ele mata quarqué um antes de dexá montá nele, como o Belzebu.

Eu me ajoeio pra recoiê o prato quebrado. Rhett Butler tá lá com os pensamento dele. Eu num sô nada pra ele: uma criada véia, gorda e nega pegano os caco.

Eu recoio os caco no canto e atrás da poltrona e junto do rodapé. Nunca vai dá pra colá. Nunca mais vai ficá intero. Todas as xicra azul da Sinhá Solange tamém quebrô, menos uma.

Eu boto os caco no aventá, me alevanto e espero inté ele me notá.

Ele dá um sorriso curioso, mas num é grossero.

— Sinhô Butler — eu digo pra ele —, seu pai enforcô meu marido.

Isso traz ele de vorta do que qué que tava pensano. Os óio dele endurece e ele me vê como eu num sô vista muitas vez.

Ele fica me oiano, mas eu disse a verdade; entonce, depois de um tempo, ele sorta o ar com uma baforada e diz:

— Meu pai tem menos escrúpulos que a maioria.

Seja o que "escruplo" fô, com certeza Langston Butler num tem nenhum.

Eu tenho tanta coisa pra dizê que mal consigo falá.

— Eu vi vosmecê.

— Não posso dizer que fico satisfeito. Geralmente, prefiro não ser visto. Como você deve saber, a pessoa progride quando é subestimada.

Depois que eu entendo aquela charada, eu faço que sim. Eu vejo ele, e ele me vê. Minha nossa, como me dá vontade de chorá! Eu num consigo fazê nada com esse home, não mais do que consigo fazê com a Sinhazinha Scarlett.

— Lamento sua perda — diz ele, e parece que lamenta mermu.

Ele sorri pra eu, como quem num qué todo dano que ele e a Sinhazinha Scarlett vai provocá pur amá um o otro. Eu num digo pra ele o que eu sei que vai acontecê.

Eu tiro a loça quebrada da bibrioteca do Sinhô John e levo pro pátio pra jogá fora. Depois eu vô lá pra cima, andano devagá como a nega véia e gorda que eu virei.

Ki kote pitit-la?

O FURACÃO FAZ o que tem de fazê e vai-se embora pro mar. Tudo que é rapaz e moça que queria se casá se casa, e os rapaz que ia pra guerra vai.

Os dado tão jogado!

Depois do churrasco em Twelve Oaks, o Sinhozinho Charles Hamilton decide que num ama a Sinhazinha Honey Wilkes tanto quanto ama a Sinhazinha Scarlett O'Hara, o que num é nenhuma novidade, mas a Sinhazinha Scarlett dizê sim faz caí o quexo de todo mundo!

Quase todo mundo acredita que ela vai se casá pruque os jove cavalero tá tudo ino pra guerra, entonce as moça se apressa a casá com eles.

Eu num acho que é isso. A Sinhazinha Scarlett num faz de conta que se importa com a guerra e com os jove cavalero corajoso nem nada dessas coisa. Nem uma vez na vida ela fez arguma coisa que num fosse pra Scarlett!

No mermu dia do churrasco, no mermu dia que eu conheci o Sinhô Rhett Butler, o Presidente Lincoln procrama pros estado do sul que num tá separado que eles tem de fornecê tropa pra atacá os estado que tá separado. O pessoá do norte da Geórgia tem parente em tudo que é parte do sul e se eles tava com dificurdade de se decidi sobre ir lutá ou não, agora eles num têm mais dúvida.

A guerra achô nós. Os acostamento das estrada tá cheio de olaia e alfarrobera em frô, o gado pastano, os porco comeno suas lavage, as vaca leitera mugino quando precisa sê ordenhada, os véio se quexano, os moço e as moça se apaxonano, mas agora tá tudo diferente. A guerra achô nós.

Tara tá no maió tumurto pur causa do casamento da Sinhazinha Scarlett. Nem a Sinhá Ellen sabe o que fazê. A confusão faz ela se esquecê do que tava quereno dizê e ela tá derrubano as coisa. A Sinhazinha Scarlett vai se casá com o vestido de casamento da Sinhá Ellen. Quando ela desce as escada de braço com o pai, eu derramo uma lágrima. Já num sô mais a Mammy de Katie Scarlett O'Hara.

Naquela noite, eu ajudo ela a tirá a ropa e assopro as vela antes do Charles entrá. Eu desço sentino que a Scarlett vai sê sacrificada, num sei pra quê nem pra quem.

Num impressiona vê o Sinhô Charles feliz e agradecido de sê um home casado, mas a Sinhá Scarlett tá chocada. Num é a primera vez que uma noiva fica chocada de descobri pru que as moça monta em sela lateral, entonce eu num acho nada de mais nisso.

O Sinhozinho Ashley e a Sinhazinha Melanie tamém se casa.

Os rapaz vão pra guerra achano que vai tá de vorta em casa antes do fim do verão e tá todo mundo na estação de Jonesboro pra se despedi. Twelve Oaks, Tara, Fairhill, todo mundo. Tem tanta névoa se misturano com fumaça em cima do trem dos rapaz que eu quase num consigo oiá.

Depois que eles vai embora, Scarlett anda pela casa sem fazê nada pur dias e dias. A Sinhá Ellen acha que ela tá com muita saudade de Charles e fica dando chá de sassafrás pra Scarlett. Eu pregunto pra Sinhá Scarlett o que ela anda sonhano. Ela sonha com pexe, que significa que tá carregano um fio do Charles.

Desde que despediu o administradô, o Sinhô Gerald tá administrano Tara ele mermu. Os trabaiadô do campo num trabaia tão duro, mas faz mais quando é o Sinhô Gerald que administra. O Sinhô Gerald anda chateado pur causa da guerra e num larga o trabaio inté tá escuro e nunca mais foi inté Twelve Oaks. Suellen mais Carreen, Honey e India se junta pra tricotá meia prus sordado.

Tá todo mundo segurano o fôlego. O véio mundo se foi e o novo inda num chegô. Parece que o nascimento vai sê difício. Tá quente e úmido pro início do verão e é difícil puxá o fôlego. Os passarim para de cantá antes do orvaio secá no capim e os beja-frô avoa com dificurdade de frô em frô.

Eu tô descansano na varanda com meu copo d'água quando a Sinhá Ellen sai.

— Não se vá, Mammy. Por favor.

Entonce eu sento de novo. A Sinhá Ellen pregunta onde tá as menina e eu digo que elas foi pra Twelve Oaks. A Sinhá Scarlett foi junto.

— É bom que Scarlett saia um pouco. Ela parece tão infeliz.

— É, sinhá.

A Sinhá Ellen suspira.

— Coitadinha. Esposa por apenas uma semana antes que o dever levasse seu marido.

Eu num posso dizê nada pruque a Rosa traz uma bandeja com um bule branco e a xicra azul da Sinhá Ellen. Ela guarda a xicra azul na cristalera da sala e ninguém mais bebe nela.

— Scarlett é a favorita do Sr. O'Hara — diz a Sinhá Ellen.

— É, sinhá.

— A última das xícaras da minha mãe. — Ela segura a xicra contra a luz. — Eu detestaria perdê-la.

— Sua mãe tinha essas xicra em São Domingos. Ela e o Capitão Fornier troxe da França.

— Que idade você tinha?

— Num sei. Num tinha aniversário em São Domingos.

— Lembra-se de mais alguma coisa?

— *Ki kote pitit-la?*

— Francês?

— Criolo. Minha mãe brincava disso comigo. Eu num falo mais criolo.

— Sua mãe...

— Num me alembro dela. Só que ela fazia essa brincadera.

— Com certeza...

— Eu era pequeninha, sinhá, quando o Capitão Fornier me encontrô. Pra bem dizê, o Capitão Fornier é minha primera lembrança.

— Eu tô mais triste que mostro. Num quero me alembrá, não.

— O Capitão Fornier. Aquela questão de honra...

— Aquela foi só uma das burrice que os cavalero branco inventa.

— Ruth, a honra...

— Deve de sê sastifeita. Os branco tá sempre dizeno isso. Sabe o que eu acho? Eu acho que a honra é o 666, a besta do apocalips, todo cheio de óio e sorriso e dente!

— A honra de um cavalheiro...

— Cumé que os home de cor se arranja sem isso?

A Sinhá Ellen tá com a resposta na ponta da língua, mas num dexa ela avoá. Ela se serve de chá. A cuié tilinta na xicra azul.

— Será que a Scarlett vai ser feliz?

Eu tomo minha água.

— Ruth, você conhece melhor a minha filha.

— Sim, sinhá. Eu conheci sua mãe, conheci vosmecê e conheço Katie Scarlett e, se *Le Bon Dieu* permiti, vô conhecê os fio da Sinhá Scarlett tamém.

— Então?

As aia num diz o que sabe. Nunca. Mas eu, sim. Num sei pru que, mas eu digo.

— Scarlett num dá a mínima pro Charles Hamilton. Ela se casô pur despeito, pur causa de Ashley Wilkes.

Eu oiço a xicra da Sinhá Ellen batendo no pires.

— Mammy!

— Sim, Sinhá. Se vosmecê quisé que eu digo otra coisa, eu digo.

— Eu já busquei outra coisa além da verdade?

Eu assimilo isso. Levo meu tempo assimilano isso. Tanto tempo que a Sinhá Ellen fica impaciente.

— Ruth...

— Acho que vosmecê é como a maioria das sinhá. Sabe o que qué sabê e dexa todo o resto passá.

— Minha filha vai ser feliz?

— Charles Hamilton tem compostura e muito dinhero, mas num é páreo pra Sinhá Scarlett. Aquele Belzebu ia tê matado Charles rápido como uma piscada. De toda manera, o Charles num vai durá muito nesse mundo.

Como eu já disse, Ellen sabe o que ela qué sabê e dexa o resto passá; o que eu tô dizeno num é do agrado dela.

— Ah, quer dizer que você *sabe* disso.

A teimosia vem forte, feito um fogo.

— Eu vejo coisa, Sinhá Ellen. Eu num quero vê, mas vejo.

— Ah — diz ela. — Está uma bela primavera, não é, Mammy? Não consigo me lembrar de outra igual.

Eu num consigo dexá de dizê:

— Scarlett e Rhett Butler vão ficá junto um dia. Eles faz o mermu tipo. Tarvez eles corcoveia e faz as paz e briga um poco, mas eles é duas metade dum prato quebrado. Só vai sê intero quando fô colado.

Ela sorri como se eu tivesse com um parafuso sorto.

— O Sr. Butler é um patife, Mammy.

Eu óio bem nos óio dela.

— O Sinhô Butler é iguarzim ao Sinhô Philippe. Num tem diferença nenhuma.

O sorriso some do rosto da Sinhá Ellen e ela ataca de vorta:

— Philippe morreu por uma questão de honra. Pelo menos não foi enforcado.

O que me dexa sem fôlego. A manhã nada à minha vorta: o céu azul, a terra verde, o chão da varanda pintado de cinza.

— Como é que vosmecê sabe... Como sôbe...?

— Philippe e Jack Ravanel eram amigos, Ruth. Bons amigos. Acho que você não gostaria de saber disso. Não gostaria de saber que Philippe admirava seu marido.

Eu fico de boca aberta como pexe fora d'água.

— Philippe dizia que, se as posições fossem inversas, ele teria sido um rebelde como Jehu Glen. "Dê-me liberdade..."

— "Ou me dê a morte". Na maió parte das vez, morte. — Eu fico tão agoniada que falo sem nem sabê o que digo.

Ellen tamém tá agoniada e toma o tempo dela pra dizê:

— Sim. — A mão dela tá tremeno e ela larga a xicra com cuidado. — Philippe era meio muscogee. Na época do avô dele, ele teria lutado contra nós em Horseshoe Bend.

Eu faço que sim.

— Antes que ele estivesse pronto, não mais que uma criança, o pai dele morre e Philippe vira o homem da família. — Ellen óia pro otro lado. — Às vezes alguma coisa me faz lembrar dele; uma forma estranha na sombra, uma chuva morna de primavera, uma gargalhada inesperada de criança. Eu fico invariavelmente surpresa e... atormentada quando lembro do meu Philippe.

— Os esprito fica tudo perto daqueles que ama. Tudo impaciente pra nós se juntá a eles.

— Ruth, você acha que é possível amar mais de um homem? Será que as duas partes de um coração dividido podem ser verdadeiras?

— Eu só amei um home. Jehu, ele... ele tinha as mão mais bonita do mundo.

— Philippe cantava às vezes. Umas rimas bobas. "Eis a minha Ellen, ela é meu éden..."

— Philippe podia tê crescido diferente. Philippe morreu antes de sê o que ele era.

— Podemos ter esperança para o que não pode ser desfeito?

— Tem uns home que é difício pra daná. Mermu assim, nós ama eles. Entonce os home num dá muito espaço pras muié sê. — Foi minha vez de fazê uma pausa. — Philippe e Rhett Butler num têm compostura.

Ela sorri.

— Philippe? Compostura? Não. Mas, Ruth, pessoas verdadeiramente elegantes não precisam disso. O refinamento está no modo como se movem e, Deus sabe, Philippe era refinado.

— Se a pessoa tem dinhero bastante, poder bastante e é branca, tarvez num precise de compostura. As otra... é só o que elas têm.

Entonce Ellen se alevanta, sai da varanda pra arrancá uma erva daninha no cantero de frô. Sacode a terra da raiz. Limpa as mão com um lenço.

— Scarlett...

Ah, hoje eu tô exprodino. Uma nega véia, num sabe escrevê o próprio nome! Tô exprodino!

— A Scarlett tá acima das coisa. Num tem nada que derruba ela. Num quero sê a boba que vai se atravessá no caminho dela.

Ellen tá oiano pro otro lado do gramado de Tara, pro rio Flint, que tá cheio e marrom pruque é primavera.

Depois que a pobre da mãe dela morre, eu seguro a bebê Ellen. Tarvez ela teje se alembrano disso. Num imagino que ela quera. A gente num qué ficá se alembrano muito. Alembrá apunhala o coração.

— Eu vejo coisa — eu digo.

Ela óia pra eu como se nós num fosse sinhá e aia, só duas muié na nossa jornada neste mundo.

— Eu sei — diz Ellen. — Sempre soube.

— Eu perdi todos eles.

— Eles? — pregunta ela, de forma bondosa.

— *Ki kote pitit-la?* — eu digo sem sabê pru que tô dizeno aquilo.

Naquela hora Ellen me dexa dizê tudo que eu quisé.

— Jehu Glen, a minha Martine...

— É.

— O Capitão Augustine, a Sinhá Frances e a Penny, a Sinhá Solange e o Sinhô Pierre e Nehemiah. E... os três bebê Gerald.

— Sim — diz Ellen. — Sim. Cada um deles precioso.

Nós quase cai nos braço uma da outra, mas nunca ia consegui se desprendê, entonce não.

— A guerra vai sê pió do que a Babilônia fez com Jerusalém. Eu vejo fogo e sangue. Guerra, fogo e sangue.

— Nós temos a oração. Às vezes eu creio que apenas isso... — Entonce ela me toca, bem de leve. — Eu realmente amei o Philippe.

Amo. Você acha que é errado? Sempre amamos com um coração dividido. Eu não consigo "ver". Fico agradecida por isso. Consigo apenas curar os ferimentos sob minhas mãos. Não podemos protegê-los, Mammy. Devemos tentar, mas eles fazem como desejam. Por mais que se tente, por mais que se ore, eles farão como quiserem.

A mão dela tá trêmula quando toca a borda da xicra. Delicada feito uma casca de ovo e veio desde a França, depois São Domingos, entonce Savannah e agora tá em Tara.

Nós já disse mais que chega. Nada mais pode sê dito sem a gente ir pra onde num vamo nunca podê vortá.

— As contas do Sr. Wilkerson estão um pandemônio — diz a Sinhá Ellen.

Eu me alevanto.

— Vô dá uma oiada no recém-nascido da Teena.

Nós nunca perdemo nenhum recém-nascido em Tara. Só os da Sinhá Ellen.

Ki kote pitit-la?... Ah, onde tá aquela menina?

Bem, mama, aqui tô eu. Aqui tô eu, onde tinha de tá.

Agradecimentos

Meu profundo agradecimento a todos cujo conhecimento, cortesia, fé e paciência ajudaram Mammy a ganhar vida:

Sr. Paul Anderson
Sr. Paul Anderson Jr.
Sr. Peter Borland
Sra. Gillian Brown
Sra. Susan Brown
Sra. Mia Crowley
Sra. Kris Dahl
Dr. Laurent Dubois
Dr. Douglas Egerton
Sra. Julia Gaffield
Dr. Philippe Girard
Dra. Joan Hall
Sra. Anne McCaig
Dr. Jeremy Popkin
Dr. J. Tracy Power
Sra. Laura Starratt
Sr. Kerly Vincent
Sr. John Wiley Jr.

The Atlanta History Center [Centro Histórico de Atlanta]
Cathedral of St. John the Baptist [Catedral de São João Batista]
The Davenport House
The Georgia Historical Society [Sociedade Histórica da Geórgia]
The Hermitage
The Owens-Thomas House
E, em especial,
Sra. Margaret Munnerlyn Mitchell